Jumeaux : mission possible !

2e édition

Gisèle Séguin

Catalogage avant publication de Bibliothèque et Archives nationales du Québec et Bibliothèque et Archives Canada

Séguin, Gisèle

Jumeau : mission possible!
2e édition.
(La collection du CHU Sainte-Justine pour les parents)
Comprend des références bibliographiques.

ISBN 978-2-89619-775-0

1. Jumeaux. 2. Éducation des enfants. 3. Parents et enfants. 4. Rôle parental. I. Titre. II. Collection : Collection du CHU Sainte-Justine pour les parents.

HQ777.35.S43 2016 649'.144 C2016-940021-2

Illustration de la couverture : Geneviève Côté
Conception graphique : Nicole Tétreault

Diffusion-Distribution au Québec : Prologue inc.
en France : CEDIF (diffusion) – Daudin (distribution)
en Belgique et au Luxembourg : SDL Caravelle
en Suisse : Servidis S.A.

Éditions du CHU Sainte-Justine
3175, chemin de la Côte-Sainte-Catherine
Montréal (Québec) H3T 1C5
Téléphone : (514) 345-4671
Télécopieur : (514) 345-4631
www.editions-chu-sainte-justine.org

ISBN 978-2-89619-775-0 (imprimé)
ISBN 978-2-89619-776-7 (pdf)
ISBN 978-2-89619-777-4 (ePub)

Dépôt légal : Bibliothèque et Archives nationales du Québec, 2016
Bibliothèque et Archives Canada, 2016

Membre de l'Association nationale des éditeurs de livres

ASSOCIATION NATIONALE DES ÉDITEURS DE LIVRES

À Sylvain et Richard, qui ont accepté
que je raconte leur histoire.

Remerciements

Par où commencer ? D'abord, ce livre n'aurait jamais existé si ce n'était de ma grande amie Sylvie. Merci, Sylvie, d'avoir cru en moi et de m'avoir poussée à réaliser ce vieux rêve. J'ai toujours admiré la confiance tranquille et la détermination que tu démontres lorsque tu entreprends des projets. Tu m'inspires. Merci.

Merci, André, pour ton soutien et ton humour depuis 40 ans. Si nos fils sont aujourd'hui de bons pères de famille, c'est qu'ils t'ont eu comme modèle. J'ai pu me consacrer à ce projet d'écriture en sachant qu'un excellent repas, préparé avec amour, m'attendait à la fin de la journée. Je t'aime.

À Marie-France, ma belle grande fille. Tu as survécu, toi aussi, à la présence des jumeaux ! Tu as été d'une grande inspiration tout au long de ce projet. Tu es maman à ton tour maintenant. Tu comprends combien une maman peut être fière de ses enfants. Que je t'admire... Merci pour ton aide et tes lumières lors de la réédition de ce livre ainsi que pour tes petits trucs et tes encouragements. Ils m'ont été précieux, même si je ne serai peut-être jamais une « référence mondiale sur les jumeaux ».

Merci aux merveilleux amis du défunt Club de parents de jumeaux de l'Estrie. Nous avons vécu ensemble la petite enfance et l'adolescence de nos jumeaux. Ce livre raconte nos histoires, nos questionnements et nos défis.

Aujourd'hui, votre amitié, votre soutien et votre enthousiasme me sont encore très précieux, et ce, dans toutes les sphères de ma vie, y compris ce projet d'écriture. Je vous adore ! Merci à tous nos jumeaux, grâce à qui nous nous sommes trouvés.

Merci d'abord à Marise et par la suite à Marie-Ève, des Éditions du CHU Sainte-Justine, pour votre écoute, votre soutien et vos conseils (et oserais-je même dire votre amitié ?). Ce fut un plaisir de travailler avec vous au cours de cette grande aventure.

Et évidemment, merci à Richard et Sylvain, mes jumeaux adorés. Votre simple présence a apporté une dynamique toute particulière à notre famille. Vous nous avez poussés à devenir, je crois, de meilleurs parents. Votre complicité naturelle m'impressionne toujours. La confiance et l'amour que vous avez l'un pour l'autre réchauffent mon cœur de mère. Si j'ai d'abord été très surprise d'apprendre que j'attendais des jumeaux, je suis cependant incapable d'imaginer aujourd'hui ce qu'aurait été ma vie sans vous deux. Merci, merci de faire partie de ma vie et de m'avoir permis de découvrir, ne serait-ce que de l'extérieur, le monde fascinant des jumeaux.

À tous les parents qui entreprennent bien malgré eux la mission d'élever des jumeaux, sachez que vous en tirerez beaucoup de bonheur malgré les nombreux défis. Après tout, il s'agit d'une « mission possible »!

Table des matières

Introduction

La surprise !

Vous rêviez peut-être d'avoir un enfant depuis quelques mois ou quelques années. Vous espériez chaque fois que le test de grossesse acheté à la pharmacie soit positif. Or, cette fois, c'est confirmé : vous êtes enceinte. Félicitations ! Votre conjoint et vous vivez des émotions d'une grande intensité : joie, excitation, anticipation et crainte se bousculent dans vos têtes et dans vos cœurs.

Il se peut aussi que vous n'ayez pas planifié cette grossesse. Si c'est le cas, elle n'a peut-être pas été facile à accepter. Peut-être vous y êtes-vous simplement résignée après quelque temps.

Vous étiez loin de vous douter qu'une autre surprise vous attendait. Lors d'une visite de routine chez votre médecin, celui-ci vous a dit que votre utérus semblait un peu plus gros que la norme. Cela vous a-t-il inquiétée ? Il est possible que rien ne vous ait mis la puce à l'oreille en ce début de grossesse. Vers la 13e semaine, la première échographie vous a fait voir deux minuscules cœurs qui battent. Vous attendez bel et bien des jumeaux ! L'intensité des émotions ressenties à l'annonce de la grossesse est décuplée. Ces deux petits êtres vont bouleverser votre vie. Mais quelle aventure vous entreprenez ! Nous tenterons de vous la rendre la plus agréable possible…

À quoi devez-vous vous attendre ?

À l'annonce de la grossesse gémellaire, les futurs parents réagissent de diverses façons. Certains sont heureux, d'autres ont peur. Certains sautent presque au plafond et d'autres s'effondrent, au désespoir. Certains ne commencent à prendre conscience de ce qui s'en vient que quelques heures, voire quelques jours après l'annonce. Malgré ce qu'ils ont vu à l'échographie, plusieurs préfèrent croire pendant quelque temps qu'il s'agit d'une erreur. Pour certains, c'est d'abord l'euphorie, puis la panique ; pour d'autres, ce sera l'inverse… C'est ce qu'on appelle le « choc gémellaire ». Ne vous inquiétez pas : votre réaction à cette annonce ne donne aucune indication quant à l'avenir. Si votre première réaction n'est pas enthousiaste, cela ne fera pas de vous de mauvais parents. Et si votre première réaction en est une de joie, lorsque les jumeaux seront là, en chair et en os, vous vivrez quand même des moments d'épuisement où, pendant quelques instants, vous rêverez de vous retrouver sur une île déserte sans enfants…

On imagine tous qu'avoir des jumeaux ne doit pas toujours être de tout repos. Le stress physique d'avoir à répondre aux nombreux besoins de deux bébés sera votre lot quotidien. Vous manquerez sans doute de temps pour vous occuper de ces deux petits et des autres membres de la famille en plus de tout faire dans la maison. Vous aurez rarement du temps pour vous.

Le stress émotif sera, lui aussi, toujours présent. Que signifie être un bon parent de jumeaux ? Comment accorder à chacun le temps et l'attention dont il a besoin ? Comment agir dans le meilleur intérêt de ces enfants ? Quel impact cette double naissance aura-t-elle sur les autres enfants ? Votre couple sera mis à rude épreuve.

Le stress financier compliquera sûrement quelque peu votre vie. Élever des jumeaux coûte plus cher qu'élever deux singletons (c'est-à-dire deux enfants qui se suivent de quelques années). C'est une réalité qu'on ne peut négliger. Vous devrez acheter en double l'équipement nécessaire : couchettes, sièges d'auto, etc. Il se peut même que vous deviez changer de voiture ou déménager. Retournerez-vous au travail comme vous l'aviez prévu au départ ? L'un des parents restera-t-il à la maison plus longtemps pour s'occuper des enfants ? N'oubliez pas qu'en vieillissant, les jumeaux coûteront plus cher que deux enfants nés à trois ans d'intervalle : deux équipements de hockey de même grandeur, deux vélos de même grandeur en même temps, etc. Vous constaterez d'ailleurs que cet ouvrage vous encourage à acquérir des vêtements et des objets usagés, à n'acheter que le minimum et à faire preuve d'esprit critique. Ce ne sont pas seulement mes propres valeurs qui me font tenir ce discours sur la surconsommation. Tout coûte de plus en plus cher : épicerie, vêtements de qualité, éducation, services de garde. Si vous avez les moyens de vous procurer tout ce dont vous avez besoin (ou rêvé), tant mieux ! Mais si vous trouvez déjà qu'avoir des jumeaux « coûte quand même cher », croyez-moi, ce n'est que le début ! Ces petits êtres si mignons deviendront très rapidement des petites personnes qui voudront suivre des cours de danse ou de piano ou encore jouer au hockey. Quand ils seront ados, ils vous demanderont de participer aux voyages scolaires et ils mangeront pour deux. Ils iront peut-être ensuite étudier dans une autre ville et auront besoin de votre aide pour payer leur loyer ou acheter une voiture. Dans ce livre, je vous propose de considérer les friperies ou de vérifier les petites annonces.

Tout en évitant la surconsommation et en réduisant votre empreinte écologique, cela vous permettra, si tel est votre choix, d'ouvrir le plus tôt possible un REEE* et d'y déposer dès maintenant un montant chaque mois. Ce type d'investissement vous assurera une plus grande tranquillité d'esprit et un plus grand bonheur que celui que vous procurent les deux petits lits identiques. Mais chaque chose en son temps…

Pour l'instant, prenez le temps de digérer la nouvelle avant d'en parler à tout le monde. Lorsque vous ferez la grande annonce autour de vous, vous aurez sans doute droit à toutes sortes de commentaires : « Ah mon Dieu ! Des jumeaux ! C'est pas vrai ! Comment vas-tu faire ? Ça doit être terrible ! Heureusement que c'est à toi que cela arrive, et pas à moi ! » Ne vous laissez surtout pas influencer négativement par les gens qui vous plaignent ! Avoir des jumeaux n'est pas dramatique. Il est tout à fait possible de bien vivre avec des jumeaux, même s'il est vrai que la tâche qui vous attend est impressionnante. Dites-vous que vous vivrez aussi une expérience parentale tout à fait privilégiée. Quel bonheur vous aurez à voir évoluer vos deux petits amours ! Avec des jumeaux, la vie est occasionnellement complexe, régulièrement étourdissante, souvent stressante… mais elle n'est jamais ennuyeuse !

Pourquoi ce livre ?

Lorsque l'échographie nous a fait voir deux petits cœurs, mon mari et moi avons cherché des références sur la vie avec des jumeaux. Nous n'avons pas trouvé grand-chose pour répondre à notre besoin. Il existe évidemment de

* Régime enregistré d'épargne-études

nombreux ouvrages sur la grossesse ainsi que le développement et l'éducation de l'enfant. Ces livres sont utiles, mais ils ne contiennent généralement que quelques pages sur les jumeaux, ce qui est nettement insuffisant!

Le présent ouvrage tente donc de pallier le manque d'information sur les jumeaux. J'espère qu'il saura vous donner confiance, vous aider à dédramatiser certaines situations, vous faire sourire occasionnellement ou vous faire prendre conscience que vous n'êtes pas seuls dans cette aventure. Si vous y trouvez ne serait-ce qu'un seul petit truc qui vous permet de surmonter une journée particulièrement difficile ou de désamorcer une crise, mon objectif sera atteint. Qui sait, même une petite astuce simplifiant la vie du parent de singleton peut être doublement intéressante pour vous! Certaines suggestions vous semblent banales? Vous êtes probablement reposés et en pleine forme. Dites-vous qu'avec un manque chronique de sommeil, dans le feu de l'action, on ne voit pas les choses de la même façon! Vous pourrez donc consulter facilement ce livre en tout temps. Tous les conseils et suggestions que vous y trouverez ne sont cependant que des pistes de solutions, des options. Certaines ne s'appliqueront pas à vous. Cela dépend de vos valeurs, de vos réseaux sociaux, de vos moyens financiers, etc. À vous de voir ce qui vous est utile et ce qui peut être adapté à *votre* famille, à *vos* jumeaux. Cet ouvrage explore, étape par étape, le développement des jumeaux et de la relation gémellaire, parfois pleine de complicité, parfois conflictuelle. Quel est le rôle du parent de jumeaux? Comment fonctionnent les jumeaux entre eux? Doit-on les encourager à se différencier, à se séparer? Si oui, pourquoi et comment? Vous verrez un peu à quoi vous pouvez vous attendre, à différents âges et selon le type de jumeaux que vous avez. Quels sont les difficultés ou les défis associés à chaque âge ? Vous reconnaîtrez sans doute certains aspects de la vie de vos jumeaux dans les quelques exemples évoqués. Parfois, au contraire, vous constaterez que c'est tout à fait différent pour vos jumeaux !

Je ne suis ni psychologue ni pédagogue de formation : je suis simplement une mère ayant une expérience de vie à partager. Vous tenez entre vos mains le fruit de plus de 25 années d'observation, de discussions avec des jumeaux et des parents de jumeaux, de lectures et de formations diverses. Je ne prétends pas détenir la solution à tous vos problèmes ou avoir réponse à toutes vos questions. Comme pour l'éducation des singletons, il n'y a jamais une façon de faire universellement et unanimement acceptée. Dans les pages de cet ouvrage, je vous propose des pistes de réflexion afin que vous soyez un peu mieux outillés pour comprendre vos enfants et agir auprès d'eux dans les différentes étapes de la vie. J'espère que ce livre vous permettra d'apprécier les avantages de la relation gémellaire, mais aussi de mieux vous préparer à affronter les difficultés qui y sont liées.

Vous êtes capables !

Dans l'ouvrage de Janet Poland, *Jumeaux mode d'emploi : joies et défis d'élever des jumeaux et autres multiples*, une phrase m'a particulièrement frappée : « En réalité, les jumeaux ne deviennent pas des individus à part entière grâce à leurs parents, ils le sont déjà à la naissance. » Je sais qu'elle a raison, mais l'influence des parents demeure malgré tout très importante dans la vie de ces jumeaux.

Ce livre a pour but de vous aider à entreprendre avec confiance l'éducation de vos jumeaux, avec toutes les particularités que celle-ci présente. Puisez-y ce qui vous est utile. Renseignez-vous le plus possible autour de vous, parlez avec d'autres parents de jumeaux, que ce soit par le biais d'associations de parents de jumeaux ou des réseaux sociaux. Les parents de singletons auront sûrement beaucoup de conseils à vous offrir, mais vous verrez que ceux-ci s'appliquent rarement aux jumeaux. Rappelez-vous que vous connaissez vos jumeaux mieux que quiconque.

Il est primordial de bien vous préparer à l'arrivée de vos jumeaux. Malheureusement, malgré toute la préparation du monde, la vie de tous les jours avec deux bébés risque de vous réserver des surprises. N'ayez crainte : vous y survivrez ! Faites-vous confiance. Ayez du plaisir ! Bonne mission !

Chapitre 1

Le début de l'aventure

La grossesse multiple : un peu de biologie

Lorsque vous annoncez que vous attendez des jumeaux, les gens vous demandent presque invariablement s'il y a des jumeaux dans vos familles. Si c'est le cas, vous avez peut-être déjà évoqué la possibilité d'en avoir à votre tour. Sinon, comment expliquer que vous soyez les premiers à en attendre ? Lorsqu'il y a des jumeaux dans la famille, la légende urbaine veut que « ça saute une génération ». Est-ce possible ?

Dans les dictionnaires, les jumeaux sont définis comme deux enfants nés d'un même accouchement. Si seulement c'était aussi simple que cela… De nombreux ouvrages expliquent en détail le phénomène de la grossesse. Ce chapitre a pour but de répondre aux questions que vous pourriez avoir au sujet de votre grossesse multiple.

« Pourquoi certains jumeaux sont-ils identiques alors que d'autres ne se ressemblent pas du tout ? » « À l'échographie, on ne voyait qu'un placenta, dois-je en conclure que mes jumeaux sont identiques ? » « Ma voisine me dit que s'il y a deux sacs amniotiques, c'est que mes jumeaux ne sont pas identiques. C'est vrai ? »

Si on débutait par la base ?

L'ovule fécondé par un spermatozoïde s'appelle *zygote*. Le zygote devient embryon dès qu'il commence à se développer. Cet embryon forme un petit sac, l'amnios, qui se remplira éventuellement de liquide amniotique. Il développe aussi son placenta, qu'on appelle *chorion*. Le placenta, très vascularisé, sert à nourrir l'embryon et à filtrer les déchets, aide à la « respiration » de l'embryon, produit des hormones, etc. L'embryon devient fœtus, grandit et se développe pendant environ 40 semaines. Et voilà, enfin, bébé est prêt à naître !

Que se passe-t-il dans le cas de jumeaux ?

Deux phénomènes peuvent expliquer la naissance de jumeaux. Parfois, après la conception, le zygote se scinde spontanément en deux, formant deux embryons. On parle alors de jumeaux *monozygotes*. Ces jumeaux ont le même patrimoine génétique et forment un couple de jumeaux ou de jumelles identiques. Dans d'autres cas, deux ovules sont simplement fécondés par deux spermatozoïdes différents. On parle alors de jumeaux *dizygotes* ou *hétérozygotes*, et donc de jumeaux non identiques.

Or, les préfixes *mono* et *di* (qui, respectivement, veulent dire *un* et *deux*) ne signifient pas grand-chose lorsqu'on ne sait pas de quoi il est question… Lorsqu'on fait référence à la conception, on parle de *monozygote* ou de *dizygote*, mais les appellations *di-di*, *mono-di* ou *mono-mono*, souvent utilisées pour décrire les jumeaux lors de l'échographie, renvoient à l'image du placenta ou du sac amniotique vue à l'écran. Lorsque les médecins examinent l'image échographique, ils vérifient le nombre de placentas (chorions). S'ils n'en discernent qu'un, ils en concluent que les jumeaux sont monochorioniques. S'ils en voient deux, la grossesse est dite dichorionique. Il peut aussi y avoir un ou deux sacs amniotiques. On parle alors d'une grossesse ou de jumeaux *di-di*, c'est-à-dire dichorionique et diamniotique. Voyons maintenant ce que tout cela annonce.

Les jumeaux dizygotes (non identiques) ou « faux jumeaux »

C'est le cas le plus simple : lorsque les deux œufs fécondés — les zygotes — finissent leur voyage dans les trompes de Fallope et arrivent dans l'utérus, c'est-à-dire environ six jours après la fécondation, chacun s'y installe et commence son développement. Ils sont indépendants l'un de l'autre, d'où l'appellation de « faux jumeaux ». Chacun a son propre placenta et son propre sac amniotique. Ce sont donc des jumeaux « *di-di* ». Il peut s'agir de deux filles, de deux garçons ou d'une fille et d'un garçon. Les jumeaux dizygotes ne sont pas nécessairement plus ressemblants que deux enfants nés séparément au sein d'une même famille. D'où l'appellation de jumeaux fraternels.

Dans environ 75 % des cas, le médecin discernera facilement les placentas des deux bébés à l'échographie. Dans environ 25 % des cas (certaines études avancent un chiffre allant jusqu'à 42 %), toutefois, il détectera ce qui *semble* être un placenta unique, plus gros qu'un placenta normal. Comment est-ce possible ? Le hasard a fait que l'implantation des œufs dans l'utérus (la nidation) s'est faite à des endroits assez rapprochés pour que les placentas se fondent l'un dans l'autre en se développant. Après l'accouchement, l'examen en laboratoire démontrera que ce gros placenta contient deux systèmes sanguins distincts et qu'il a été créé par la fusion de *deux* placentas. Même si les placentas se fondent l'un dans l'autre, les deux bébés se développent quand même dans deux sacs amniotiques distincts, chaque placenta ayant nécessairement fabriqué le sien.

Facteurs qui favorisent la naissance de jumeaux dizygotes

Comment expliquer la présence de deux ovules dans les trompes ? La science apporte plusieurs explications à ce phénomène.

Les petites filles naissent avec leurs ovules déjà formés dans les ovaires. À partir de la puberté, lorsque le cycle menstruel débute, les jeunes filles expulsent normalement un ovule par mois. Cependant, plus elles vieillissent, plus les chances augmentent que l'ovaire expulse plus d'un ovule. Il s'agit une réponse purement biologique qui vise à profiter au maximum de la période de fertilité de la femme. De nos jours, de plus en plus de femmes font des études postsecondaires. Une femme qui termine un cours universitaire à 26 ans souhaite sans doute se trouver un emploi, rembourser une partie de ses dettes d'études et consolider la carrière pour laquelle elle a déjà tant travaillé. Il est probable que le projet de fonder une famille soit retardé de quelques années. Or, les femmes qui deviennent enceintes dans la trentaine ou la quarantaine plutôt que dans la vingtaine sont plus susceptibles d'avoir une ovulation double et de donner naissance à des jumeaux fraternels.

Par ailleurs, certaines femmes doivent avoir recours à un traitement hormonal afin d'augmenter leurs chances de devenir enceintes. Ces traitements ont pour but de stimuler l'ovulation et ils entraînent souvent la libération de plusieurs ovules. Or, les chances d'avoir des jumeaux (ou même des triplés) augmentent en présence de plus d'un ovule prêt à être fécondé. Environ 25 % des femmes qui deviennent enceintes grâce à ces méthodes donnent naissance à des jumeaux.

Le poids de la mère peut aussi influencer les possibilités de double ovulation. Sous l'influence de l'œstrogène, une hormone fabriquée par les ovaires, la femme ovule normalement une fois par mois. Le tissu adipeux fabrique cependant aussi une petite quantité d'œstrogène qui vient s'ajouter à l'œstrogène produit par les ovaires. Plus il y a de tissu adipeux, plus le taux d'hormone est élevé. Un indice de masse corporelle supérieur à 30 augmente sensiblement l'incidence de grossesses multiples dizygotes, car le taux d'œstrogène élevé peut provoquer une double ovulation[1]. Il y a aussi le facteur de l'hérédité. Pour les jumeaux non identiques, il y a effectivement une certaine influence génétique, mais uniquement du côté maternel. Dans certaines familles, on constate une proportion plus grande de naissances gémellaires. Les femmes peuvent hériter de leur mère un gène qui fait qu'elles libèrent simultanément deux ovules plus souvent que la population générale. Malgré tout ce que vous avez peut-être entendu, il est faux de penser que la conception de jumeaux « saute une génération[2] ». Si c'est parfois le cas dans une famille, ce n'est que le fruit du hasard. Il faut dire que même si une femme a occasionnellement une double ovulation, rien ne garantit que les deux œufs seront fécondés ! N'en déplaise aux fiers papas, la présence de jumeaux dans la famille n'influence en rien la probabilité de donner naissance à de nouveaux jumeaux. D'un point de vue biologique, ces jumeaux sont deux êtres différents et indépendants, même s'il est fort probable qu'ils aient un lien particulier. Ils ont quand même commencé leur existence en partageant un seul utérus. De toute façon, ils n'en font pas moins la fierté de maman et de papa. Les jumeaux hétérozygotes sont peut-être de « faux jumeaux », mais leurs parents sont de vrais parents de jumeaux ! Ils ont à s'organiser en fonction de deux bébés et ils sont doublement sollicités au quotidien.

Être jumeaux est une expérience somme toute assez exceptionnelle. Ils partagent des lieux, des expériences et certains préjugés sociaux. Ils sont parfois amis, parfois ennemis, à la fois compétiteurs et complices. Le fait qu'ils puissent être si différents peut à la fois simplifier et compliquer la vie des parents et des gens qui les entourent. Ces jumeaux sont parfois à l'abri des comparaisons, mais ils peuvent aussi en souffrir encore plus, justement à cause de leurs différences. Les parents doivent bien comprendre cette relation afin de pouvoir mieux épauler leurs jeunes. Nous y reviendrons plus loin.

Figure 1 • Les quatre divisions cellulaires possibles des jumeaux

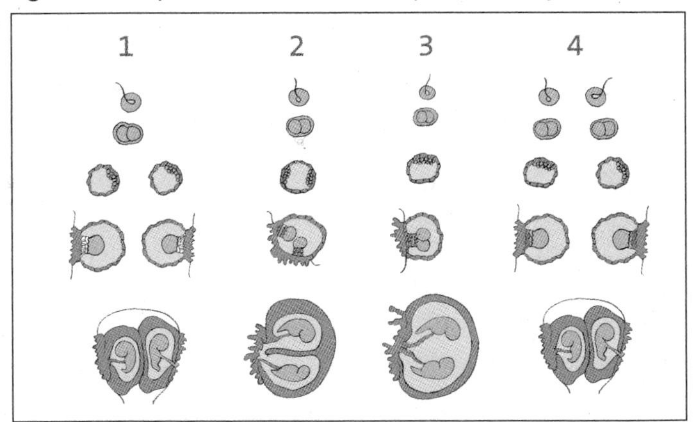

1. Jumeaux monozygotes : grossesse dichoriale et diamniotique
2. Jumeaux monozygotes : grossesse monochoriale et diamniotique
3. Jumeaux monozygotes : grossesse monochoriale et monoamniotique
4. Jumeaux dizygotes : grossesse dichoriale et diamniotique

Les jumeaux monozygotes (identiques) ou « vrais jumeaux »

Les jumeaux identiques sont issus du même œuf (ovule). Cet œuf a été fécondé par un seul spermatozoïde. La rencontre du spermatozoïde avec l'ovule se fait dans la trompe de Fallope, comme à l'habitude. Le zygote ainsi formé descend vers l'utérus pour s'y implanter. Pour des raisons que la science n'a pas encore réussi à expliquer, cet œuf fécondé (zygote) se scinde en deux. Chaque moitié ainsi créée continue son développement et, quelques mois plus tard, vous voyez naître des jumeaux identiques, puisqu'issus d'un même œuf, d'une seule fécondation. Leur code génétique étant le même, ils ont le même sexe et le même groupe sanguin. Pendant toute leur vie, les gens qui ne les connaissent pas très bien auront de la difficulté à les distinguer. C'est pourquoi on dit qu'ils sont de « vrais jumeaux ». Les jumeaux identiques représentent 0,35 % des naissances, et ce, quels que soient les pays, les habitudes de vie ou les époques. Des chercheurs tentent de déterminer le ou les facteurs qui permettraient d'expliquer la séparation de l'œuf fécondé, mais, pour l'instant, les raisons sont encore inconnues.

« On nous a dit à l'échographie qu'il n'y avait qu'un seul placenta, mais qu'une membrane séparait nos jumeaux. Puis-je en tirer une conclusion quelconque ? » « L'échographie de ma sœur avait montré deux placentas. Pourtant, les gens ne distinguent pas facilement ses jumeaux. Est-ce possible qu'ils soient identiques ? »

Voyons les différents scénarios pouvant expliquer le nombre de placentas (*voir la figure 1*). Mentionnons d'abord que le moment de l'échographie influence la précision de son interprétation. Certains éléments ne sont visibles que pendant un court laps de temps.

Scénario 1

Dans presque 70 % des cas de jumeaux monozygotes, la séparation du zygote se fait entre la troisième et la septième journée après la conception, alors que le zygote est déjà arrivé, ou presque, dans l'utérus. Lors de la nidation (implantation dans la paroi de l'utérus), un seul placenta peut se développer, mais chaque fœtus a habituellement son propre sac amniotique. C'est le scénario le plus commun. On parle alors de grossesse monochoriale (un seul placenta) et diamniotique (deux sacs amniotiques), dite *mono-di*. Durant l'échographie, le médecin ne verra qu'un seul placenta. Celui-ci sera plus gros que la normale, puisqu'il devra nourrir deux bébés en gestation. Comme nous avons vu précédemment, 25 à 30 % des jumeaux dizygotes présentent la fausse image d'un seul placenta : il est donc difficile de prédire avec certitude si les jumeaux seront identiques ou non à cette étape.

Scénario 2

La séparation du zygote se fait parfois très précocement, c'est-à-dire dans les deux premiers jours suivant la conception. Quelques jours plus tard, les deux zygotes arrivent individuellement dans l'utérus. Ils peuvent s'implanter à des endroits différents, comme le feraient les embryons issus d'une double ovulation. Là où les deux nidations se font, un placenta et un sac amniotique se développent. On parle alors d'une grossesse dichoriale (deux placentas) et diamniotique (deux sacs amniotiques), donc *di-di*. C'est ce qui se produit dans environ 25 à 30 % des grossesses gémellaires. L'échographie laissera voir deux fœtus indépendants l'un de l'autre. Comme il est impossible de savoir à ce stade-ci si les bébés sont issus d'une seule fécondation, des erreurs d'interprétation sont encore possibles. Dans ce scénario, nous avons affaire à des jumeaux monozygotes, mais, vu l'image présentée, les médecins peuvent annoncer qu'ils sont dizygotes et donc non identiques.

Scénario 3

Si la séparation du zygote se fait plus d'une semaine après la fécondation, au moment où la formation du placenta est déjà commencée, la grossesse est nécessairement monochoriale. Comme ce placenta unique a déjà formé son propre sac amniotique, la grossesse est également monoamniotique. C'est la seule combinaison (*mono-mono*) qui permet de déterminer avec certitude la zygotie lors de l'échographie. Cette situation se présente dans environ 1 % des grossesses gémellaires monozygotes. Même en présence d'un seul sac amniotique, on voit habituellement une membrane composée de plusieurs feuillets très fins entre les deux bébés. L'un de ces feuillets est unique à chacun des bébés. La présence de cette membrane confirme que la séparation des jumeaux est complète, mais elle n'annonce pas la naissance future de bébés non identiques, comme on entend souvent dire. Par ailleurs, si cette séparation est incomplète, les jumeaux pourraient être conjoints ou « siamois ». Heureusement, cette situation est extrêmement rare.

Dans les années 1930, des chercheurs ont dénoncé certaines erreurs de diagnostic de zygotie établi sur la base de l'examen du placenta. Pourtant, encore aujourd'hui, des parents se font souvent dire lors de l'échographie que la présence de deux placentas annonce la naissance future de jumeaux non identiques. Considérant que la détermination du nombre de placentas est erronée dans 25 % des cas, il n'y a pas lieu de lui accorder trop de crédibilité. On a vu naître des jumeaux de sexe opposé qui avaient été annoncés comme identiques parce qu'un seul placenta était visible à l'échographie. Quelle surprise pour les parents ! Si votre échographie ne montre qu'un seul placenta, l'étude de celui-ci après la naissance permettra de déterminer avec certitude si vos jumeaux sont identiques ou non. La même prudence est requise en ce qui concerne le nombre de sacs amniotiques décelés lors de l'échographie : souvent, on annonce que les jumeaux sont « chacun dans leur enveloppe » et qu'ils ne sont donc pas identiques. Sachez que presque tous les jumeaux identiques donnent l'impression d'être dans des sacs amniotiques différents à l'échographie.

Quelques informations intrigantes sur les jumeaux identiques

Il existe un phénomène que la science n'explique pas encore et qu'on appelle « les jumeaux en miroir[3] ». On constate effectivement une symétrie parfaite chez environ 20 % des jumeaux monozygotes. On peut notamment l'observer en examinant le sens de l'implantation des cheveux et les empreintes digitales. Cette symétrie donne un jumeau droitier et un jumeau gaucher. Et lorsque les jumeaux percent leurs dents, la poussée dentaire est non seulement synchronisée, mais elle est aussi symétrique ! Que les jumeaux identiques soient « symétriques » ou non, les gens sont souvent très impressionnés de voir à quel point ils se ressemblent. Même les parents hésitent parfois avant de nommer leur propre enfant. C'est un sentiment assez étrange, dérangeant même. Ce n'est qu'une raison de plus de faire connaissance individuellement avec chacun des deux bébés.

Les jumeaux monozygotes présentent quand même des différences pour les gens qui les connaissent bien. Le degré de ressemblance dépend notamment du moment où l'œuf fécondé s'est scindé en deux. Plus la séparation s'est faite tardivement, plus les ressemblances sont marquées. De toute façon, comme parents, vous serez appelés à les connaître de mieux en mieux et vous verrez bien que ce sont deux êtres parfois très différents !

Y a-t-il vraiment plus de jumeaux qu'avant ?

Statistiquement, il y a plus de jumeaux qu'avant, en effet. Au Québec, la proportion de naissances gémellaires est passée de 1,8 % en 1980 à 2,6 % au tournant du millénaire. Le rythme de croissance a légèrement ralenti par la suite et la proportion était de 3,1 % en 2010. La proportion de naissances multiples a donc augmenté de près de 70 % entre 1980 et 2010[4].

Au Canada, le taux des naissances multiples a augmenté de 35 % entre 1994 et 2003, contre 25 % pour les naissances uniques. La fréquence des naissances de jumeaux identiques n'a pas changé et s'établit à environ 3 grossesses sur 1 000. Comme nous l'avons vu, les facteurs qui influencent la double ovulation de la femme sont tout simplement plus présents actuellement qu'il y a 25 ans.

Déterminer la zygotie de vos jumeaux

À la lumière de ce qui précède, vous comprenez que des jumeaux annoncés comme non identiques peuvent finalement se révéler identiques.

Si vous donnez naissance à un garçon et une fille, la question est vite réglée. Si vous donnez naissance à des jumeaux de même sexe, mais de groupes sanguins différents, vous saurez aussi avec certitude qu'ils sont non identiques, même s'ils se ressemblent beaucoup.

Toutefois, si vos jumeaux ont le même sexe et le même groupe sanguin (système ABO et facteur Rh), on peut pousser la recherche un peu plus loin pour savoir avec certitude s'ils sont identiques ou non. N'oubliez pas que la présence d'un ou de deux placentas ou d'une membrane entre les bébés ne suffit pas pour déterminer la zygotie. À la naissance, la taille et le poids peuvent aussi être assez différents. L'écart est parfois même plus marqué chez les jumeaux identiques. Ce critère peut donc vous induire en erreur. Cependant, quelques caractéristiques facilement visibles peuvent être utiles pour déterminer la zygotie. Comparez la forme des yeux et des oreilles, la couleur des cheveux et des yeux. Ce sont des indicateurs tout simples, mais ils sont relativement fiables pour annoncer la zygotie.

Pourquoi chercher à connaître la zygotie de vos jumeaux ?

Les gens de votre entourage ne comprennent probablement pas pourquoi il est important de déterminer la zygotie de vos jumeaux. Le gynécologue a pour mission de vous aider à mener votre grossesse gémellaire à terme. À moins d'avoir à surveiller l'apparition de problèmes particuliers chez vos jumeaux monozygotes, il n'est pas essentiel pour lui de chercher à connaître la zygotie. Les deux bébés sont nés en santé ? Il n'a pas vraiment besoin d'en savoir plus.

Les jumeaux sont en incubateur, surveillés de près par des équipes compétentes en néonatologie ? Sauf exception, le fait que les jumeaux soient identiques ou non n'influence pas leurs interventions. L'objectif est de permettre aux jumeaux de sortir de leurs incubateurs et de retourner dans les bras de leurs parents le plus rapidement possible. Lorsque les bébés respirent et mangent de façon autonome, leur but est atteint.

Il se peut que votre pédiatre n'accorde pas non plus une très grande importance à la zygotie de vos jumeaux. S'il n'est pas obligé de la déterminer pour des raisons médicales, il est possible qu'il considère simplement l'état de santé et le développement individuel de chaque enfant. Encore aujourd'hui, les déterminations de zygotie en médecine génétique sont presque exclusivement effectuées pour des raisons médicales, notamment lorsque l'un des jumeaux présente une maladie pouvant être d'origine génétique. Déterminer la zygotie des jumeaux potentiellement identiques est important, quoiqu'en disent les gens autour de vous. Comme parents de jumeaux, vous serez heureux de savoir avec certitude s'ils sont identiques ou non. Vous comprendrez mieux leurs réactions et vous expliquerez mieux les particularités qui les définissent. Vous saurez mieux les encadrer, les comprendre et les guider dans leur développement psychologique, social et affectif et vous pourrez prendre des décisions (les séparer ou non à l'école, par exemple) en toute connaissance de cause. Nous discuterons plus tard du lien particulier qui existe entre deux jumeaux, un lien qui est certainement influencé par leur zygotie.

Selon une étude de la psychologue Nancy L. Segal[5], les parents sont loin d'être les meilleurs juges pour déterminer si leurs jumeaux sont identiques ou non. Dans une étude portant sur une cinquantaine de couples de jumeaux, un observateur externe a deviné correctement la zygotie dans 94 % des cas, alors que les parents ont répondu correctement dans 74 % des cas seulement. Ces derniers pensaient presque toujours que leurs jumeaux identiques étaient fraternels, et non l'inverse. Ils s'étaient probablement fait dire que leurs enfants étaient dizygotes à cause de la présence de deux « enveloppes ». Les parents connaissent tellement bien leurs enfants que tous les petits éléments qui les distinguent semblent très évidents. Ils remarquent toutes les petites différences et en viennent à trouver que leurs jumeaux ne se ressemblent pas tellement, ce qui vient confirmer ce que leur médecin leur a dit.

L'International Society for Twin Studies (ISTS) est un organisme sans but lucratif dont l'objectif est de promouvoir l'éducation publique et la recherche sur différents aspects concernant les jumeaux. Cette société a été fondée en 1974 à Rome. L'un des groupes de travail, le Council of Multiple Births Organisations (COMBO), a élaboré une liste des droits et des besoins des jumeaux et de leurs parents. On y stipule notamment que « les parents ont le droit de s'attendre à un examen formel du placenta à la naissance de leurs jumeaux de même sexe afin d'en déterminer la zygotie et que les jumeaux plus vieux de même sexe ont le droit de demander de passer les tests qui permettront de déterminer leur zygotie[6] ».

Dre Segal[7] estime qu'il est vital pour les parents de savoir de quel type sont leurs jumeaux. Elle considère que la détermination de la zygotie devrait être faite d'emblée dès la naissance.

Au moment de votre accouchement, on vous dit que vos jumeaux sont non identiques. Or, vous trouvez qu'ils se ressemblent beaucoup et les gens autour de vous les confondent souvent. Vous pouvez vous permettre d'être sceptique. Sans le savoir, on vous a possiblement induit en erreur. Il est préférable de confirmer ou d'infirmer les informations que vous avez eues.

Ne serait-ce que pour des raisons de santé, il est intéressant de savoir si vos jumeaux sont identiques. S'ils le sont et que l'on constate des différences marquantes dans leur développement, cela peut indiquer un problème ou une carence quelconque chez l'un des jumeaux. En cas de maladie génétique ou d'urgence nécessitant un don de sang ou d'organe, cette information peut se révéler extrêmement précieuse.

Il faut savoir que certaines maladies sont associées à une prédisposition héréditaire[8], notamment l'asthme, le diabète, l'autisme, l'hypertension artérielle, certains cancers, etc. Si, à l'âge adulte, l'un des jumeaux développe de l'hypertension artérielle, l'autre, se sachant prédisposé, peut faire les changements qui s'imposent dans ses habitudes de vie afin d'éviter de développer la même maladie ou d'en diminuer l'intensité. Vos jumeaux n'ont-ils pas le droit de savoir ?

Tout être humain — enfant, adolescent ou adulte — cherche à savoir qui il est et d'où il vient afin de mieux savoir où il va et ce qu'il deviendra. Il peut être particulièrement difficile pour un jumeau de se définir, de savoir qui il est. La base même de son identité réside dans le mystère de sa conception. Il y a déjà assez de questions existentielles, la question de la zygotie ne devrait pas en être une !

Comment déterminer avec certitude la zygotie de vos jumeaux ?

Les tests d'ADN permettent de prouver sans l'ombre d'un doute si deux enfants sont issus d'un seul ovule. Ils sont faits en comparant l'ADN des globules blancs dans les prélèvements sanguins de chacun des enfants.

Ces tests sont très dispendieux et ils ne sont pas toujours disponibles dans les hôpitaux à l'extérieur des grands centres urbains. Aujourd'hui, il est possible de commander sur Internet des trousses pour comparer l'ADN des cellules buccales des deux jumeaux. Le parent n'a qu'à prélever quelques cellules en frottant l'intérieur de la bouche avec un écouvillon spécial et à retourner le tout au laboratoire. On fait aussi ces tests à partir de la salive[9]. Leurs coûts sont cependant assez élevés (environ 200 $ la trousse) et, malheureusement, ils sont pour l'instant aux frais des parents.

Demandez plutôt à votre médecin de prescrire la détermination de la zygotie. Une prise de sang envoyée au service de médecine génétique du centre hospitalier de référence de votre région permettra d'en avoir le cœur net. Cependant, rares sont les spécialistes qui vous offriront spontanément de faire ce test sanguin. N'oubliez pas que les gens que vous rencontrerez qui ne sont pas eux-mêmes parents de jumeaux ne sont pas conscients de l'importance que cette détermination peut avoir pour les parents comme pour les jumeaux.

> Lorraine et Pierre

Lorraine et Pierre ont des jumelles ayant le même groupe sanguin et le même facteur rhésus. À la naissance, le médecin leur a dit qu'elles n'étaient pas identiques, puisque chacune avait son propre placenta. Les gens de leur entourage ont pourtant de la difficulté à les différencier, mais Lorraine continue à croire ce que lui a dit son médecin. Les filles se ressemblent, en effet, mais elle les connaît bien. Elle a remarqué que l'une avait un grain de beauté particulier. Marie-Chantal est aussi un peu plus ronde qu'Émilie. Elles avaient d'ailleurs une différence de poids de 1 kg à la naissance... Tout cela semble confirmer la théorie du médecin.

En voyant évoluer ses filles, Lorraine remarque à quel point elles semblent bien se comprendre ; elles partagent facilement et elles jouent beaucoup ensemble (et ce, depuis l'âge de 8 mois). Si Pierre les habille le matin, Lorraine doit vraiment chercher le fameux grain de beauté pour distinguer ses propres filles. Elles semblent si pareilles parfois que même Lorraine commence à douter de la zigotie qui leur avait été annoncée.

Un jour, alors que les filles ont environ 2 ans, Lorraine décide d'en parler à son médecin. Évidemment, celui-ci ne comprend pas vraiment pourquoi elle tient à savoir si ses filles sont identiques. « Ne me dites pas que vous allez commencer à les habiller de la même façon si elles sont identiques ! », lui dit-il en riant. Lorraine lui fait comprendre que c'est important pour elle de savoir afin de mieux les comprendre. Elle est convaincue que ses filles souhaiteront aussi le savoir un jour pour mieux comprendre leur relation et leurs réactions, et bâtir leur identité.

Elle tient donc à ce que des examens soient effectués afin de prouver hors de tout doute ce qu'il en est. Les tests confirment que Marie-Chantal et Émilie sont identiques.

Quelques années plus tard, l'une d'elles a des problèmes de santé assez sérieux. Sachant que les jeunes filles sont identiques, on écarte rapidement la possibilité d'une maladie génétique, ce qui permet d'accélérer l'identification du problème et la mise en œuvre des interventions appropriées.

La grossesse gémellaire « normale »

On entend parfois dire que les nausées sont plus fortes lorsqu'on attend des jumeaux. Il semble effectivement qu'il y ait un lien de cause à effet entre le taux hormones et les nausées. Une chose est certaine, c'est que les nausées augmentent souvent lorsque la mère est plus fatiguée. Or, puisque le corps de la femme est doublement sollicité lorsqu'elle porte des jumeaux, sa fatigue est plus grande.

Chaque grossesse est cependant unique. Certaines femmes enceintes de jumeaux souffrent de nausées épouvantables, tandis que d'autres n'en ont pas du tout. Attendez-vous cependant à avoir des brûlures d'estomac, au moins occasionnellement. Pour les éviter, il est recommandé de manger plus souvent de plus petites portions, de boire entre les repas plutôt qu'avec de la nourriture, de rester en position verticale quelques heures après avoir mangé et de relever la tête de lit si nécessaire.

Si vous attendez des jumeaux, il est fort probable que vous preniez plus de poids que si vous ne portiez qu'un seul bébé. N'oubliez pas que votre ventre contient deux petits bébés en gestation, mais aussi deux placentas (ou un seul, plus gros), un plus grand volume de sang, etc. Il est quand même important de bien s'alimenter afin de donner la possibilité aux jumeaux de bien se développer et de prendre du poids, eux aussi ! Ce n'est pas le moment de vous priver : votre corps est en effet en train de « fabriquer » deux petites personnes et il a besoin de beaucoup d'énergie pour y parvenir. Il est essentiel de choisir des aliments nutritifs qui vous combleront. Le poids pris pendant la grossesse servira aussi de réserve d'énergie pour l'accouchement ainsi que pour l'allaitement.

> Des questions...

Lors de ma première grossesse – une grossesse unique –, mon médecin n'avait aucune recommandation officielle à me faire, puisque je n'avais aucun problème de santé justifiant une diète quelconque. « Que la mère prenne 10 ou 15 kg, le poids du bébé est toujours d'environ 3,5 kg, m'avait-il expliqué ; ce n'est pas parce qu'une femme attend un gros bébé (disons 500 g de plus que la norme) qu'elle prendra beaucoup plus de poids. » J'avais compris que ce serait à moi de perdre le surplus de poids qui resterait après l'accouchement. J'étais une adulte et je savais ce qui était bon pour ma santé et ce qui ne l'était pas. Je me souviens quand même d'avoir espéré pouvoir me faire une idée plus précise...

....

Certains médecins n'osent pas trop s'avancer en ce qui concerne le nombre de kilos qu'une femme enceinte devrait prendre. Chaque femme étant unique, il est difficile de donner un poids idéal. Des auteurs[10] ont démontré que les mères qui ne limitaient pas leur prise de poids — et plus spécifiquement celles qui étaient trop minces ou de poids moyens avant de tomber enceintes — accouchaient plus souvent à terme et de bébés plus gros et en meilleure santé. L'alimentation inadéquate de la mère pourrait même être la cause principale des naissances prématurées. La prise de poids est importante pour la santé des bébés, en particulier au cours des 28 premières semaines. Il est utile d'avoir une idée générale de ce à quoi on peut s'attendre. Voici quelques repères pour les femmes enceintes de jumeaux :

- 9 kg (20 lb) à 20 semaines de grossesse
- 14 kg (30 lb) à 28 semaines de grossesse
- 18 kg (40 lb) à 36-38 semaines de grossesse

Ces chiffres ne sont toutefois que des données générales. Plusieurs femmes enceintes de jumeaux prennent beaucoup plus de poids que ceux qui sont indiqués plus haut. Ne vous surprenez pas. Les fins de grossesse sont souvent pénibles à cause de cette surcharge pondérale qui vous empêche de trouver une position confortable pour dormir et rend difficiles les activités de tous les jours. L'inconfort peut cependant vous faire oublier vos craintes par rapport à l'accouchement et vous rendre impatiente d'accoucher.

Selon l'élasticité de votre peau, une prise de poids plus ou moins rapide occasionnera possiblement l'apparition de vergetures. Même en hydratant bien votre peau avec des crèmes et des huiles, il n'est pas garanti que vous n'en aurez pas ! Considérez-les comme un tatouage naturel, un souvenir de votre grossesse gémellaire. Vous serez belle quand même.

Même si votre grossesse se déroule sans trop de problèmes, il ne faut pas vous surprendre si votre médecin vous recommande de ralentir vos activités. Il faut évaluer la possibilité d'embaucher une femme de ménage ou de recourir à un service de soins à domicile si vous devez être alitée pendant quelque temps, surtout en fin de grossesse. On vous parlera sans doute de la possibilité d'un accouchement par césarienne. C'est le cas de près de la moitié des accouchements de jumeaux. Il risque aussi d'être plus hâtif. C'est habituellement le cas pour les grossesses gémellaires. Il faut que vous soyez prête à partir pour l'hôpital à partir du septième mois de grossesse. Si vous avez d'autres enfants, il vaut mieux déterminer à l'avance qui s'en occupera. Comme ce n'est pas votre premier accouchement et que les jumeaux sont habituellement plus petits, il est possible que le processus soit plus rapide. Le médecin ne peut pas nécessairement prévoir à quel moment le travail se déclenchera. C'est à vous d'être consciente des signes annonciateurs et d'agir en conséquence.

L'accouchement (prématuré ou non)

Les livres sur la grossesse de singleton* présentent très bien les signes annonçant le début du travail : perte de liquide amniotique, douleurs ou pressions différentes

* Le mot « singleton » est utilisé dans le sens de fœtus unique ou d'enfant né seul.

de ce que vous vivez depuis quelque temps, etc. Les femmes enceintes de jumeaux doivent simplement se tenir prêtes quelques semaines avant.

On entend souvent que la perte du bouchon muqueux annonce le début du travail, mais, en fait, cela n'est pas tout à fait juste. Le bouchon muqueux peut se défaire tranquillement sur une période de plusieurs jours, voire de quelques semaines. La perte du bouchon muqueux doit donc être associée à d'autres symptômes pour annoncer l'imminence de l'accouchement. Voici quelques-uns des signes annonciateurs du travail (les mêmes que pour l'accouchement à terme) :

- Saignement, fuite lente ou soudaine de liquide vaginal ou perte du bouchon muqueux signalant parfois l'ouverture du col de l'utérus.
- Douleur ou pression dans le bas du dos, différente de ce que vous avez vécu pendant la grossesse.
- Lourdeur, sentiment que les bébés poussent vers le bas.
- Crampes abdominales avec ou sans diarrhée.

Si vous ressentez des symptômes qui annoncent le travail, appelez à la maternité où vous avez prévu d'accoucher. L'infirmière vous recommandera de vous présenter à l'hôpital si cela est nécessaire.

En tout temps, si vous ressentez subitement de la fièvre ou des frissons ou si vous souffrez d'étourdissements ou de vomissements, d'un mal de tête grave ou d'une enflure soudaine des mains, des pieds ou même du visage, appelez immédiatement les services d'urgence et rendez-vous à l'hôpital où vous devez accoucher. N'oubliez pas que ces signes peuvent annoncer une éclampsie, une condition qui peut avoir de graves conséquences pour la mère et les bébés.

Le stress est l'ennemi de la femme enceinte. Essayez de vous détendre et de profiter de l'expérience unique que vous vivez. Tentez d'identifier les mouvements que vous ressentez dans votre corps et de deviner qui les fait. Ne soyez pas surprise de constater que les mouvements se font plus discrets à mesure que la grossesse progresse. Cela est tout à fait normal : à mesure que les bébés grossissent, ils ont de moins en moins de place pour faire des pirouettes !

Comment se passe un accouchement de jumeaux ?

Évidemment, le déroulement d'un accouchement peut toujours réserver des surprises. Dites-vous cependant que vous avez été suivie par un professionnel et que tout devrait bien aller. Voici quelques informations et statistiques qui peuvent vous être utiles ou vous rassurer.

Il y a un gynécologue sur place lors de l'accouchement au cas où il y aurait une césarienne d'urgence à effectuer (10 à 30 % des cas). C'est pour cette raison qu'on recommande habituellement une anesthésie sous épidurale. Environ 60 % des jumeaux naissent par césarienne.

Si vos jumeaux ont tous les deux la tête en bas, ce qui est le cas dans environ 42 % des grossesses gémellaires, il n'y a aucune raison de ne pas accoucher par voie naturelle. Sachez cependant qu'entre 6 et 25 % des deuxièmes bébés naissent par césarienne après un accouchement par voie vaginale du premier.

Environ 38 % des jumeaux se présentent dans des sens contraires, c'est-à-dire un bébé avec la tête en bas et l'autre non. On retourne parfois le deuxième bébé pour le placer dans la bonne position. Vingt-quatre pour cent de ces deuxièmes bébés naissent par césarienne.

Si le premier jumeau à naître n'est pas placé la tête en bas, on procède généralement automatiquement à une césarienne.

Le temps qui s'écoule entre la naissance du premier et du deuxième jumeau va de quelques minutes à 30 minutes. Tant que le deuxième jumeau ne montre pas de signe de détresse, le temps n'a pas d'importance.

Complications possibles lors d'une grossesse gémellaire

Un suivi de grossesse différent

Votre échographie de début de grossesse a montré la présence de jumeaux ? Vous bénéficierez sans doute d'un suivi médical plus régulier, puisque les risques de naissances prématurées, de morts périnatales et de maladies sont plus élevés lors de grossesses multiples. Ces rendez-vous, bien qu'astreignants, ont pour but de vous rassurer. Vous aurez peut-être 20 rendez-vous de suivi de grossesse au lieu de 10… mais vous avez deux bébés à suivre ! On vous adressera sans doute à la clinique G.A.R.E. (grossesse à risque élevé) de votre ville. Après l'échographie qui vous a fait voir les jumeaux, vous en aurez une deuxième vers la 20e semaine, comme pour les grossesses de singletons. À partir de la 26e semaine, vous aurez des échographies dites « de croissance » toutes les 3 ou 4 semaines. Celles-ci permettent de suivre le développement de vos bébés pour s'assurer qu'il se déroule normalement. Des retards de croissance peuvent survenir si votre placenta unique perd de son efficacité ou si les bébés souffrent du syndrome transfuseur-transfusé. Nous y reviendrons.

Une complication ou une interruption dans le développement d'un cojumeau

Sans être pessimiste, il faut accepter le fait que la grossesse gémellaire est une grossesse à risque. Les jumeaux ont 1,4 fois plus de risques d'avoir des problèmes de santé que les singletons. Les femmes qui portent plus d'un bébé sont plus susceptibles de perdre l'un des bébés ou tous les bébés avant le terme. Les femmes enceintes de jumeaux font plus souvent de l'hypertension, du diabète gestationnel ou de l'anémie. Un enchevêtrement des cordons ombilicaux peut en outre survenir lors d'une grossesse mono-amniotique sans membrane séparant les deux fœtus. Les torsions ou les nœuds ainsi formés causent le ralentissement ou même l'arrêt de la circulation sanguine vers l'un ou l'autre des bébés — ou les deux —, ce qui peut avoir des conséquences graves.

Parfois, l'échographie effectuée à la 13e semaine montre deux fœtus alors que celle réalisée au deuxième trimestre n'en montre qu'un seul. C'est ce qu'on appelle communément le « jumeau disparu[11] » ou le « jumeau fantôme ». Parfois, ce second fœtus est simplement expulsé. Dans d'autres cas, il reste dans l'utérus et s'assèche pour devenir ce qu'on appelle un « fœtus parcheminé », ou « papyrus ». Ce phénomène n'est pas aussi rare qu'on peut le croire. Cela se produit dans 21 à 30 % des grossesses gémellaires. Le plus souvent, il se produit durant le premier trimestre. À ce stade, comme il n'y a habituellement pas eu d'échographie, la femme ne sait pas qu'elle porte plus d'un bébé et elle n'en verra qu'un à l'échographie qui a lieu à la 12e ou 13e semaine de grossesse. Le bébé qui reste continuera alors son développement et son pronostic sera excellent. En revanche, lorsque ce phénomène survient durant le deuxième trimestre ou plus tard, les risques de complications pour le bébé survivant sont un peu plus grands. Les parents ont un deuil à faire, car ils sont conscients qu'ils ont perdu un bébé. Bien qu'il en reste un, il leur sera difficile de démêler leurs émotions de joie et de tristesse.

Quelques théories qui circulent expliquent que le mal de vivre que ressentent plusieurs personnes pourrait être dû à la perte d'un cojumeau dans l'utérus de leur mère. Est-il effectivement possible que le survivant souffre de séquelles émotives ? Les recherches en cours nous éclaireront peut-être un jour à ce sujet.

La prématurité

Les bébés nés trop petits ou trop tôt sont plus sujets à des problèmes de santé de toutes sortes. La mort infantile, la paralysie cérébrale et les retards de développement sont plus courants chez les bébés issus de grossesses multiples. Cette situation est plus commune chez les jumeaux monozygotes. La période de gestation moyenne est de 36 semaines pour des jumeaux, soit 4 semaines de moins que pour une grossesse unique. Certaines études démontrent que le moment « idéal » pour accoucher de jumeaux se situe juste avant 38 semaines[12]. Chaque jour supplémentaire passé dans le ventre de la mère, jusqu'à 38 semaines donc, augmente les chances de survie des jumeaux. À partir de ce moment, la capacité du placenta à échanger l'oxygène et le gaz carbonique semble diminuer. Certains médecins préfèrent ainsi déclencher l'accouchement à 38 semaines.

Comme les risques de prématurité sont plus grands chez les jumeaux, la mère doit parfois diminuer ses activités ou s'absenter du travail plus tôt pendant la grossesse. Même si les études[13] n'ont pas démontré clairement qu'un ralentissement d'activités ou un alitement permet d'amener plus souvent les jumeaux à terme, les médecins continuent de prescrire cet arrêt. On recommande souvent aux mères de demeurer alitées dans les dernières semaines de grossesse, et ce, malgré les risques de problèmes respiratoires ou cardiaques et de diminution de la masse musculaire que cela peut supposer. Les poumons sont les derniers organes à terminer leur maturation. Si le travail se déclenche prématurément, un médicament est donné à la mère afin d'aider les poumons du ou des enfants à atteindre leur maturité avant l'accouchement. On tente ainsi d'éviter les difficultés respiratoires. Curieusement, à poids égal et à terme égal, certaines études tendent à montrer que les jumeaux peuvent avoir une avance de 10 jours sur les singletons en ce qui concerne la maturité pulmonaire. S'ils ne sont pas prêts à respirer de façon autonome à la naissance, les bébés doivent être intubés, ce qui signifie qu'on doit leur insérer un tube dans les poumons pour y faire parvenir de l'oxygène. Les bébés nés prématurément sont plus sujets à l'apnée, c'est-à-dire qu'ils ont tendance à faire des arrêts respiratoires de plus ou moins 20 secondes. Ils sont aussi plus vulnérables au syndrome de la mort subite du nourrisson.

Les bébés nés prématurément sont nécessairement plus petits. Le poids moyen des jumeaux à la naissance est de 2 500 grammes (ou 5,5 livres), ce qui est considéré comme un poids faible par rapport à celui d'un singleton. Un bébé de *très faible* poids à la naissance pèse moins de 1 500 grammes (ou 3,3 livres)[14]. Les statistiques montrent que les jumeaux représentent 28 % des naissances de bébés de faible poids. Ces bébés n'ont pas suffisamment de graisse pour garder la chaleur de leur corps. Ils sont placés dans des incubateurs chauffés en

attendant de pouvoir régulariser eux-mêmes leur température corporelle.

Il est possible que le nouveau-né n'ait pas encore acquis la coordination succion-déglutition-respiration. On entend souvent dire plus simplement qu'il n'a pas développé le « réflexe de succion ». Il se peut alors qu'on doive le nourrir par soluté intraveineux ou par gavage en insérant dans le nez un petit tube qui se rend jusqu'à l'estomac. Si le bébé prématuré peut parfois téter, il faut savoir que cela lui demande beaucoup d'énergie. Il faut alors l'allaiter plus souvent pendant de plus courtes périodes, car il se fatigue rapidement.

Il arrive que certains jumeaux naissent avec des problèmes de santé très graves qui les obligent à passer plusieurs jours en incubateur avant que les parents aient le droit de les prendre dans leurs bras. Le sentiment d'impuissance est difficile à accepter. Rassurez-vous : dans tous les cas, votre rôle est loin d'être inutile.

« *Les mères qui voient leurs jumeaux placés en incubateurs et qui peuvent se sentir un peu dépossédées de leurs bébés tireront un grand réconfort de savoir qu'au moins, elles peuvent leur offrir quand même le lait maternel. C'est vraiment le meilleur aliment pour ces nouveaux bébés si fragiles. Cela les [...] réconforte de ne pas pouvoir offrir tous les soins à leurs bébés et aide à créer un lien, symboliquement*[15]. »

Les bébés prématurés ont énormément besoin de calme, de chaleur et d'amour. En leur parlant doucement, en leur rappelant combien vous les aimez, en les touchant et en les caressant, vous leur faites vraiment du bien et vous en retirez sans doute autant de plaisir qu'eux. Plusieurs études[16] démontrent que les bébés caressés prennent plus de poids que les bébés qu'on ne touche pas, même s'ils reçoivent le même apport calorique. La méthode « bébé kangourou[17] », mise au point en Colombie, consiste à établir dès que possible un contact peau à peau entre la mère (ou le père) et le bébé prématuré. Les avantages de cette méthode sont divers. Elle permet de créer un environnement plus calme pour le bébé ; celui-ci peut quitter l'hôpital assez rapidement et la mère peut continuer d'appliquer la méthode à la maison. Diverses adaptations de cette méthode très efficace sont aujourd'hui utilisées dans les pays industrialisés.

Même les petits bébés sont conscients de leur environnement. Les jumeaux sentent la présence de leurs parents et celle du cojumeau qu'ils côtoient depuis déjà plusieurs mois, comme le démontre l'histoire qui suit :

« Dans de nombreuses maternités d'Europe, il existe des incubateurs doubles. Cela implique évidemment des doubles branchements sur le plan des organes vitaux. Ces incubateurs doubles sont utilisés pour les jumeaux prématurés qui connaissent un taux de prématurité et un poids équivalent [sic].

Aux États-Unis, l'expérience était inconnue jusqu'à la naissance de Brielle et Kyrie, les jumelles nées le 17 octobre 1995. [...] L'une d'entre elles évoluait très rapidement, tandis que l'autre avait beaucoup de difficultés sur le plan respiratoire. L'infirmière responsable des bébés prit la décision, avec l'accord des parents, de placer la plus fragile, dont l'état s'aggravait et qui était très agitée, dans le même incubateur que sa sœur. Dès la fermeture de l'incubateur, les deux petites jumelles se blottirent l'une contre l'autre et s'enlacèrent sous les yeux ébahis de l'équipe médicale, et aussitôt rapprochées l'une de l'autre, la plus fragile retrouva un taux d'oxygène sanguin normalisé[18]. »

Le diabète gestationnel

Une femme qui porte des jumeaux a deux à trois fois plus de chances de faire du diabète de grossesse. Celui-ci survient fréquemment entre la 24e et la 28e semaine de grossesse. C'est en partie pour cette raison que le médecin prescrit des analyses plus fréquentes. Après l'accouchement, tout rentre habituellement dans l'ordre.

L'excès de protéines dans l'urine

Votre médecin vous demandera probablement un spécimen d'urine lors de chacune de vos visites prénatales. Il y trempera une bandelette de papier spécial pour savoir si le taux de protéines (albumine) est dans les normes acceptables. Un taux trop élevé peut signifier que les reins de la mère sont surchargés et montrent des signes de fatigue ou de faiblesse. N'oubliez pas qu'ils doivent filtrer un volume plus grand de sang. Les reins peuvent produire une hormone qui fait augmenter la tension, ce qui permet de maintenir un niveau suffisant de perfusion du placenta et de protéger le fœtus. Une femme dont l'urine présente un excès de protéines fait donc aussi de l'hypertension. Il faut absolument qu'elle se mette au repos et que le médecin surveille de près sa pression artérielle.

L'hypertension due à la grossesse, la protéinurie et la crise d'éclampsie

Environ 10 % des femmes enceintes d'un seul bébé font de l'hypertension. Pour les grossesses gémellaires, on parle de trois femmes sur dix. Une femme enceinte qui fait de l'hypertension et dont l'urine présente un taux de protéine élevé est à risque de faire une crise d'éclampsie. La crise d'éclampsie est une condition qui survient après la 20e semaine de grossesse et qu'on ne peut prévoir. Elle semble due à un mauvais fonctionnement ou à une insuffisance du placenta, mais il existe aussi des facteurs de risque comme l'obésité, la présence de diabète ou une histoire personnelle ou familiale d'hypertension.

Il existe heureusement des signes annonciateurs. Dans les heures précédant une crise d'éclampsie, la mère développe un œdème parfois grave. Elle souffre par ailleurs de douleurs abdominales, de nausées et de vomissements ainsi que de maux de tête sévères. Sa formule sanguine est perturbée, avec une hémolyse des globules rouges et une diminution des plaquettes. Si la condition demeure présente trop longtemps sans intervention, le fœtus ne reçoit pas suffisamment de nutriments et d'oxygène, ce qui perturbe son développement. Il peut subir des dommages physiques et mentaux et même mourir. La femme doit alors être mise au repos en milieu hospitalier. Le médecin doit suivre de près sa pression artérielle et prescrire des antihypertenseurs au besoin. Si la grossesse n'est pas suffisamment avancée pour qu'on envisage de provoquer l'accouchement, on peut stimuler la maturation pulmonaire en utilisant des corticoïdes. Dès que la grossesse est suffisamment avancée pour permettre aux jumeaux de survivre, on provoque l'accouchement.

Non traitée, la crise d'éclampsie peut entraîner des problèmes majeurs qui risquent aussi de mettre la mère en péril. Il faut provoquer immédiatement l'accouchement afin d'éviter ou de diminuer les séquelles. C'est la seule façon d'arrêter vraiment l'éclampsie.

Le syndrome transfuseur-transfusé[19]

Nous avons vu que même les jumeaux dizygotes semblent parfois n'avoir qu'un seul placenta à l'échographie, mais qu'il s'agit en fait de deux placentas fusionnés. Dans le cas de jumeaux identiques, nous verrons souvent un seul placenta. Si l'échographie faite à 13 semaines montre un seul placenta et que les jumeaux sont effectivement identiques, il y a environ 15 % de chances que ceux-ci souffrent du « syndrome transfuseur-transfusé ». Si on vous a confirmé que vous aviez un seul placenta, parlez-en à votre médecin. Il pourra vous expliquer le phénomène et ses conséquences potentielles. Même si cette condition est plutôt rare, il est important de savoir qu'elle existe et de surveiller les signes qui pourraient indiquer son apparition :

- Sensation de croissance rapide de l'utérus.
- Sensation d'utérus trop grand (votre médecin peut sûrement vous renseigner sur les normes pour les grossesses gémellaires).
- Enflure des mains et des jambes en début de grossesse.
- Augmentation soudaine du poids corporel.

Aucun facteur connu n'explique l'apparition de cette condition et aucune mesure spécifique ne permet de l'éviter.

Ce syndrome se caractérise par un placenta unique qui ne fonctionne pas bien ou se développe anormalement. Des vaisseaux sanguins anormaux peuvent en effet se développer dans le placenta partagé, connectant les cordons ombilicaux et les systèmes circulatoires des jumeaux. Dans ce cas, l'un des bébés reçoit moins que sa part du sang (qui lui apporte les éléments nutritifs essentiels à son développement), alors que son cojumeau en reçoit trop, une situation qui peut être dangereuse pour les deux bébés. Une telle situation justifie la réalisation d'échographies régulières pour s'assurer du bon déroulement du développement des deux bébés ainsi que de la présence d'une quantité suffisante de liquide amniotique autour des deux fœtus. Dans les cas sévères, une intervention peut être nécessaire afin de cautériser le vaisseau fautif. Évidemment, ce type d'intervention se fait dans un centre spécialisé. Au Québec, elles ont lieu au CHU Sainte-Justine ou au Centre universitaire de santé McGill (CUSM). En France, vous serez dirigée vers le Centre hospitalier intercommunal de Poissy/Saint-Germain-en-Laye (CHIPS). Lorsqu'un seul placenta doit nourrir les deux bébés, le partage des éléments apportés par ce système sanguin commun est parfois un peu inéquitable, même en l'absence d'un diagnostic de syndrome transfuseur-transfusé. Ainsi, il ne faut pas vous surprendre si vos jumeaux identiques partageant le même placenta naissent avec des poids assez différents ou que l'un des bébés affiche un retard de croissance.

Une grossesse gémellaire, toujours une grossesse à problèmes ? Pas nécessairement !

Sachez que de nombreux jumeaux monozygotes ou hétérozygotes viennent au monde tout à fait en santé. Ils sont peut-être plus petits que les bébés n'ayant pas eu à partager l'utérus, mais cela ne veut pas nécessairement dire qu'ils auront des séquelles, des problèmes de santé chroniques ou une fragilité extrême.

Vous avez beaucoup de questions en tête ?

Informez-vous !

Certains regroupements (Naissances multiples Canada, par exemple) estiment que les familles devraient « suivre des cours prénataux conçus pour les parents de bébé multiples ». Essayez d'en trouver.

Malgré toutes les recommandations faites par les associations de gynécologues ou de médecins, la prise en charge des futures mères de jumeaux diffère peu de celle des autres futures mamans, sauf pour l'aspect physique, qui nécessite plus de rendez-vous de suivi. Les aspects social et psychologique sont généralement survolés rapidement. « Tâche de te trouver de l'aide, repose-toi bien », me disait mon gynécologue...

Comment faire ? Des recherches sur Internet peuvent vous permettre de trouver des ressources utiles. Il est possible qu'il y ait une association de parents de jumeaux dans votre ville. Ce soutien peut être très utile ; conservez précieusement les coordonnées. Malheureusement, il arrive souvent que vous ne receviez la documentation qu'à l'accouchement. Les CLSC peuvent aussi vous diriger vers les ressources qui vous seront utiles. Évidemment, la bibliothèque ou la librairie du coin peut vous offrir des lectures qui vous aideront. Si vous lisez ce livre, c'est que vous êtes déjà sur le bon chemin ! Il est primordial d'établir des contacts avec d'autres nouvelles mamans de jumeaux ou avec des mères de jumeaux qui ont de l'expérience. La vie avec deux nouveau-nés est en effet très différente de la vie avec un seul bébé. Votre meilleure amie, votre sœur ou votre mère ne peut pas vous comprendre parfaitement si elle n'a pas eu de jumeaux. On peut respecter les recommandations ou les conseils des gens, mais, lorsqu'on parle avec quelqu'un qui vit la même chose que nous, on voit rapidement que les discours ne sont pas les mêmes. Les sites Internet présentent l'avantage d'être accessibles depuis n'importe où. Les forums de discussions ou les groupes de mamans de jumeaux sur les réseaux sociaux sont habituellement très appréciés. Il est rassurant de constater que d'autres mères se posent les mêmes questions que vous. En partageant vos impressions, en voyant que d'autres mères de jumeaux vivent aussi parfois des moments de découragement, vous vous sentirez moins seules. Il faut toutefois savoir que ce que vous y lirez peut être erroné. Vous y trouverez beaucoup de légendes urbaines et de demi-vérités. Il existe cependant aussi beaucoup de sites créés par des associations de pédiatres ou des agences gouvernementales qui contiennent des informations véridiques. Nous vous offrons quelques liens dans la section Ressources située à la fin de l'ouvrage. À vous de jouer !

L'instinct maternel

On décrit souvent l'instinct maternel de façon presque romantique, comme quelque chose d'inné pour toutes les femmes et comme le summum du bonheur. La mère (parfaite, il va sans dire) qui regarde pour la première fois son enfant se doit de ressentir un élan d'amour sans bornes envers lui.

Certaines femmes, effectivement, « tombent en amour » avec leur enfant dès l'annonce de la grossesse, mais ce n'est pas toujours le cas. D'autres femmes sont tout à fait heureuses pendant la grossesse, mais la relation avec leur bébé, cet être pourtant attendu, ne commence qu'à l'accouchement. Parfois, l'accouchement est plutôt difficile et la mère, épuisée, en veut presque à l'enfant de lui avoir fait si mal. Toutes ces réactions sont normales.

Même les femmes qui ont effectivement ressenti l'élan maternel dès le début vous diront qu'elles aiment de plus en plus leur bébé chaque jour. À mesure que nos enfants grandissent et qu'on apprend à les connaître, on sent grandir notre amour pour eux. Il est tout à fait normal de ne pas s'éprendre follement d'un petit être tout « fripé » qu'on ne connaît pas encore ! Si c'est votre cas, ne vous inquiétez pas. Les jours et les semaines passeront, votre corps se remettra de la fatigue de la grossesse et de l'accouchement et vous deviendrez de plus en plus « mère », de plus en plus confiante et aimante. Sachez aussi que le processus d'attachement maternel et paternel est plus long lorsqu'on donne naissance à des jumeaux. L'absence de contact avec un bébé qui est en incubateur ou qui doit subir des traitements à cause de sa prématurité ne favorise certainement pas l'attachement.

Régine Billot[20] explique que les nouveaux parents ont encore plus de difficulté à s'attacher à des bébés qui sont vraiment mal en point à la naissance. C'est ce qu'on appelle le « syndrome du deuil anticipé ». Que ce soit un jumeau ou un singleton, ils tentent en quelque sorte de se protéger d'une peine éventuelle. Face à un pronostic très pessimiste, les parents n'osent pas s'attacher à l'enfant et en viennent même parfois à se demander s'ils veulent continuer à lutter pour sa survie. Évidemment, si le bébé prend du mieux et revient finalement à la maison, le développement du lien d'attachement est d'autant plus difficile. Les parents se sentent souvent coupables d'avoir eu ces horribles pensées. Cette réaction est tout à fait normale ; on s'attache plus facilement au bébé qui a le plus de chance de survivre. Il est cependant important de savoir qu'on peut avoir ce genre de réaction. Parlez-en et ne vous culpabilisez pas. Donnez-vous le temps de vous attacher éventuellement aux deux bébés.

Même si vos bébés sont tout à fait en santé, vous aurez peu de temps pour les bercer, leur chanter des chansons et leur parler (et donc de créer ce lien affectif). Apprivoiser une nouvelle réalité, découvrir deux petits êtres en même temps et composer avec la fatigue rend toujours l'attachement plus difficile. Vous n'êtes pas de mauvais parents pour autant.

> Un papa dévoué

Mon mari me disait qu'il était tellement occupé à nourrir, donner le bain et changer des couches qu'il avait l'impression qu'il ne lui restait pas assez de temps pour aimer ses garçons. Cela lui a pris quelques mois et, pourtant, il a été un excellent père dès le début.

Et si l'impensable arrivait...

Nous avons vu que les grossesses multiples sont plus à risque que les grossesses dites « normales ». Le taux de prématurité et de mortalité infantile est en effet plus élevé chez les jumeaux. Pour un couple qui a subi des traitements de fertilité, l'annonce d'une grossesse gémellaire est particulièrement réjouissante. Les conjoints peuvent enfin espérer fonder une vraie famille, parfois après plusieurs années d'attente... Que les jumeaux aient été conçus naturellement ou non, la vie prend un sens tout à fait particulier dès l'annonce d'une grossesse gémellaire. Le choc absorbé, on s'imagine bien avec nos deux bébés et on en vient à les désirer tous les deux. On se procure deux couchettes, deux sièges d'auto, deux chaises hautes, etc. Certains doivent cependant faire le deuil du retour à la maison avec des bébés débordant de santé et d'énergie. Ils doivent en effet parfois demeurer à l'hôpital quelques jours de plus avant de pouvoir sortir. Il se peut aussi que les deux jumeaux ne puissent pas sortir au même moment. Plusieurs scénarios sont possibles.

Si vos jumeaux naissent prématurément, vous traverserez sans doute une période très difficile. Vous passerez des journées à regarder dormir et respirer vos bébés dans leurs incubateurs, à espérer et à vous inquiéter sans pouvoir faire quoi que ce soit pour changer les choses. L'inquiétude face à l'avenir viendra s'ajouter à la fatigue de l'accouchement et aux montagnes russes des hormones. Vous cherchez peut-être à trouver une raison (*Aurait-il fallu arrêter de travailler plus tôt?*) ou un coupable (*On n'aurait pas dû entreprendre le voyage chez tes parents si tard dans la grossesse…*). Vous n'avez peut-être même pas le droit de prendre vos bébés dans vos bras. N'oubliez pas que vous pouvez leur parler et leur dire que vous les aimez. Vous devez faire le deuil de la situation idéale dont vous aviez rêvé : le retour à la maison avec vos deux poupons souriants. Peut-être devrez-vous repartir à la maison les bras vides en laissant un ou les deux bébés aux bons soins du personnel de l'hôpital. Comment ne pas se sentir déçu, impuissant ?

Les émotions que vous vivez sont intenses et souvent contradictoires. Chaque petit progrès vous fera vibrer et chaque recul vous anéantira de nouveau. Comment composer avec cette incertitude ? Comment se réjouir de l'amélioration de la condition d'un jumeau alors que la survie même de l'autre est encore compromise ? Une journée à la fois… Vous vous sentirez peut-être coupable de ressentir du bonheur en ramenant l'un des deux jumeaux à la maison alors que l'autre est encore à l'hôpital. Les *deux* enfants ont besoin de votre amour, ne l'oubliez pas. Ce n'est pas de la faute de l'un si l'autre ne va pas bien ! Profitez-en pour bercer celui qui est avec vous et lui parler, même si c'est à la fois réconfortant et douloureux. Et si, par malheur, l'un des bébés ne survit pas, le rêve s'évanouit tout à coup. L'expérience parentale unique qui nous avait été annoncée et qu'on attendait n'existe plus. Les parents qui perdent un jumeau vivent un deuil particulièrement difficile. Comment se réjouir de la naissance d'un bébé tout en pleurant la mort d'un autre ? Quel déchirement ! Ils ont encore plus de difficulté à s'attacher au survivant, puisque celui-ci leur rappelle le disparu. Les gens qui les entourent leur rappelleront, parfois maladroitement, qu'ils ont de la chance d'avoir quand même un bébé vivant. Il leur est impossible de comprendre que le bébé vivant ne compense pas celui qui est disparu. Le deuil est tout aussi difficile même avec un autre bébé dans les bras (*voir la section Ressources, à la page 379, pour connaître les associations et les sites Internet qui peuvent aider les parents endeuillés à surmonter cette difficile épreuve*). Les parents qui vivent le deuil d'un ou de deux bébés ont souvent besoin d'une aide psychologique professionnelle. C'est une épreuve trop difficile pour que la lecture de quelques paragraphes dans un livre puisse apporter un réconfort suffisant.

Notes

1. U. Reddy, A. Branum et M. Klebanoff. « Relationship of Maternal Body Mass Index and Height to Twinning ». *Obstetrics & Gynaecology* 2005 ; 105 : 593-597.
2. R. Billot. *Le guide des jumeaux de la conception à l'adolescence.* Paris : Éditions Balland, 2002.
   L. G. Keith, S. Gandhi, G. Machin, D. Keith. « Zygosity Determination: an Evolving Technology ». Center for the Study of Multiple Birth, 1998. Disponible sur le Web : www.multiplebirth.com/articles/477.pdf [consulté le 17 avril 2016].
3. A. Vollmar. « Jumeaux miroir ». *Twins Magazine*, 2009.
4. Institut de la statistique du Québec. *Données sociodémographiques en bref*, vol. 16, no. 2, juin 2012. www.stat.gouv.qc.ca/statistiques/conditions-vie-societe/bulletins/sociodemo-vol16-no3.pdf#page=1 [consulté le 17 avril 2016].
5. N. L. Segal. *Entwined Lives: Twins and What They Tell Us About Human Behavior.* New York : Dutton, 1999.
6. http://icombo.org/wp-content/uploads/2010/11/Declaration-of-Rights-2014.pdf [consulté le 17 avril 2016].
7. N. L. Segal. *Op. cit.*
8. L. G. Keith et G. Machin. « Zygosity Chorionicity and Placentation of Twins: Toward More Accurate Terminology ». *The Female Patient*, vol. *23*, juillet 1998. Voir le lien sur le site de Center for the Study of Multiple Birth : www.multiplebirth.com/articles/482.pdf [consulté le 17 avril 2016].
9. Voir les liens suivants :
   www.testpaternite.ca et https://www.23andme.com
10. J. Poland et P. Maxwell Malmstrom. *Jumeaux, mode d'emploi.* Paris : Marabout, 2000.
11. « Vanishing Twin Syndrome ». American Pregnancy Association, 2015. Disponible sur le Web : http://americanpregnancy.org/multiples/vanishing-twin-syndrome/ [consulté le 17 avril 2016].
12. E. Papiernik et A. Richard. « Le moment optimal de la naissance des jumeaux ». Dans E. Papiernik et J.-C. Pons. *Les grossesses multiples.* Paris : Doin, 1991.
13. M.C. Saunders, J.-S. Dick, I. Brown, K. McPherson et I. Chalmers. « The Effects of Hospital Admission for Bedrest on the Duration of Twin Pregnancy: A Randomised Trial ». *Lancet* 1985 ; 8459 : 793-795.
14. Statistique Canada. *Naissances.* Ottawa, 2002.
15. R. Billot. *Op. cit.*

16. T. Fields, « Preterm Infant Massage Therapy Studies : an Americdan Approach ». *Semin Neonatol* 2002; 7:487-494. Disponible sur le Web : www.careperinatologia.it/lavori/L34.pdf [consulté le 17 avril 2016].

17. Organisation mondiale de la Santé. *La méthode « mère kangourou »*. www.who.int/reproductivehealth/publications maternal_perinatal_health/9241590351/fr/ [consulté le 17 avril 2017].

18. R. Billot. *Op. cit.*

19. E. Papiernik, R. Zazzo et coll. *Jumeaux, triplés et plus*. Paris : Éditions Nathan, 1995.

20. R. Billot. *Op. cit.*

CHAPITRE 2

Préparer l'arrivée des petits envahisseurs

Reculons dans le temps. Rappelez-vous le moment où votre médecin vous a annoncé, lors de votre première échographie, que vous ne portiez pas *un*, mais bien *deux* bébés ! Vous avez probablement ressenti une certaine panique, particulièrement si la grossesse n'était pas planifiée. Peu importe votre situation, il vous faudra prendre une journée à la fois. Avoir des jumeaux, c'est tout un contrat, mais rappelez-vous le titre de ce livre ; il s'agit tout de même d'une mission possible ! Quelle a été votre réaction ? Avez-vous eu envie de sauter de joie ? Avez-vous éclaté en sanglots (de joie ou... de peine) ? Étiez-vous trop surprise pour ressentir une quelconque émotion ? Aviez-vous un sourire un peu niais, impossible à faire disparaître ? Si le papa était à vos côtés, vous avez pu vous soutenir mutuellement ; vous aviez peut-être tous les deux les jambes un peu flageolantes...

> Une nouvelle renversante

Personnellement, je suis sortie de la salle d'échographie avec une de ces migraines... Je me demandais si c'était un signe des années à venir ! Je me souviens que je flottais sur un nuage. C'était un peu irréel. J'étais tellement heureuse, probablement parce que je n'avais aucune idée de ce qui m'attendait ! J'avais hâte d'annoncer la belle nouvelle à tout le monde autour de moi. Mon mari et moi, toujours portés par notre nuage pendant les heures qui ont suivi, avons fait l'annonce à la famille et aux amis. Les réactions des gens étaient très variables. Certains étaient heureux et nous félicitaient. D'autres nous offraient leurs condoléances. Inquiétant... Dans la voix de certaines personnes, on pouvait presque sentir la panique. Au moment d'aller dormir, mon beau nuage s'est évaporé et les questionnements m'ont envahie. Le ciel me semblait tout à coup un peu moins bleu. Le sommeil s'est fait attendre. « Qu'est-ce que je vais faire avec deux bébés, la "grande" aura tout juste 2 ans... S'il fallait que j'accouche le jour de sa fête, quelle tristesse pour elle ! Comment s'organise-t-on avec deux bébés ? » Mon mari s'est endormi rapidement, mais, dans ses rêves, il a passé la nuit à tout transformer dans la maison : la chaise haute en chaise haute double, la couchette en couchette double, la toilette en toilette double ! Perturbant... Le lendemain matin, avec ce ciel un peu nuageux qui planait au-dessus de nos têtes, nous avons compris que nous aurions probablement besoin d'acheter un parapluie... double.

Il est toujours surprenant d'apprendre qu'on porte des jumeaux. Si vous êtes tombée enceinte grâce à un traitement hormonal, vous étiez peut-être préparée à cette éventualité. Mais lorsqu'on choisit de devenir enceinte, on ne rêve habituellement que d'*un* bébé. Le deuxième, c'est un bonus !

Dans les journées qui suivent l'annonce, il est normal de vivre un tourbillon d'émotions, d'avoir des craintes et des questions et de passer en un temps record de la grande joie à la panique. Si vous vivez votre première grossesse, vous vous imaginez difficilement vous occuper de *deux* petits êtres sans défense. Si vous avez d'autres enfants, vous savez combien il est exigeant d'être parent. Comment faire avec deux nouveaux enfants dans la famille ?

Voyons d'abord comment vous pouvez vous préparer à l'arrivée prochaine de vos deux bébés.

Préparation psychologique

Oublier la perfection

J'ai demandé à une amie, elle aussi maman de jumeaux, si elle avait des trucs à suggérer à de futurs parents de jumeaux. La première chose qu'elle m'a dite était qu'il fallait accepter d'avoir une maison moins bien tenue. Cela vous surprend-il ? Réviser vos standards d'excellence n'est pas seulement une bonne idée, c'est presque essentiel. En fait, c'est peut-être l'un des plus beaux cadeaux que vous puissiez vous faire. L'image que vous vous faites du bonheur domestique peut être malsaine pour votre propre bien-être. À la télévision, les bébés ne pleurent pas, la maison est toujours bien rangée, la maman est coiffée et même maquillée, le papa est toujours rasé de frais et des biscuits sortent tout juste du four. Dans la réalité des nouveaux parents de jumeaux, il y a des journées où réussir à s'habiller est déjà une victoire. Je me souviens encore de journées où, à l'arrivée de mon mari, je me réjouissais de pouvoir enfin prendre ma douche. Il va sans dire que les biscuits que nous mangions, quand nous avions la chance d'en avoir, étaient achetés.

Si les deux conjoints n'ont pas déjà l'habitude de participer aux tâches domestiques, l'arrivée prochaine de deux enfants est certainement un bon moment pour aborder la question. Pour que la vie dans la maison soit plus agréable, les parents de jumeaux ont tout intérêt à se partager les tâches. Si la femme a l'habitude de s'occuper seule de la maison, son conjoint doit comprendre qu'elle a désormais besoin d'aide. Elle doit cependant accepter que les choses ne se fassent pas nécessairement à sa façon, ce qui n'est pas toujours facile. Dites-vous qu'il est tout de même mieux que les serviettes ne soient pas bien pliées dans la lingerie qu'elles soient encore sales. Papa a offert de ramasser la vaisselle après avoir écouté les nouvelles ? Soyez patiente, attendez ! Dans quelques mois, la vaisselle ne sera pas toujours ramassée une fois le repas terminé. Parfois, il faut accepter de simplement ranger les aliments périssables au réfrigérateur avant de donner le boire. Idéalement, avec l'arrivée des jumeaux, les conjoints s'y mettent plus volontiers ; la maison et les enfants n'appartiennent pas qu'à la mère... Il faut comprendre que pendant la grossesse, et à plus forte raison après la naissance des bébés, on doit toujours prendre soin des gens avant de s'occuper de la maison. Bien évidemment, la mère doit aussi appliquer ce principe. Des adaptations seront sans doute nécessaires. Pour transformer les *attentes* en *ententes*, chacun doit changer quelques comportements. Et tout d'abord, accepter le fait que vous êtes tous deux plus fatigués et que vous devez placer votre santé en priorité. Si vous êtes seule, ou que votre conjoint est souvent à l'extérieur, vous aurez à plus forte raison avantage à réévaluer vos priorités. Si vous avez toujours eu une maison rangée et propre, peut-être pourriez-vous tenter de vous habituer dès maintenant à passer l'aspirateur un peu moins souvent. Porter des jumeaux est déjà suffisamment exigeant, vous méritez bien de vous reposer un peu. De toute façon, vous aurez moins de temps pour frotter lorsque les bébés seront là. Autant vous y habituer tout de suite ! Vous verrez, la vie continue. On ne devient pas une mauvaise personne parce qu'il y a un peu de poussière accumulée sur les meubles (d'ailleurs, dites-vous que les enfants prennent grand plaisir à dessiner sur les meubles poussiéreux). Il faut d'abord vous pardonner et, ensuite, ne pas vous sentir coupable de ne pas réussir à tout faire comme avant.

Rester soi-même

Dès que vous avez su que vous étiez enceinte, votre image de vous-même a changé un peu. Vous pensez beaucoup à cette petite personne qui grandit en vous, au point de vous oublier. Vous portez attention à tout ce que vous mangez. Vous ne prenez plus de vin en soupant. Et voilà que vous apprenez que vous attendez des jumeaux ! Bien sûr, cela a fait de vous une vedette instantanée ! Déjà, les gens flattent votre ventre, s'informent de « leurs » jumeaux. Où est passée la personne que vous étiez ? La femme d'affaires, la vendeuse qui aime les gens, la sportive toujours motivée, la passionnée de droit, de politique, l'experte en rénovations, l'étudiante, l'enseignante engagée, la travailleuse sociale ? Peut-être trouvez-vous difficile de perdre en quelque sorte votre identité et de n'être qu'une future maman ? Avez-vous envie de rappeler aux gens que *vous* êtes toujours là ? Vous pouvez le faire ! Parlez de ce qui vous arrive au bureau, du dernier film que vous avez vu ou du livre que vous venez de terminer. Même si votre vie n'est plus tout à fait comme avant, tâchez de ne pas vous oublier. Vous êtes encore une femme, une conjointe et une amie, en plus d'être une future maman de jumeaux.

Réfléchir aux prénoms des bébés

À mesure que la grossesse avance et que votre ventre se distend, vous prenez de plus en plus conscience qu'il y a vraiment deux bébés là-dedans. Votre conjoint et vous-même réfléchissez sans doute plus sérieusement à la façon dont vous vous organiserez. Vous arrivez à mieux les imaginer. Grâce aux échographies, vous connaissez peut-être le sexe de vos jumeaux. Imaginez-vous déjà votre petit « couple » garçon/fille ? Visualisez-vous les deux bébés, garçons ou filles, avec leurs petits ensembles assortis ? N'oubliez pas qu'on vous a peut-être dit que vos jumeaux n'étaient pas identiques parce qu'une membrane les sépare. Vous comprenez maintenant qu'il y a une marge d'erreur. L'image mentale que vous vous êtes faite de vos jumeaux sera peut-être différente si vous vous êtes fiés à cette information, ce qui peut provoquer une déception plus tard. Ne soyez pas trop précis dans vos rêveries !

Cette visualisation vous fait aussi chercher les prénoms que porteront vos enfants. Autrefois, les gens donnaient presque systématiquement des prénoms semblables aux jumeaux : Antoine et Antoinette, Lise et Lisette, Yvon et Yvan, Jean-Pierre et Jean-Jacques… Certains aiment être originaux et optent pour Victor et Hugo. Ça nous fait sourire... On voit aussi des jumeaux porter des noms qui riment : Julia et Nadia, Yannick et Éric, Étienne et Julienne.

Ces prénoms accentuent le fait que vos enfants sont jumeaux. Souvent, la famille préfère également voir les deux petits habillés de la même façon : « C'est tellement précieux, des jumeaux ! » Avec des prénoms qui rappellent constamment la gémellité, il est sans doute un peu plus difficile pour l'entourage de les voir autrement que comme « les jumeaux ». Il est aussi possible que les gens qui vous entourent aient de la difficulté à différencier vos enfants. Si vous avez des jumeaux identiques, pensez-vous vraiment qu'il soit nécessaire de souligner leurs similitudes ?

Si vos jumeaux ne sont pas identiques, est-il essentiel de leur rappeler constamment qu'ils devraient former un « couple » ? Il est parfois déjà difficile pour l'enfant de comprendre qu'il est une personne à part entière, et pas seulement la moitié d'un tout. En leur donnant des prénoms qui se ressemblent, tentez-vous de rendre pareils des jumeaux qui ne le seront peut-être pas du tout ? Vos deux enfants sont différents et méritent d'être reconnus comme tels. Le fait d'avoir un prénom qui leur est propre les aidera peut-être à bâtir leur individualité. Cette individuation est très importante pour plusieurs raisons et elle peut se faire de manière différente selon le type de jumeaux. Nous en reparlerons plus loin. Rappelez-vous que vos enfants devront vivre avec leur prénom. S'ils sont heureux d'être jumeaux, ce ne sera pas parce qu'ils ont des prénoms qui riment. En revanche, s'ils trouvent difficile d'être jumeaux, ils seront mécontents de porter un prénom trop semblable à celui de leur cojumeau. Certains prénoms sont très populaires. Voulez-vous vraiment que votre enfant ait le même prénom que quatre amis dans sa classe en plus d'avoir une « copie conforme » de lui-même à ses côtés ? Il ne sera pas facile de lui parler d'individualité dans ce cas !

Certains prénoms ont une histoire : « C'est le prénom de ton arrière-grand-mère » ou « C'est le prénom d'une personnalité du milieu sportif ou musical ou politique qu'on admirait particulièrement ». Selon certaines études, il est bon pour l'enfant de porter un prénom rattaché à une histoire. Cela l'aide à se définir comme individu et à bâtir son estime de soi. Une chose est certaine : le choix des prénoms est important. Prenez le temps de bien réfléchir aux conséquences du choix des prénoms dans la vie de vos jumeaux.

Se renseigner et s'outiller

Vous vivrez des moments de grande joie, mais vous aurez aussi des questionnements et des incertitudes, souvent en pleine nuit. Il vous est présentement difficile de connaître l'impact réel de la naissance des jumeaux sur votre vie et, pourtant, c'est avant d'accoucher qu'il faut tenter d'imaginer comment l'arrivée des jumeaux bousculera vos habitudes. Certains adultes acceptent mieux que d'autres les changements. Certains bébés sont plus faciles que d'autres. Certains ont des coliques, d'autres non. Il est possible que vous n'ayez pas encore une image très claire de ce que sera la réalité dans votre maison. Êtes-vous plutôt calme et confiant ? Fonctionnez-vous relativement bien malgré une tâche accrue ? Êtes-vous plutôt inquiet et nerveux ? Si vous êtes en couple, l'un de vous deux est-il serein ou a-t-il plus d'expérience avec les bébés ? L'autre souffre-t-il d'insécurité ? Chaque couple a une dynamique qui lui est propre. Avant d'accoucher, il peut être utile de visualiser de quelle façon vous pensez vivre cette étape. Vous pouvez explorer différents scénarios et vous demander comment vous réagiriez. La réalité sera probablement différente de ce que vous avez imaginé, mais vous aurez au moins ouvert la porte aux différentes possibilités et entamé une discussion.

Profitez des semaines qui précèdent l'accouchement pour vous informer. Trouvez des sites Internet qui vous serviront de références (*voir les suggestions dans la section Ressources, à la page 379*). Discutez avec les gens — dont votre conjoint ou toute autre personne qui sera présente pour vous — au sujet de la façon dont vous pensez procéder pour les principaux éléments du quotidien : nourrir, dormir, calmer, adopter une routine ou non... Imaginez-vous mettant en application les techniques qui vous ont inspirée lors de vos lectures. Soyez cependant consciente que les choses peuvent changer et cultivez la flexibilité nécessaire pour adapter ce que vous avez appris à vos bébés.

Préparation pratique

Les futures mamans se posent toutes certaines questions pratiques qui méritent qu'on s'y attarde un peu. Elles concernent la base : l'alimentation, les couches et le sommeil. Vous imaginez bien que ces éléments vous préoccuperont beaucoup dans les mois à venir, à plus forte raison si vous êtes maman pour la première fois ! Bien sûr, ces éléments ne sont pas propres aux jumeaux, mais ils peuvent être doublement importants à comprendre pour mieux vivre avec vos enfants. La grossesse est le moment idéal pour parler avec les gens autour de vous, vous « faire une tête » sur le style parental que vous prévoyez adopter ou privilégier. Est-ce qu'un des parents est plutôt du style « vivre et laisser vivre », sans horaire et sans trop de contraintes ? Les enfants sont adaptables après tout… Croyez-vous plutôt aux bienfaits d'une certaine routine pour sécuriser l'enfant ? Si les deux parents font des lectures et discutent ensuite de certains aspects de l'organisation familiale ou de l'éducation des enfants avant l'arrivée des bébés, ils seront un peu moins indécis lorsqu'ils devront agir dans différentes situations. En y réfléchissant dès maintenant, votre conjoint et vous éviterez peut-être des discussions qui pourraient devenir orageuses lorsqu'il est 2 heures du matin et que les bébés pleurent… Lisez beaucoup, observez les comportements des gens autour de vous et retenez ensuite les éléments qui correspondent à vos valeurs individuelles et de couple.

Gardez sous la main les références que vous jugez importantes et faites-vous confiance. Voici quelques éléments pour orienter votre réflexion.

L'alimentation : quelle forme choisir ?

Vous vous demandez sans doute si vous êtes un peu folle de penser à allaiter vos jumeaux. Rassurez-vous, vous n'êtes pas folle du tout. On peut très bien allaiter des jumeaux. Il serait judicieux pour vous d'en parler avec des mamans de jumeaux qui l'ont fait avant vous. Les réseaux sociaux peuvent aussi être des sources d'information et d'idées intéressantes. Il existe sûrement aussi des organismes locaux qui peuvent aussi vous conseiller ou vous adresser à d'autres mamans de la région ayant allaité leurs bébés (*voir la section Ressources, à la page 379*).

Si vous souhaitez allaiter vos jumeaux, ayez confiance : sauf exception, le corps sera capable de fournir du lait aux deux bébés si vous lui en laissez l'occasion. Quand il faudra plus de lait, il s'adaptera à la demande. Des tétées plus fréquentes permettent en outre d'augmenter la production de lait pour que les jumeaux reçoivent la quantité nécessaire. Certaines mères tirent même leur lait *après* que les jumeaux ont bu pour s'assurer que les seins sont bien vidés. Ce faisant, elles ont une petite réserve de lait congelé qui peut être utile plus tard, par exemple en fin de journée, quand la fatigue entraîne une diminution de la production de lait. C'est souvent un moment difficile avec des bébés, car la fatigue de la journée affecte tout le monde… La clé, encore une fois, est de boire beaucoup d'eau et de se reposer le plus possible. Il existe des produits — sous prescription ou disponibles sans ordonnance — qui peuvent faire augmenter la production de lait. Il est cependant important de consulter votre médecin ou votre pharmacien avant de vous les procurer. Ne vous laissez pas dire, par exemple, que votre lait n'est pas « assez riche ». Tous les laits maternels sont « nourrissants ».

On encourage actuellement l'allaitement, tant dans les hôpitaux que dans les cours prénataux. Il se peut toutefois que vous constatiez, une fois à l'hôpital, que chaque infirmière a sa propre méthode. Si vous avez fait vos devoirs, vous saurez vous écouter et suivre votre instinct. Les nouvelles mamans qui choisissent plutôt de nourrir leurs bébés avec les préparations lactées ont souvent l'impression d'être jugées et considérées comme de moins bonnes mères à cause de ce choix. On leur explique que le lait maternel est vraiment le meilleur aliment qu'elles peuvent offrir à leur bébé. Et puisque les jumeaux risquent d'être plus petits, pourquoi ne pas leur offrir ce qu'il y a de meilleur ?

Cela dit, vous n'êtes pas une « mauvaise » mère si vous choisissez le biberon. Les préparations lactées sont aujourd'hui d'une grande qualité. Il ne faut pas vous sentir coupable si vous n'avez pas envie d'allaiter vos jumeaux. Un biberon offert avec amour et sérénité vaut mieux qu'un sein offert par obligation ou à cause des pressions sociales. Chaque option présente des avantages.

Afin de vous aider dans votre réflexion, voici quelques éléments à prendre en considération.

Les avantages de l'allaitement

Pour l'âme

Il a été prouvé que les mères de jumeaux mettent plus de temps à établir un lien d'attachement avec chaque bébé. L'accouchement est parfois plus problématique et près de la moitié des jumeaux naissent par césarienne. Les bébés prématurés sont souvent placés en incubateur et il arrive que la mère ne puisse pas les prendre tout de suite dans ses bras. Il arrive même qu'elle soit un peu trop déboussolée et sollicitée de toutes parts pour avoir le temps d'apprendre à connaître chaque bébé.

Allaiter est un acte d'amour très intime. C'est offrir quelques précieuses minutes à son enfant, le prendre dans ses bras et lui offrir ce qu'il y a de mieux. Même si les jumeaux sont nés en santé, la maman a moins de temps à accorder à chacun d'eux. Elle doit être présente pour les deux enfants à la fois, ce qui n'est pas facile. En allaitant, elle s'attache plus facilement à ses bébés. Elle les cajole et leur parle doucement. Elle remarque rapidement ce que chacun aime (musique, lumière tamisée, etc.).

Des proches, pourtant bien intentionnés, offrent souvent de s'occuper des petits afin de permettre à la maman de se reposer. La nouvelle mère peut parfois se sentir presque « dépossédée » de ses bébés. Lorsqu'elle allaite, elle demandera plutôt de l'aide pour plier des vêtements restés dans la sécheuse depuis deux jours ou pour cuisiner. Cette aide sera aussi appréciée et permettra à la maman de développer un bon lien d'attachement avec chacun de ses bébés.

Pour la santé

Le lait maternel est effectivement le meilleur aliment naturel qu'on peut offrir aux nourrissons. Il s'ajuste parfaitement aux besoins changeants des bébés. La composition du lait varie d'ailleurs pendant la tétée. Au début, il contient plus d'eau pour calmer la soif. Il contient ensuite davantage de graisses pour bien alimenter le bébé et le soutenir pendant sa croissance. Une étude de la Dre Katie Hinde[1] a démontré que la composition du lait varie même selon le sexe de l'enfant allaité. On y trouve davantage de protéines et de graisses lorsque la maman donne naissance à un garçon et une plus grande quantité de calcium lorsqu'il s'agit d'une fille*.

Le lait maternel contient également plusieurs hormones (cholécystokinine, ocytocine et prolactine) qui favorisent la satiété, la détente et l'endormissement du bébé en fin de tétée. La nuit, il contient aussi de la mélatonine, qui aide la maman et les bébés à dormir. Vous voyez que la nature fait tout ce qu'elle peut pour vous aider !

L'avantage le plus marqué demeure cependant celui qui concerne le développement et la santé des bébés. Ceux-ci reçoivent exactement ce dont ils ont besoin pour bien grandir, tant sur le plan physique que mental. Dès les premières journées de l'allaitement, les enfants reçoivent du colostrum et des anticorps. Cela les aide à combattre les maladies en attendant que leur système immunitaire atteigne sa pleine maturité. Les autres enfants de la famille peuvent par exemple ramener de la garderie ou de l'école des infections, des maux de gorge, des rhumes,

* L'auteure n'évoque pas comment le corps réagit lorsqu'une mère a des jumeaux garçon-fille… Peut-être que la réponse sera démontrée lors d'une prochaine étude ?

des gastro-entérites, etc. Personne n'aime avoir un bébé malade. Avoir deux bébés fiévreux et malheureux, avec ce que cela implique de pleurs et de besoin de réconfort, ce n'est vraiment pas drôle ! En évitant certaines maladies grâce aux anticorps contenus dans le lait maternel, tout le monde est plus heureux ! Est-ce une raison un peu égoïste pour allaiter ? Peut-être… Reste que les bébés n'en sont pas pénalisés : ils en bénéficient autant, sinon plus.

Pour le budget

Le coût des préparations lactées est très élevé. Calculez les frais pour nourrir deux bébés en utilisant ces produits et vous verrez rapidement à quel point l'allaitement est avantageux sur le plan financier.

Pour la commodité

Avoir l'assurance qu'on a en permanence ce qu'il faut pour combler l'appétit des bébés est un avantage auquel on ne pense pas toujours. Vous recevez une invitation spontanée à souper chez des amis ? Vous pouvez accepter sans problème ! Si l'allaitement brime parfois un peu la liberté, il permet aussi cette spontanéité. Un retard, un imprévu et vous voilà coincée ailleurs qu'à la maison ? Lorsque vous allaitez, vous pouvez toujours vous organiser. Vous pouvez stationner la voiture pour allaiter et continuer ensuite le voyage. Le lait est toujours à la bonne température : nul besoin de le garder au froid ou de le réchauffer. La nuit, vous êtes tout de suite prête à répondre aux besoins d'un bébé qui hurle de faim sans risquer qu'il réveille toute la maisonnée en attendant que le lait soit à la bonne température.

Les inconvénients de l'allaitement

La fatigue

Certaines personnes vous diront qu'allaiter des jumeaux provoque une trop grande fatigue chez la mère. Ont-ils raison ? C'est à vous d'en décider. Si vous faites de l'allaitement une priorité et que vous êtes prête à laisser tomber certaines tâches, vous pourrez mieux vous reposer et continuer d'allaiter. En fait, tenez-vous-en à l'essentiel : repas, sommeil, lavage. Le ménage deviendra éventuellement prioritaire, mais, comme nous l'avons déjà évoqué, il faudra revoir vos standards. Si votre accouchement n'est pas prévu avant plusieurs semaines, discutez-en avec votre conjoint. Est-il d'accord avec votre décision d'allaiter ? Est-il prêt à participer davantage aux tâches pour vous permettre de le faire ? Si votre conjoint comprend qu'il devra parfois prendre en charge quelques repas et s'occuper du lavage au retour du travail, vous vous sentirez moins obligée de tout faire. Lorsqu'une femme décide d'allaiter un bébé et qu'elle est épaulée et encouragée par son entourage, il lui est plus facile de supporter les inconvénients que l'allaitement peut comporter. Pour allaiter deux bébés, ce soutien est essentiel. Entourez-vous de gens qui vous écouteront, vous conseilleront et vous aideront dans cette aventure, que ce soit des amies, votre conjoint, des membres de votre famille ou une conseillère en allaitement avec qui vous pourrez développer une belle complicité. On peut par ailleurs se demander si la fatigue ressentie par la maman de jumeaux qui allaite est causée par l'allaitement ou simplement par le fait de s'occuper de jumeaux. N'oubliez pas qu'allaités ou non, ces deux bébés doivent boire aux trois heures environ, sinon plus, nuit et jour. Certaines mères disent qu'elles se reposent davantage en prenant le temps de s'asseoir et de bercer les bébés en les allaitant.

En effet, lorsqu'elle allaite, elle est *obligée* de s'asseoir pour donner le boire. L'allaitement est aussi bénéfique pour la mère sur le plan physique, car elle l'oblige à penser à bien manger et à se reposer. Cela lui permet de reprendre des forces et de mieux affronter les nouvelles tâches à effectuer.

L'obligation d'être disponible

L'allaitement est bien sûr très contraignant pour la mère. Au début, vous ne pourrez sortir seule plus d'une heure en ayant l'esprit tranquille, puisque vous ne saurez jamais quand vos bébés vous réclameront. Prenez chaque petite heure disponible pour vous : marchez, asseyez-vous sur un banc de parc au soleil pour lire ou respirer, tout simplement. Votre cœur et vos pensées seront probablement encore à la maison, avec les enfants, mais cette petite sortie vous fera tout de même le plus grand bien. Plus tard, vous pourrez laisser un biberon de lait maternel à l'adulte qui restera avec les jumeaux le temps d'une sortie au cinéma. L'allaitement ne dure pas si longtemps, quelques semaines, quelques mois tout au plus. Avec du recul, vous verrez que cela est vite passé. Il serait dommage que vous vous empêchiez d'allaiter pour cette raison si vous le souhaitez vraiment.

En conclusion

Si vous allaitez — ne serait-ce que deux semaines —, vos bébés profiteront du colostrum et des anticorps que vous leur transmettrez. Certaines mères décident d'allaiter pendant environ un mois afin de donner aux bébés le meilleur départ possible dans la vie. Cela peut être un bon compromis si vous n'êtes pas prête dès le départ à vous engager à long terme dans l'aventure. Après ce laps de temps, vous pourrez réévaluer la situation et vous fixer un autre objectif s'il y a lieu (poursuivre encore deux semaines et réévaluer par la suite, par exemple). Il est souvent plus encourageant de procéder par étapes. Si vous cessez après ces deux semaines, vous aurez atteint l'objectif que vous vous étiez fixé et vous pourrez être fière de vous. Lorsque vous avez envie d'abandonner, rappelez-vous qu'après quelques semaines, votre production de lait sera stabilisée : vos seins ne seront plus engorgés et les jumeaux boiront très bien. Vous vous serez apprivoisés mutuellement et vous ressentirez probablement le plaisir d'allaiter.

Un bébé qui arrête de téter simplement pour vous sourire, quel baume sur le cœur de mère fatiguée !

Les avantages des préparations lactées et des biberons

Plusieurs mamans ont peur de l'allaitement. Elles sont stressées en y pensant (« Serai-je capable ? », « Est-ce que ça fait mal ? », « Serai-je prisonnière des bébés ? »). L'allaitement risque d'être plus difficile si vous n'êtes pas particulièrement motivée, si vous n'avez pas confiance ou si vous ne bénéficiez pas d'un certain soutien. Le biberon est alors plus facile à envisager. Cette décision est peut-être la meilleure pour vous.

Le quotidien de la maman qui choisit d'offrir des préparations lactées à ses jumeaux est un peu différent. Il faut préparer les biberons, mais l'un ou l'autre parent

— ou toute autre personne venue vous rendre visite ou vous offrir de l'aide — peut accomplir cette tâche. Vos proches ont souvent le réflexe de vous proposer de donner le biberon aux nouveau-nés. Qui n'aime pas prendre un bébé dans ses bras, après tout ? Lorsque les biberons sont donnés par d'autres personnes, la nouvelle maman de jumeaux peut avoir envie d'en profiter pour faire quelques tâches domestiques mises de côté faute de temps ou d'énergie. Or, il vous faut aussi être présente pour vos bébés, apprendre à les connaître et à développer votre lien d'attachement avec eux. Il faut donc éviter de toujours profiter de ces moments pour faire des travaux ménagers. Vous avez besoin de vous reposer. Demandez plutôt à vos proches d'accomplir d'autres petites tâches pendant que vous donnez le biberon.

Le père ou toute autre personne présente peut aussi prendre la relève pendant la nuit et nourrir l'un ou l'autre des bébés. Ce partage du temps est loin d'être négligeable ! Il faut toutefois savoir que les parents réussissent rarement à dormir lorsqu'ils entendent leur bébé pleurer, même dans les bras de quelqu'un d'autre. Les grands-parents pourraient peut-être amener l'un des bébés chez eux pour une nuit afin de vous permettre de mieux récupérer.

Il est plus facile de sortir seule si les bébés sont nourris au biberon. Cela peut aider au moral d'une nouvelle maman qui se sent un peu prisonnière. Soyez cependant réaliste : vous quitterez rarement la maison en laissant deux tout-petits avec une gardienne, même si vous lui faites confiance. Il se peut qu'il soit tout de même important pour vous de savoir que vous pouvez vous absenter quelques heures. Si vous savez que vous avez absolument besoin de vous évader occasionnellement sans les enfants ou si vous devez retourner rapidement au travail, vous serez heureuse d'avoir choisi les biberons.

L'inconvénient des préparations lactées

Comme nous l'avons déjà mentionné, le coût de ces poudres est élevé. En 2016, il faut prévoir environ une trentaine de dollars par semaine pour nourrir *un* bébé. Au début, vous risquez de devoir jeter du lait, car il arrive souvent qu'on en prépare un peu plus pour être certain de ne pas en manquer. N'achetez pas une caisse de lait en poudre avant la naissance des bébés, même si le prix semble intéressant. Vous pourrez avoir à tester différentes marques avant de trouver celle qui plaît à vos enfants ou répond à leurs besoins spécifiques.

Évidemment, vous devrez préparer ces biberons chaque jour et en prévoir un minimum de 16 pendant plusieurs semaines. Sachez que vos bébés auront des poussées de croissance et qu'il faudra alors leur donner plus de lait. De plus, pendant les quatre premiers mois, vous devrez prendre chaque jour le temps de faire bouillir l'eau pour y dissoudre la poudre et de stériliser les biberons avant chaque utilisation. Quand les bébés auront plus de 4 mois, vous pourrez utiliser l'eau du robinet pour diluer la poudre et simplement bien laver les biberons à l'eau très chaude et savonneuse. Vous devrez trouver de la place pour les biberons au réfrigérateur et en assurer la rotation. Cette routine est astreignante, même si la tâche peut être partagée ou que le conjoint peut s'en charger.

Un compromis peut-être ?

Il y a toujours moyen de tenter un compromis en alternant le sein et le biberon. Si vous choisissez cette option, vous allaiterez l'équivalent d'un bébé et vous préparerez aussi des biberons pour un bébé. C'est un peu moins long à préparer et moins coûteux que si vous donniez des préparations lactées aux deux enfants. Cela vous permet aussi de sortir quelques heures si vous en avez envie, mais aussi d'allaiter lorsque vous le souhaitez ou que c'est plus pratique ou rapide. Avec cette solution, vous connaîtrez les avantages des deux méthodes. Il faut cependant se rappeler que le lait s'écoule facilement d'un biberon, alors que l'enfant allaité doit téter avec une certaine force pour réussir à avoir du lait. C'est pourquoi il est parfois difficile d'allaiter des bébés nés prématurément : ils se fatiguent plus vite. On devra peut-être utiliser un tire-lait et ensuite offrir le lait maternel dans un biberon. Si vous alternez entre le sein et le biberon, il est possible que l'un ou l'autre des bébés (ou les deux !) refuse éventuellement de boire au sein parce qu'il trouve cela trop difficile. Comme le disait si bien mon pédiatre : « Ils sont peut-être petits, mais ils ne sont pas imbéciles. S'il est plus facile de boire au biberon… » Si votre bébé refuse le sein après avoir pris le biberon, il ne faut pas que vous vous sentiez rejetée. Vous pourrez probablement le convaincre de reprendre le sein si vous ne lui offrez pas de biberon pendant un certain temps.

À l'inverse, certains bébés acceptent très difficilement de boire au biberon. On a vu des bébés refuser complètement de boire pendant plusieurs heures lorsqu'on ne leur offrait qu'un biberon. Or, certaines situations exigent que l'enfant prenne le biberon (si la maman doit s'absenter à cause d'une maladie quelconque ou si elle retourne sur le marché du travail, par exemple). Il faut alors tenir tête à l'enfant. Il se peut aussi que vous deviez le faire si vous avez opté pour alterner un boire au sein et un boire au biberon pour vos jumeaux. Si cela ne fonctionne pas, vous pouvez choisir d'offrir le biberon exclusivement à l'un des deux bébés et de continuer à allaiter l'autre. Vous devrez alors déterminer lequel des deux continuera à prendre le sein et lequel boira au biberon. C'est une décision qui peut être déchirante et qui doit être prise à la lumière des particularités de vos jumeaux. Il est impossible de prévoir leur réaction face à cet allaitement mixte. Même chez les jumeaux identiques, chaque bébé est unique.

En conclusion

Il est important de faire part de vos réflexions au père avant de prendre votre décision. La mère est souvent encore dans son cocon, vivant une sorte de symbiose avec ses bébés. Si vous avez opté pour l'allaitement, cette symbiose est d'autant plus frappante. Il ne faut pas que le papa soit surpris de se sentir presque de trop, à certains égards. En réalité, la maman a autant (sinon plus) besoin de sa présence, de son soutien et de son amour !

> Objectif atteint !

Comme j'avais allaité avec succès ma fille, il allait de soi que j'allaiterais aussi mes jumeaux. C'est ce que j'ai fait, exclusivement, pendant un mois. Ensuite, nous avons alterné le sein et le biberon. Les deux jumeaux ont accepté le compromis. J'ai cessé d'allaiter lorsqu'ils ont eu 6 mois. C'était l'objectif que je m'étais fixé (je ne m'explique pas encore très bien pourquoi je n'ai pas continué, d'ailleurs, ça allait tellement bien).

Mon expérience avec l'allaitement mixte a été heureuse. Pendant les premiers mois, toutefois, il était assez facile de savoir lequel des jumeaux avait bu au sein et lequel avait eu un biberon : celui qui avait des crampes avait pris le biberon. Les deux bébés digéraient nettement mieux lorsqu'ils avaient bu au sein.

Les couches

Les couches sont un autre sujet de préoccupation pour les futurs parents. Sachez que vous changerez chaque enfant quelque 5 000 fois sur une période de 30 mois[2]. Vous pouvez naturellement envisager les couches jetables. Elles sont pratiques et faciles à apporter partout. Elles sont cependant très onéreuses et dommageables pour l'environnement. Leur rangement nécessite beaucoup d'espace, surtout qu'on sait qu'il est toujours très judicieux de les stocker (on ne veut vraiment pas être obligés de chercher une pharmacie ouverte le dimanche soir quand on se rend compte qu'on n'a pas suffisamment de couches pour la nuit).

Les couches lavables sont avantageuses sur le plan financier, même en considérant le coût du lavage. Si vous êtes à la maison, vous trouverez le temps de les laver tous les deux jours. Cela s'inscrira sur votre liste de priorités, tout simplement. Il semblerait également que ce type de couche prévienne les rougeurs et les affections de la peau, puisqu'il y a aujourd'hui 10 fois plus d'érythème fessier qu'il y a 50 ans, à une époque où seules les couches en tissu existaient. Ces couches ne fuient pas plus que les couches en papier. Contrairement aux couches jetables, qui semblent presque sèches au toucher alors qu'elles sont imbibées d'urine, les couches lavables laissent paraître l'humidité. Elles doivent donc être changées plus souvent. Il semblerait cependant que le fait de sentir l'humidité de cette façon motive certains enfants à devenir propres plus rapidement.

Encore une fois, prenez le temps d'en discuter avant d'opter pour l'une ou l'autre de ces couches. Vous pouvez également consulter des forums ou des blogues de mamans de jumeaux sur Internet. Elles se feront sans doute un plaisir de partager leur vécu. L'achat de couches lavables représente une grosse dépense. Cela pourrait-il faire l'objet d'un cadeau de groupe ? Vous pouvez limiter l'impact financier de cette décision en vous équipant en couches usagées, souvent offertes à des prix très avantageux. Les couches deviennent cependant un peu moins absorbantes à l'usage. Vous pourriez acheter un ensemble de couches usagées ainsi que quelques couches neuves que vous utiliserez la nuit. Certaines villes offrent aussi des subventions pour encourager l'achat de couches fabriquées au Québec. Les parents achètent quelques boîtes de couches jetables (pour prématurés, généralement) afin de se faciliter la vie au retour de l'hôpital et passent aux couches lavables quelques semaines plus tard. D'ailleurs, rien n'empêche d'avoir toujours une boîte de couches jetables pour certaines situations (longue sortie familiale, gardiennage des enfants, couches lavées qui ne sont pas sèches). Encore une fois, le compromis peut être la solution pour vous assurer une certaine tranquillité d'esprit.

Le sommeil

Il est important d'aborder le sujet du sommeil, puisqu'il s'agit d'un élément clé du développement de l'enfant et d'une vie familiale saine. Un enfant qui refuse systématiquement de dormir est particulièrement irritant, déprimant ou déstabilisant pour des parents qui sont eux-mêmes fatigués.

Comment faire pour aider un enfant (et ses parents !) à trouver le sommeil ? Vous voudrez parfois savoir si les stratégies que vous employez sont les bonnes, pour votre enfant comme pour vous. Aucun parent n'aime entendre pleurer son bébé. Certains sont même incapables de subir ces pleurs. Après tout, si l'enfant pleure, c'est pour nous dire qu'il est malheureux... Notre devoir est de répondre à son besoin, de le calmer et de l'endormir. Mais comment ? En le stimulant davantage ? En retardant l'heure du dodo afin qu'il soit plus fatigué ? En le berçant ? En faisant avec lui des allers-retours de la chambre au salon ? En lui offrant systématiquement le sein ? En lui faisant faire une promenade en voiture ? En lui offrant à nouveau le sein ?

Il existe différentes approches concernant l'endormissement et le sommeil de l'enfant. Des techniques permettent de diminuer beaucoup (sinon complètement) les périodes où le bébé pleure avant de s'endormir. Bien sûr, on doit d'abord tenter d'identifier la raison des pleurs. Le petit a peut-être faim ? Il a peut-être mal, chaud ou froid ? Si c'est le cas, régler le problème risque de le calmer, sinon de l'aider à s'endormir.

Qui ne prend pas plaisir à endormir un bébé dans ses bras ? On le dépose ensuite avec amour dans son lit en espérant qu'il ne se réveille pas. Mais est-ce une option envisageable lorsqu'on a deux bébés à endormir ? Les berce-t-on tous les deux en même temps ? Peut-être vaut-il mieux employer le précieux temps que vous avez pour bercer les enfants à d'autres moments ? Vous risquez ainsi d'avoir une plus belle interaction avec lui, et vous n'instaurerez pas d'association dodo-bercer ou dodo-téter.

Dans bien des cas, les enfants sont simplement fatigués et incapables de trouver le sommeil. Souvent, c'est parce qu'ils sont surstimulés, justement. S'attarder à bien comprendre ses bébés et à déceler les signes de fatigue permet généralement d'éviter les crises. Vous pouvez alors les mettre au lit au bon moment, avant qu'ils ne se sentent trop fatigués et qu'ils perdent leurs moyens, ce qui risque fort de vous faire perdre aussi les vôtres.

Il est recommandé de prendre l'habitude, dès le début, de coucher les enfants bien emmaillotés dans leur lit dès l'apparition des premiers signes de fatigue (deuxième bâillement, regard vide...) afin qu'ils s'habituent à s'endormir seuls, sans boire, sans téter et sans nécessairement se faire bercer.

L'auteure Tracy Hogg[3], qui a étudié le sommeil de l'enfant, recommande quant à elle de modifier sa routine et de le nourrir quand il se réveille plutôt que pour l'endormir. L'enfant mange mieux, puisqu'il est bien réveillé, ce qui est idéal, en particulier pour les mamans qui allaitent. Il reste ensuite éveillé un certain temps, selon son âge. Quand il bâille, on le met dans son lit. Et le cycle recommence. Elle suggère une routine qu'elle appelle E.A.S.Y. (***E**at, **A**ctivity, **S**leep, **Y**ou...*) avouez que c'est inspirant !), une belle routine qui simplifie beaucoup la vie de la famille et permet même à la maman de rêver d'avoir un petit moment pour elle.

Chez l'enfant comme chez l'adulte, le sommeil est constitué d'une succession de cycles. Ainsi, on se « réveille » tous plusieurs fois pendant la nuit pour se rendormir ensuite et atteindre un niveau de sommeil plus profond. Cependant, l'enfant qui s'endort en tétant réclamera sa mère dès qu'il se réveille durant la nuit, même s'il n'est pas tiraillé par la faim. Il n'a simplement pas appris à s'endormir seul. Pour lui faire perdre cette habitude, Elizabeth Pantley[4] a développé une méthode qui fonctionne très bien et n'exige pas nécessairement de laisser pleurer le petit.

Vous vivrez peut-être avec vos jumeaux des périodes pendant lesquelles les dodos seront difficiles, notamment à la suite de petites maladies ou de dents qui percent. Ces occasions contribuent à modifier temporairement ou à perdre les routines instaurées. Selon l'âge de l'enfant et les habitudes qu'il a prises, la méthode 5-10-15[5] peut être utile, même si certains trouvent difficile de laisser pleurer leur enfant. Cela reste une option à envisager quand l'enfant a au moins 4 mois et qu'on doit régler le problème des mauvaises habitudes de sommeil !

Idéalement, si l'on fait rapidement prendre de bonnes habitudes aux enfants et qu'on les maintient, on ne devrait pas en arriver là. Pour les habitudes de sommeil, comme pour le reste, il y a souvent une théorie à chaque bout du spectre de réactions possibles, et une option plutôt intermédiaire. Avant d'accoucher, prenez le temps de lire des livres traitant du sommeil de l'enfant afin de mieux établir ce qui conviendra, à vous, à l'enfant et à votre famille. Le sommeil est précieux pour tout le monde et les bonnes habitudes doivent se prendre dès la naissance.

Les autres enfants

Vous avez peut-être déjà annoncé à votre aîné que vous étiez enceinte. Il a probablement hâte d'avoir un petit frère ou une petite sœur avec qui jouer. Pour lui éviter une déception, il est préférable de lui expliquer que les bébés ne joueront pas tout de suite avec lui et qu'il devra attendre quelques années, ce qui paraît une éternité, notamment pour un enfant de 3 ans. De plus, selon l'âge de l'enfant, l'idée de « partager » ses parents peut être difficile à comprendre. Saisit-il vraiment ce que sera sa nouvelle réalité ? À mesure que la grossesse avance, rappelez-lui qu'il y a deux bébés dans le ventre de maman. Qu'est-ce que cela signifie pour lui ? Montrez-lui deux poupées, expliquez-lui encore et encore qu'avoir deux bébés demande beaucoup de temps. Insistez sur le fait qu'il a reçu toute votre attention quand il était petit. Vous l'avez nourri, bercé et endormi dans vos bras, lui aussi. Profitez-en pour lui montrer des photos de cette époque. Rassurez-le en lui disant que vous l'aimerez autant qu'avant, même s'il est plus grand et qu'il ne mange plus dans vos bras.

Afin de minimiser l'impact de l'arrivée des jumeaux dans la vie de votre aîné, vous pourriez dès aujourd'hui l'inscrire à une activité, à un cours de natation ou dans un milieu de garde. Il sera fier, dans quelques mois, de faire quelque chose qui est réservé aux « grands », quelque chose que les bébés ne peuvent pas faire. Si vous commencez une activité de ce genre avant la naissance des jumeaux, vous pourrez y accompagner votre aîné au cours des premières semaines. Plus tard, lorsque les jumeaux seront là, il acceptera mieux de participer à l'activité seul sans avoir l'impression que vous cherchez à vous débarrasser de lui. Vous passerez alors au moins quelques heures à la maison avec les jumeaux, ce qui vous permettra de les gâter sans avoir le sentiment d'abandonner votre aîné. S'il arrive que les deux bébés fassent la sieste à ce moment-là (comble du bonheur), vous pourrez en faire autant. Avant l'arrivée des jumeaux, encouragez vos autres enfants à être le plus autonomes possible, et ce, même si vous aimez faire beaucoup d'activités avec eux. Il se peut que vous ayez envie de passer le plus de temps possible avec vos aînés avant la naissance des jumeaux, mais vous devez savoir que si vous n'en avez que pour eux pendant quelques mois, les aînés auront peut-être encore plus l'impression de se faire mettre de côté lorsque vous n'aurez plus autant de temps à leur accorder. Ils en exigeront probablement plus ! Si vous leur demandez d'être « grands » seulement à partir de la naissance des bébés, il est probable qu'ils réagissent mal.

Dès que votre grossesse gémellaire est confirmée, offrez régulièrement à vos aînés des jeux leur permettant de s'amuser seuls ou entre eux. Félicitez-les lorsqu'ils font un beau dessin, un impressionnant montage de blocs de construction ou lorsqu'ils réussissent à assembler un casse-tête sans votre aide. Complimentez-les lorsqu'ils s'habillent seuls ou qu'ils rangent leurs jouets dans leur coffre. Ils prendront des habitudes qui vous rendront service et ils souffriront moins de constater plus tard que maman n'est pas toujours disponible. Si vous valorisez les attitudes de « grand » avant l'arrivée des bébés, les plus âgés se sentiront moins délaissés quand vous aurez moins de temps pour jouer avec eux.

Afin d'augmenter les chances que les autres enfants acceptent l'arrivée des bébés, demandez aux adultes qui vous entourent de porter une attention particulière aux aînés, de continuer à leur accorder du temps, de leur parler et de s'intéresser à eux. Demandez-leur simplement de ne pas oublier celui qui, jusque-là, était le centre d'attention. Cela est particulièrement important de la part des grands-parents ou des gens qui ont un lien privilégié avec l'enfant. Il est normal que les proches viennent voir les nouveaux bébés et s'exclament en les voyant. Certaines personnes pensent à amener un cadeau pour les aînés lorsqu'ils viennent rendre visite aux nouveaux parents. C'est une preuve tangible que ceux-ci sont encore importants, même si les jumeaux occupent beaucoup de place. Demandez à l'avance aux visiteurs d'accorder de l'attention aux aînés avant de se précipiter vers les bébés. Ces derniers n'en sauront rien, alors que leurs frères et sœurs seront très reconnaissants. Cela facilitera leur acceptation de ces petits envahisseurs qui viennent tout bousculer. N'oubliez pas de parler aussi de vos aînés — de préférence en les nommant — dans les discussions que vous avez avec ces visiteurs. Même s'ils semblent absorbés dans leurs jeux, les enfants entendent tout ce qui se dit autour d'eux.

Avant d'accoucher, essayez de trouver ou même de fabriquer un cadeau qui fera plaisir aux autres enfants. À votre retour, vous pourriez le leur donner en disant qu'il s'agit d'un cadeau des nouveaux bébés. Un enfant de 3 ou 4 ans est plus enclin à accepter l'arrivée de deux bébés dans la famille si elle coïncide avec le fait qu'il reçoit un cadeau. Parfois, un enfant, garçon ou fille, est heureux de bercer une poupée pendant que maman ou papa berce un des jumeaux. Si vos aînés sont plus âgés et plus autonomes, un jouet ou un jeu qui leur permet de s'amuser seuls ou un livre d'activités qui les occupe pendant que vous êtes aussi occupés fera très bien l'affaire.

Et votre couple, lui ?

Si les jumeaux sont vos premiers enfants, vous ne pouvez pas encore imaginer l'intensité des élans d'amour que vous ressentirez pour eux. Vous serez peut-être tellement occupée à les combler d'amour et d'attention que vous oublierez le reste du monde. Or, votre conjoint aura aussi besoin d'être rassuré, de savoir qu'il a encore sa place dans votre cœur. Il pourrait se sentir abandonné et même développer une certaine jalousie envers ses propres bébés. Pour votre part, vous aurez besoin d'être écoutée, de vous faire dire que vous êtes belle malgré les cernes que vous avez sous les yeux et la taille qui tarde à s'affiner. Malheureusement, on constate que les taux de séparation et de divorce (de même que le taux de violence) sont plus élevés chez les parents de jumeaux. La fatigue, le stress et les questionnements constants usent généralement les parents. Il sera probablement difficile de trouver des moments d'intimité ou même des moments de solitude. Il est tout de même important de prendre garde de ne pas vous oublier dans le tumulte.

Préparation physique

Votre corps

Cela peut sembler évident, mais on ne le dira jamais assez : reposez-vous le plus possible avant d'accoucher. Fabriquer deux petits êtres demande une énorme quantité d'énergie ! On peut faire des siestes en après-midi et se coucher tôt le soir ou se laisser un peu de latitude quant au ménage à faire à la maison. Chaque fois que vous le pouvez, arrêtez-vous. Asseyez-vous, surélevez vos jambes et faites un brin de lecture. Si vous vous « gâtez » pendant la grossesse, vous arriverez probablement à l'accouchement en meilleure forme. Profitez donc du dodo de l'aîné pour fermer les yeux, vous aussi.

Il est aussi important de bien s'alimenter. Tous les livres portant sur la grossesse en parlent de manière assez détaillée ; il est dès lors inutile d'insister là-dessus. Rappelons simplement qu'il est doublement important de donner à son corps toutes les bonnes choses dont il a besoin.

Si vous en avez l'énergie et que votre grossesse se déroule bien, marchez le plus possible. Demeurez aussi active que la grossesse vous le permet. Prendre de l'air et bouger vous aideront à garder la forme. Une femme en forme physiquement a plus d'énergie pour accoucher et pour récupérer après l'accouchement.

Les ressources humaines

Grâce aux congés parentaux, il se peut que votre conjoint puisse être avec vous après la naissance des jumeaux. Votre retour à la maison en sera grandement facilité. S'il ne peut pas être présent, essayez de trouver quelqu'un qui passera quelques journées avec vous lors de votre retour. Vous vivrez déjà suffisamment de stress et de fatigue sans vous inquiéter des repas, de la poussière ou du lavage. Souvent, la grand-maman semble être la personne toute désignée, mais ce n'est pas nécessairement elle qui est la plus aidante, ni même la plus disponible. L'important est de prévoir quelqu'un avec qui vous êtes à l'aise et qui connaît vos habitudes. Cette personne n'est pas là pour vous rendre *visite*, mais bien pour vous rendre *service*. Il faut que vous puissiez aller vous reposer quelques minutes en lui faisant confiance et sans avoir l'impression d'être impolie. Parlez d'abord aux gens les plus proches de vous, avec qui vous avez des liens privilégiés. Certains d'entre eux voudront sans doute vous accorder une demi-journée de temps à autre. Une grand-maman, une sœur, une belle-sœur, une tante ou une voisine pourra aider à la bonne marche de la maison ou bercer un des poupons occasionnellement. Connaissez-vous une adolescente en qui vous avez confiance qui pourrait vous accorder quelques heures le samedi ou qui pourrait accompagner l'aîné de 3 ans au parc ? Presque toutes les nouvelles mères de jumeaux vous diront qu'on a besoin d'aide pendant les premières semaines, que ce soit de la part du conjoint ou d'une autre personne. Habituellement, deux bras ne sont pas suffisants.

Des organismes communautaires offrent parfois quelques heures d'aide domestique par semaine aux nouvelles mamans. Plutôt que de recevoir l'aide de quelqu'un que vous connaissez bien, vous bénéficierez alors de la présence d'une personne de confiance, mais que vous ne connaissez pas. Vous vous sentirez peut-être moins obligée d'entretenir la conversation… Il est important que vous ne vous sentiez pas obligée de supporter la présence continuelle de quelqu'un avec qui vous n'êtes pas à l'aise. Discutez-en avec votre conjoint et déterminez quelle aide vous sera la plus utile.

Pendant votre grossesse, préparez la liste des gens qui pourront vous dépanner en cas de besoin lorsque vous serez à la maison avec vos jumeaux. Si vous savez qu'il vous est possible d'appeler quelqu'un, vous vous sentirez déjà plus en sécurité. Informez-vous auprès des organismes communautaires locaux ou des CLSC pour savoir quelle aide peut être accordée aux mamans de jumeaux (*voir la section Ressources, à la page 379*). Des services téléphoniques proposent également une écoute et du soutien aux parents*. Certains offrent même un service d'accompagnement pour les gens qui en ont besoin. Si vous devez vous présenter seule à des rendez-vous chez le médecin, cette aide peut être grandement appréciée. Avant d'accoucher, bâtissez-vous un réseau ! Faites une liste des numéros de téléphone de proches qui pourraient vous écouter, de services communautaires et de sites Internet utiles. Lorsque vous aurez besoin d'aide, de conseils ou de réponses à vos questions, vous pourrez trouver facilement une solution ou un soutien.

Si la plupart des nouveaux parents de jumeaux ressentent le besoin d'avoir un peu d'aide, d'autres se sentent tout à fait en contrôle, capables de gérer cette réalité malgré la lourdeur de la tâche. Ils se sentent plutôt envahis par la

* Au Québec, on peut notamment joindre l'organisme de soutien Ligne Parents au 1-800-361-5085 ou sur leur site Internet : http://ligneparents.com/mission

présence des autres. Comment cela se passera-t-il pour vous ? Si vous avez des doutes, remerciez simplement les gens pour l'aide qu'ils offrent et rassurez-les en leur disant que vous leur ferez signe si vous en ressentez le besoin.

› Déliska et Steve

Habituellement, lors de l'annonce de l'arrivée de jumeaux, certaines personnes s'exclament : « Des jumeaux ! C'est super ! » Une jeune maman que je connais a eu la réponse parfaite pour eux : puisqu'ils semblaient si enthousiastes, elle leur a dit qu'elle inscrivait leur nom sur sa liste de gardiens potentiels. Certains ont alors compris que cela ne devait effectivement pas toujours être si facile. On peut malgré tout retirer un certain plaisir en faisant ce genre de proposition à l'entourage et aux amis... L'aide offerte par de nombreuses personnes est plutôt vague : « Si jamais tu as besoin d'aide, tu peux me faire signe... » Après la naissance des jumeaux, les proches, pourtant bien intentionnés, oublient leurs promesses. Ils viennent les voir, mais quand il s'agit d'en prendre soin, ils s'éloignent. Pourquoi ne pas profiter de leur offre spontanée avant même d'accoucher ? Demandez-leur de vous préparer un repas congelé, par exemple. La plupart des gens seront très heureux de pouvoir vous rendre ce petit service.

Votre environnement

Il y aura des périodes durant votre grossesse, probablement au deuxième trimestre, où vous vous sentirez pleine d'énergie. Si vous avez le temps, c'est un bon moment pour cuisiner de bons petits plats et les congeler. Plus tard, lorsque les jumeaux seront nés, il sera parfois difficile, voire impossible, de préparer un repas pour la famille. Vous serez sûrement ravie d'avoir alors dans votre congélateur un choix de repas qu'il ne vous restera qu'à réchauffer : lasagnes, bœuf bourguignon, casseroles diverses, pâté chinois, pain de viande, etc. Il n'est pas nécessaire de passer la journée à cuisiner : il suffit de doubler la recette chaque fois que vous préparez un repas pour vous constituer une belle réserve.

Si vous avez un endroit pour les entreposer, vous aimerez sûrement avoir à votre disposition certains produits d'usage courant. Imaginez que vous accouchez en hiver et qu'il vous faut habiller deux bébés et déblayer 10 cm de neige sur l'auto pour aller chercher du papier hygiénique ou des pâtes alimentaires… Cette journée-là, vous serez sans doute heureuse de constater que vous avez en réserve des couches, des soupes en conserve, des papiers mouchoirs, des vinaigrettes, de la moutarde ou tout autre produit d'usage courant. Quelques livres, des casse-tête ou un film peuvent compléter cette réserve. Une petite gâterie pour les journées un peu plus difficiles sera appréciée par les aînés comme par les parents.

Pour vous simplifier la vie, vous pouvez prendre quelques minutes pour observer les pièces les plus utilisées dans la maison (probablement le salon et la cuisine). Posez-vous quelques questions :

- **« Ai-je vraiment besoin d'épousseter tous les bibelots chaque semaine ? »**

  Avec deux nouveau-nés, il reste moins de temps pour le ménage. Vous pouvez garder quelques éléments décoratifs, bien sûr, mais peut-être pourriez-vous songer à ranger le vase antique de grand-maman pendant quelque temps ? De plus, vous aurez bientôt deux bébés qui tenteront de se tenir debout en prenant appui sur la table du salon. Même si les enfants doivent apprendre à ne pas toucher à ce qui ne leur appartient pas, pourquoi risquer de casser des choses qui vous sont précieuses ?

- **« Si cette plante n'était plus dans mon salon, serais-je vraiment malheureuse ? »**

  Vous pouvez remettre en question la nécessité d'avoir 12 plantes dans le salon. Plusieurs plantes sont d'ailleurs toxiques lorsqu'elles sont ingérées ou même touchées (*voir le chapitre 4*). Peut-être préférez-vous vous départir de celles-là au lieu de toujours vous inquiéter ? Certaines personnes de votre entourage vous ont offert de l'aide ? Pourquoi ne pas leur donner l'une de vos plantes pour les remercier ?

- **« Que puis-je régler immédiatement, pendant la grossesse, que je serai heureuse plus tard d'avoir fait ? »**

  Dans un avenir qui semble pour l'instant très lointain, vos jumeaux grandiront et vous reprendrez votre vie d'avant. Appelez dès maintenant pour inscrire leur nom sur la liste des places en garderie, même si vous ignorez à quel moment précis vous retournerez au travail.

  Il est aussi judicieux de vous occuper de tout ce qui a trait aux finances personnelles et familiales. Renouvelez vos assurances auto ou habitation si l'échéance suit de près votre accouchement. Si ce n'est pas déjà fait, payez vos comptes de cartes de crédit, de taxes ou autres. Prenez les dispositions nécessaires pour autoriser des paiements automatiques pour certains comptes qui risquent d'être oubliés dans le tourbillon d'activités qui accompagnera l'arrivée des jumeaux. Acquittez-vous de votre visite annuelle chez le dentiste ou l'optométriste (pour vous-même ou pour les autres enfants) pendant qu'elle n'exige pas de gardiennage pour les bébés. Prévoyez également une visite chez la coiffeuse, l'esthéticienne, le conseiller financier ou le garagiste quelques semaines avant d'accoucher.

Il est aussi fortement recommandé de mettre de l'ordre dans le contenu de votre pharmacie. Vous serez heureuse de ne pas avoir à trouver un endroit où acheter un thermomètre à 2 heures du matin, alors que l'un des bébés semble être fiévreux… Lorsque vous achetez des produits, choisissez ceux dont la date d'expiration est la plus éloignée. Parlez à votre pharmacien de ce qui sera utile ou même indispensable d'avoir à portée de la main. Voici une ébauche de liste dont vous pouvez vous inspirer :

› Thermomètre rectal ;
› Pâte d'Ihle (pour les fesses des bébés) ;
› Huile ou crème pour vos mamelons (si vous allaitez) ;
› Douche nasale et mouche-bébé ;
› Solution hydratante (disponible en poudre ou déjà mélangée à l'eau) ;
› Suppositoires de glycérine ;
› Acétaminophène pour bébé (Tempra®) ;
› Humidificateur.

« Y a-t-il un petit coin que je pourrais utiliser pour garder les choses essentielles à portée de la main ? »

Pourriez-vous libérer un peu d'espace dans un meuble du salon pour y ranger quelques objets d'usage courant comme des couches, des lingettes, des couvertures, des sucettes ou des jouets particuliers pour l'aîné (qui pourront l'amuser à des moments critiques) ? Vous éviterez ainsi d'avoir à vous rendre continuellement dans la chambre des bébés pour aller chercher ces objets.

À plus forte raison, si vous vivez dans une maison à étages, vous aimerez avoir à chaque étage certains objets essentiels, comme une couchette ou un parc pour faire dormir les bébés et un bureau ou un meuble qui vous sert de table à langer. Cela vous évitera de monter et de descendre constamment les escaliers.

Le matériel nécessaire

Vous avez beaucoup réfléchi depuis que vous savez que vous attendez des jumeaux. Vous en avez parlé aux gens autour de vous, à votre famille, à vos enfants. Vous avez discuté de ce que sera votre quotidien. Votre congélateur est rempli et vous avez prévu recevoir une aide à la maison. Maintenant, c'est le moment de vous outiller pour bien vivre l'arrivée des jumeaux. Que vous faut-il ?

Il existe une panoplie d'objets pour bébés sur le marché, certains ingénieux, d'autres farfelus. Certains parents tiennent absolument à tout avoir en double, mais plusieurs finissent par trouver que certains de ces éléments sont inutiles, comme deux balançoires toutes neuves dans lesquelles aucun des jumeaux n'a été heureux. Peut-être vaut-il mieux avoir une seule copie ce qu'on croit utiliser, quitte à retourner au magasin si l'on décide qu'on en a vraiment besoin d'une deuxième ? À moins d'avoir une grande maison, il ne sera pas facile de trouver de l'espace pour deux parcs, deux balançoires, deux transats, deux centres d'activités, etc.

Les sièges d'auto

Au Québec, il est obligatoire d'avoir les sièges d'auto sécuritaires dès le départ de l'hôpital. Les parents achètent souvent des coquilles amovibles. Évidemment, celles-ci comportent certains avantages : elles sont pratiques et permettent un usage multiple. Elles sont cependant assez lourdes. N'oubliez pas que vous aurez souvent à transporter les deux bébés, en plus du sac à couches. Il existe plusieurs modèles de sièges d'auto, dont certains sont plus polyvalents. Prenez le temps de déterminer le type de siège qui vous convient.

Les couchettes et la table à langer

Parmi les éléments essentiels à se procurer, l'un des premiers qui viennent à l'esprit est probablement la couchette pour bébé. Si vous rêvez d'avoir des couchettes identiques, vous devrez probablement acheter du neuf. Cependant, sachez que les bébés dormiront bien dans des couchettes différentes. Au fond, est-ce si important ? Si chaque bébé a sa chambre, cette question d'harmonisation est encore moins importante. Il est normal que les couchettes soient différentes. Les enfants auront chacun la leur. Cela peut favoriser le développement de leur individualité dès le plus jeune âge. Même à un an, ils comprendront qu'il n'est pas nécessaire d'être toujours exactement pareils. Cela pourrait contribuer à diminuer les conflits éventuels liés au principe de « l'égalité à tout prix », un principe qui sera ardemment défendu par les jumeaux. Même si vous avez la possibilité d'offrir une chambre à chacun des jumeaux, est-ce toujours avantageux, même lors du retour à la maison ? Bien sûr, on vous dira que de cette façon, les bébés ne se réveilleront pas mutuellement. Cependant, les mamans de jumeaux vous diront qu'au début, du moins, les bébés ne se réveillent pas l'un l'autre. Se sentent-ils justement plus en sécurité à cause de la présence de l'autre ? Pourquoi ne pas les faire cohabiter dans la même chambre, quitte à changer les choses quelques mois plus tard ?

Pour les premiers mois, d'ailleurs, une seule couchette suffit. Il y a amplement de place pour deux nouveau-nés dans une même couchette. On peut très bien les coucher ensemble pendant plusieurs mois, tant qu'ils ne se dérangent pas. Certains médecins recommandent même de les faire dormir ensemble. Si vous possédez déjà les deux couchettes, vous pouvez en mettre une dans la chambre des bébés et l'autre dans votre chambre pour un certain temps. Il y a rarement de la place pour deux petits moïses près du lit des parents… On peut aussi envisager d'en mettre un à l'étage, pour la nuit, et de garder l'autre au rez-de-chaussée, pour le jour. Cela vous sauvera bien des pas. Si les bébés ont chacun leur chambre, vous pouvez quand même les coucher ensemble dans une seule couchette au début. Vous gagnerez aussi en temps de lessive, ce qui n'est pas négligeable. Il est légitime de vouloir un décor de chambre d'enfant aussi magnifique que vos bébés, mais n'oubliez pas que les occasions de dépenser sont nombreuses avec des jumeaux. Avant d'acheter la literie, sachez ce que recommande la Société canadienne de pédiatrie : « Ne placez pas de bordure de protection, d'oreiller, de peau de mouton, de courtepointe, de jouets rembourrés ou de douillette dans la couchette[6]. » Santé Canada le déconseille également.

Une seule table à langer suffit, puisqu'on ne change qu'un bébé à la fois... On vous a sûrement proposé une table assortie aux couchettes, mais n'importe quel bureau d'une hauteur convenable pourra faire l'affaire. Assurez-vous seulement d'avoir tout ce dont vous avez besoin à portée de la main pour le changement de couche. Vous pouvez aussi utiliser le dessus de la sécheuse si vos appareils électroménagers sont dans la salle de bain. Prévoyez alors une tablette avec les accessoires nécessaires. L'accès à l'eau ne posera évidemment aucun problème.

Les vêtements

Vous vous demandez probablement combien il faut prévoir de pyjamas pour vos jumeaux. Plus vous aurez de pyjamas et de petites couvertures, moins vous aurez à faire de lavage. Il se peut que des amis ou des membres de la famille vous offrent un sac de vêtements devenus trop petits pour leurs propres enfants. Acceptez tout de suite et remerciez-les ! Quand vous n'aurez ni l'envie ni le temps de faire la lessive, vous serez heureux d'avoir tous ces pyjamas pour vos jumeaux, quelle que soit leur couleur.

> Un code secret

Eh oui... Mes fils ont porté à l'occasion un pyjama rose... Les gens qui l'ont remarqué comprenaient que je n'avais pas trouvé le temps de faire un lavage depuis quelques jours. C'était devenu un code entre nous : si les garçons portaient du rose, c'est que j'avais besoin d'aide.

Nul besoin de vous ruiner pour habiller vos petits trésors. Que ce soit par choix ou par obligation, avec un petit effort, vous pouvez économiser. Plusieurs sites offrent des vêtements usagés, souvent à moins d'un dollar le morceau, et parfois même gratuitement. Vous pourriez vous jumeler à quelqu'un qui a un enfant un peu plus âgé que vos jumeaux. Ainsi, vous pourrez acheter une fois ou deux par année un sac de vêtements à un prix intéressant. Il se peut que vous n'aimiez pas tout, mais cela vous permettra au moins de garder les petits ensembles que vous aimez beaucoup pour les sorties. Vous pouvez aussi vous rendre dans les friperies. Aujourd'hui, les familles ne comptent souvent que deux enfants et ceux-ci grandissent tellement vite qu'ils n'ont pas le temps d'user tous leurs vêtements. Vous trouverez donc sans doute des ensembles propres et presque neufs pour un montant parfois dérisoire. N'oubliez pas que vous recevrez sûrement aussi en cadeau de petits ensembles assortis ! N'achetez pas trop de pyjamas de chaque taille — pour les nouveau-nés en particulier —, car les enfants grandissent très rapidement. Certains morceaux ne seront ainsi portés qu'une ou deux fois avant d'être trop petits.

Si vous devez acheter de quoi vêtir vos enfants, il y a d'autres façons, pratiques et de surcroît plus économiques, de procéder. Selon la saison pendant laquelle vous accoucherez, peut-être qu'une réserve de cache-couches et quelques pyjamas pourraient suffire. On recommande souvent d'emmailloter les nouveau-nés avec des couvertures en retenant leurs bras le long du corps et en laissant leurs jambes libres de bouger. Il faut cependant s'assurer de maîtriser la technique pour que la couverture ne se retrouve pas en quelques minutes sur la bouche et le nez. Les nouveau-nés emmaillotés se sentent plus en sécurité, un peu à l'étroit, comme lorsqu'ils étaient dans l'utérus. Quand leurs bras sont bien retenus, les sursauts (réflexe de Moro) sont limités et risquent moins de les réveiller. Ainsi, un bébé bien emmailloté dort habituellement plus calmement et mieux. Cette technique peut être employée tant que le petit n'a pas réussi à se retourner seul sur le ventre. S'il est bien emmailloté, un cache-couche sera probablement suffisant pour le garder au chaud. Un bébé qui a trop chaud dort mal et est aussi plus à risque d'être victime de la mort subite du nourrisson[7]. De plus en plus de parents utilisent des gigoteuses au lieu d'emmailloter leurs bébés. Elles sont plus faciles à utiliser et plus sécuritaires que les langes, puisqu'elles ne se défont pas lorsque le bébé bouge. Ce sont en réalité de simples poches faites de tissus plus ou moins chauds. On en trouve avec ou sans manches, de tailles nouveau-né à 24 mois. Elles remplacent les couvertures, éliminant par le fait même les risques d'étouffement. Certaines gigoteuses ont des rabats intégrés pour emmailloter le haut du corps. Si vous couchez vos jumeaux dans la même couchette, les gigoteuses seront encore plus appréciées. Vous aurez aussi besoin de moins de pyjamas, puisque les jumeaux pourront dormir simplement en cache-couches à manches courtes ou longues, selon la saison. De plus, les gigoteuses, plus longues, ont une meilleure durée d'utilisation que les petits pyjamas, même si les bébés grandissent vite. Ce sont de beaux cadeaux à demander pour la naissance de vos bébés. Prévoyez au moins deux gigoteuses par enfant.

Le parc

Un autre article vous sera très utile : le parc démontable (ou même deux parcs !). Un parc qui se plie et se range dans l'auto vous permet de coucher vos bébés lorsque vous êtes en visite, ce qui facilite grandement les sorties. À la maison, il est également très utile d'avoir un parc dans le salon pour y déposer l'un ou l'autre des bébés, même si ce n'est que pour quelques minutes à la fois. Nous en reparlerons au chapitre 4.

La poussette double

La poussette double est souvent considérée comme un objet essentiel. Lorsqu'un adulte est seul avec les deux bébés, ce type de poussette lui procure une liberté de mouvement non négligeable. Si elle représente un achat assez coûteux, elle vaut souvent son pesant d'or pour les parents.

Vous verrez qu'il existe plusieurs modèles de poussettes doubles sur le marché. Voici quelques éléments pour orienter votre réflexion quant au choix du modèle de poussette.

- **La poussette côte à côte.** Ce modèle de poussette double permet aux jumeaux d'interagir lors des promenades. Cela peut évidemment être un avantage s'ils s'amusent ensemble. En revanche, les jours où ils se disputent, cette proximité peut être plus problématique. Habituellement, les dossiers des sièges s'inclinent individuellement pour permettre à l'un ou aux deux bébés de dormir. Ce genre de poussette est cependant très large et ne passe pas facilement partout.
- **La poussette faite en long, un enfant derrière l'autre ou les deux enfants face à face.** Ces modèles de poussettes sont évidemment plus faciles à manier dans les lieux étroits, mais ils ne sont tout de même pas toujours faciles à diriger. Il faut vérifier s'il est possible d'incliner les dossiers pour permettre aux bébés de dormir. Le bébé qui est devant peut-il être couché sans déranger celui qui est derrière ? Dans le modèle face à face, il faut voir si les bébés ne risquent pas de se donner des coups de pied lorsqu'ils seront plus grands.
- On peut aussi trouver sur le marché des attaches permettant de transformer les poussettes simples en poussettes doubles. Demandez l'avis d'autres parents de jumeaux — sur les forums, par exemple — pour savoir si cette option pourrait vous convenir.

  Quel que soit le modèle que vous choisirez, il y aura des avantages et des inconvénients. À vous d'évaluer le modèle qui vous convient le mieux, selon l'utilisation que vous comptez en faire. Si vous souhaitez voyager sur la route avec les bébés et la poussette, assurez-vous qu'elle peut être logée dans le coffre arrière de la voiture. N'oubliez pas que vous aurez deux sièges d'auto à l'arrière et que vous ne pourrez utiliser cet espace pour autre chose.

> La course de l'escargot

Pour ma part, j'utilisais seulement la poussette double pour sortir prendre l'air et marcher quelques minutes dans les rues de mon quartier. Pour faire les courses, mon conjoint et moi préférions utiliser des poussettes simples, plus légères. Habituellement, nous nous séparions pour être plus efficaces. Nous trouvions également que la poussette double attirait vraiment trop l'attention. Les passants nous arrêtaient constamment pour voir les bébés, poser des questions et vérifier la ressemblance des garçons lorsque nous leur disions qu'ils étaient identiques. Une course qui aurait dû prendre 5 minutes en prenait plutôt 50... De toute façon, il est utile d'avoir au moins une poussette simple pour sortir à l'occasion avec un seul bébé.

Les porte-bébés

À la maison comme à l'extérieur, les porte-bébés sont souvent très appréciés. Plusieurs parents ne pourraient pas vivre sans les écharpes de portage, qu'ils utilisent même pour l'allaitement ! Il existe plusieurs modèles de porte-bébés. Certains ont une armature, d'autres non. Certains modèles permettent de porter le bébé devant, d'autres dans le dos. Cet accessoire offre au parent une certaine liberté de mouvement tout en lui permettant de garder le bébé bien au chaud contre lui. Les bébés qui pleurent beaucoup sont souvent plus heureux lorsqu'ils sont collés contre leur maman. Quel que soit le modèle qui vous inspire, vérifiez bien le confort du bébé et du parent. Parlez-en aussi à votre entourage. Bien sûr, on ne porte habituellement qu'un seul des jumeaux à la fois[8]. Il n'est pas toujours facile de comprendre comment bien utiliser ces longs morceaux de tissus ou ces longues courroies au début. Prenez le temps de vous exercer avec une poupée pour vous assurer d'installer le ou les bébés de façon sécuritaire par la suite. Il existe des porte-bébés conçus pour des jumeaux. On portera un bébé à l'avant et un dans le dos. Ces modèles sont plutôt dispendieux, mais ils sont aussi beaucoup plus simples à utiliser. Plusieurs mamans ne s'en passeraient pas... Une recherche sur Internet vous permettra de mieux voir les différents produits et les avantages de chacun.

Les accessoires pour calmer et amuser les bébés

La plupart des parents de jumeaux considèrent que la balançoire est un élément essentiel. Le bébé y est bercé et heureux, et le parent peut profiter de ce moment pour s'occuper du deuxième enfant ou accomplir une autre tâche. Ce type d'accessoire peut être salutaire, mais il se peut aussi qu'un seul des jumeaux s'y sente vraiment à l'aise.

Dans le même ordre d'idées, de nombreux parents privilégient le centre d'activités stationnaire. Jusqu'à récemment, les marchettes étaient assez populaires, mais elles sont maintenant illégales, car on les considère trop dangereuses. Si des gens vous en offrent, ne les acceptez pas. Tout comme avec la balançoire, on peut utiliser le centre d'activités stationnaire pour occuper un bébé pendant qu'on se charge de l'autre. Il faut cependant pouvoir surveiller l'enfant en tout temps. Nous y reviendrons au chapitre 4. Comme cet accessoire est conçu pour les bébés un peu plus âgés, il n'est pas nécessaire de vous le procurer tout de suite. Vous aurez le temps de vous renseigner auprès de vos connaissances après la naissance de vos jumeaux. C'est l'exemple parfait d'un accessoire qui ne sert qu'un temps et qui s'emprunte facilement.

Les marchés aux puces, les boutiques d'accessoires usagés et les friperies regorgent souvent de trésors pour les futurs parents de jumeaux. Toutefois, avant d'acheter un article, prenez le temps de vérifier les normes de sécurité (*voir la section Ressources, à la page 379*). Il est facile et tentant de placer les enfants éveillés dans les exerciseurs pour bébé (« soucoupes »), les sautoirs (Jolly Jumper[MD]) ou les balançoires pour accomplir librement certaines tâches. Bien qu'ils soient sécuritaires et intéressants à bien des égards, sachez que certains de ces accessoires nuisent au développement de la motricité libre. Un enfant doit pouvoir développer ses muscles en tentant de bouger et de se tourner pour éventuellement se tenir assis et se mettre debout. Ces accessoires peuvent servir quotidiennement, à des moments clés, mais ils doivent être considérés comme des solutions à très court terme.

Les accessoires d'allaitement

Il est important d'être confortable pour allaiter. N'oubliez pas que vous allaiterez plusieurs fois par jour ! Certaines mères se contentent d'oreillers, alors que d'autres vantent les mérites du coussin d'allaitement (simple ou double). Si vous êtes bien installée pour allaiter, la prise du sein en sera probablement facilitée et les maux de dos, amoindris.

Vous aurez aussi besoin d'autres « outils » d'allaitement. Plusieurs mères achètent, empruntent ou louent un tire-lait. Vous pouvez vous renseigner à la clinique d'allaitement du CLSC à ce sujet. Les vêtements sont un autre élément à prendre en considération. Sans être absolument nécessaires, ils peuvent vous faciliter la tâche. Un bon soutien-gorge d'allaitement devrait être facile à utiliser d'une seule main. Des chandails, des camisoles et des robes d'allaitement bien conçus seront aussi très appréciés et vous permettront d'allaiter discrètement. Certains hauts d'allaitement sont mieux faits que d'autres. Essayez-les en cabine et vérifiez que l'ouverture est bien placée (on dirait parfois qu'il faut avoir les mamelons sous les bras). Encore une fois, vous n'avez pas besoin d'acheter neuf. L'expérience de l'allaitement sera cependant plus agréable si vous êtes bien équipée.

Les accessoires pour calmer et rassurer les parents

Le moniteur

Les moniteurs permettent aux parents d'entendre les pleurs des bébés quand ils ne se trouvent pas dans la même pièce. Certains parents les utilisent seulement quand ils sont loin des bébés, tandis que d'autres les utilisent très régulièrement, la nuit comme le jour. De plus en plus de parents choisissent des modèles avec caméra. Personnellement, j'en suis venue à apprécier ce petit gadget. Le moniteur auditif et visuel a effectivement quelques avantages. Quand on dépose le bébé éveillé dans son lit pour la sieste, on peut vérifier en un coup d'œil s'il s'est endormi et combien de temps cela lui a pris. On croit que le bébé a dormi deux heures ? Si on a pu constater que 45 minutes lui ont été nécessaires pour s'endormir, on interprétera mieux ses réactions et on pourra avancer l'heure de la prochaine sieste. Si on entend le bébé pleurer, on peut d'abord vérifier s'il est vraiment prêt à se lever ou s'il risque de se rendormir si on lui en laisse le temps. Souvent, les bébés s'éveillent et pleurent quelques minutes avant de se rendormir seul (avec un peu de chance). Grâce à la caméra, on peut aussi voir si le bébé est dans une position inconfortable et le replacer avant qu'il se réveille complètement. Le fait de pouvoir vérifier ce qui se passe d'abord permet aussi d'éviter de se lever chaque fois qu'un des bébés pleure. Les parents peuvent ainsi s'éviter des périodes d'insomnie après s'être levés. Évidemment, le moniteur pour bébé, avec ou sans caméra, reste un accessoire non essentiel. Il comporte toutefois des avantages qu'il est intéressant de prendre en considération.

Le chauffe-biberon

On ne recommande pas l'utilisation du micro-ondes pour faire chauffer le lait. Il est par ailleurs tout à fait contre-indiqué pour chauffer du lait maternel. Un biberon placé dans un peu d'eau met cependant plus de temps à se réchauffer. Même si ce n'est pas une nécessité, un chauffe-biberon peut être très pratique, surtout avec des jumeaux. Il permettra d'amener rapidement le lait à la température idéale. Il existe aussi des modèles « doubles », que certains parents apprécieront sans doute. Le chauffe-biberon « simple » permet quant à lui de nourrir les bébés un à la fois. Le deuxième bébé devra alors attendre un peu avant de pouvoir manger. C'est une question de minutes. À vous de voir...

Le robot culinaire

Bien qu'onéreux, le robot culinaire est l'un des accessoires que vous souhaiterez sans doute avoir à votre disposition si vous prévoyez offrir un jour des purées à vos bébés. Par contre, il n'est pas nécessaire d'en faire l'achat avant leur naissance. Choisissez le modèle qui correspond à vos habitudes culinaires. Certains parents préfèrent préparer de grandes quantités à l'avance tandis que d'autres font plutôt de petites quantités plus régulièrement. Si vous avez de la chance, vous pourrez profiter des récoltes de l'été pour faire une réserve de purées de fruits ou de légumes à moindre coût. Si des amis vous ont offert de l'aide, vous pouvez leur suggérer de vous aider à remplir votre congélateur de petites portions de purées de toutes sortes. Les mélangeurs à main sont aussi très utiles pour transformer une soupe aux légumes en un potage onctueux ou des carottes cuites en purée. Pour les viandes, cependant, le robot fonctionne nettement mieux. Faire les purées soi-même vous permettra d'économiser beaucoup d'argent et de déterminer vous-même ce que mangent vos enfants. Assurez-vous cependant de prendre en considération le temps de conservation de celles-ci au congélateur. Il est inutile de commencer à faire des purées six mois avant d'accoucher[9]...

En conclusion

Si certains éléments sont essentiels pour bien vivre avec des jumeaux, d'autres sont purement facultatifs. Identifiez les avantages de chacun d'eux afin de prendre des décisions éclairées. Vous pouvez toujours faire des suggestions aux gens qui vous demandent ce dont vous avez besoin. Certains items, comme la poussette ou le moniteur avec caméra, peuvent être offerts par un groupe. Ils vous seront sûrement plus utiles qu'un autre petit ensemble de pyjamas identiques... Il ne vous reste qu'à attendre que le grand jour arrive. Il se peut que votre conjoint et vous vous sentiez angoissés par moments et que vous vous demandiez si vous êtes vraiment prêts et si vous avez tout ce qu'il vous faut. Du point de vue matériel, vous êtes probablement prêts. Vous avez acheté le nécessaire pour les bébés ? Le congélateur est rempli de repas tout prêts pour la période des relevailles ? C'est déjà beaucoup. Les lectures et les réflexions vous permettront par ailleurs de vous préparer psychologiquement.

Faites confiance à la vie. Faites-vous confiance. Soyons honnêtes : on n'est jamais tout à fait prêt. Rappelez-vous qu'une journée ne comporte que 24 heures. Parfois, elles sembleront durer 38 heures et parfois, vous aurez l'impression qu'elles n'ont duré que 16 heures tant vous étiez occupés. Les jumeaux vous feront vivre des hauts et des bas tellement intenses ! Vous aurez de grandes joies et des moments de fatigue incroyable. Malgré tout, quel plaisir que de vivre cette vie !

Notes

1. L-J Perreault. « Les mystères du lait maternel ». *La Presse* +, 23 août 2014. Disponible sur le Web : plus.lapresse.ca/screens/2f10add-e7bd-468e-a2c5-9270od3a34e0%7C_0.html [consulté le 17 avril 2016].
2. www.mamanpourlavie.com/mieux-consommer/mieux-acheter/318-couches-jetables-ou-lavables.thtml [consulté le 17 avril 2016].
3. T. Hogg. *Les secrets d'une charmeuse de bébé.* Paris : Éditions Robert Laffont, 2002.
4. E. Pantley. *Pour un sommeil paisible et sans pleurs.* Varennes : Éditions AdA, 2005.
5. Voir à ce sujet Evelyne Martello, *Enfin je dors... et mes parents aussi*, Montréal : Éditions du CHU Sainte-Justine, 2e édition, 2015.
6. « La sécurité de votre bébé ». *Soins de nos enfants.* Société canadienne de pédiatrie, janvier 2015. Disponible sur le Web : www.soinsdenosenfants.cps.ca/handouts/keep_your_baby_safe [consulté le 17 avril 2016].

7. « Sommeil sécuritaire pour votre bébé — la brochure ». Agence de la santé publique du Canada. www.phac-aspc.gc.ca/hp-ps/dca-dea/stages-etapes/childhood-enfance_0-2/sids/ssb_brochure-fra.php [consulté le 17 avril 2016].
8. www.portagedouble.com
9. « Les pratiques de manipulation sécuritaire des aliments à la maison ». Gouvernement du Canada. http://canadiensensante.gc.ca/eating-nutrition/safety-salubrite/storage-entreposage-fra.php#a5 [consulté le 17 avril 2016].

Chapitre 3

Félicitations pour vos nouveaux bébés !

Le retour à la maison ou « le 4e trimestre »

Les émotions à fleur de peau

Et voilà ! Le moment tant attendu est enfin arrivé : vous rentrez à la maison avec vos poupons. Cet instant est sans doute émouvant pour vous. Vous êtes soulagée de sortir de l'hôpital et de retrouver votre petit univers. Il ne faut pas vous surprendre si vous êtes aussi assaillie par le doute, la peur, voire une certaine panique. Lorsqu'on est entourée d'infirmières, de puéricultrices et de visiteurs, on a toute l'aide dont on peut rêver. Cela est plutôt sécurisant pour de nouveaux parents. Il est normal de vous sentir démunie une fois de retour à la maison. Si les jumeaux sont vos premiers enfants, l'ampleur de la tâche qui vous attend peut vous faire peur. Si vous avez d'autres enfants, ils ont sûrement hâte de retrouver leur maman et ils exigeront que vous leur accordiez beaucoup d'attention pendant quelque temps. Quoi qu'il en soit, vous aurez probablement des craintes et des questions dont vous n'avez pas discuté avec le personnel soignant de l'hôpital. Ne vous inquiétez pas, tout rentrera dans l'ordre. La femme qui vient d'accoucher doit aussi composer avec les hormones, qui influencent ses humeurs. On dit que 75 % des nouvelles mamans vivent un *spleen* (le *baby blues*) entre le 3e et le 10e jour suivant l'accouchement, ce qui coïncide avec la montée laiteuse. De plus, la plupart des bébés ont une poussée de croissance lorsqu'ils ont environ trois jours. Les deux bébés peuvent alors exiger des boires toutes les deux heures pendant une période de 24 heures. C'est une combinaison explosive, n'est-ce pas ? Cela peut rendre le retour à la maison assez perturbant. Si les bébés pleurent, il se peut que vous n'ayez qu'une envie : pleurer vous aussi. C'est tout à fait normal. Vous êtes sûrement fatiguée après votre accouchement et vous traversez une période où vous êtes fragile. Pendant quelques jours, voire quelques semaines après l'accouchement, certaines femmes pleurent facilement. Elles regardent leur bébé et sanglotent parce qu'elles le trouvent beau. Elles pleurent pour chaque déception, petite ou grande. Il ne faut pas vous en faire. Les conjoints doivent être particulièrement compréhensifs et tolérants. Si cela vous arrive, ne vous inquiétez pas outre mesure, cela ne veut pas nécessairement dire que vous vivez une dépression *postpartum*. Ce type de dépression, d'intensité variable, arrive souvent un peu plus tard, est plus intense et dure beaucoup plus longtemps. Si vous vous sentez vraiment malheureuse après quelques semaines, consultez votre médecin, bien sûr, mais sachez qu'il est tout à fait normal d'avoir des *baby blues* passagers. La première fois qu'une femme accouche, elle peut être très surprise de se voir dans cet état. Les femmes qui accouchent pour une deuxième fois sont tout aussi émotives, mais elles s'en inquiètent moins, car elles savent que cela passe avec le temps.

Les bébés ne naissent malheureusement pas avec un mode d'emploi. Vous commencez votre apprentissage en tant que parent de jumeaux. C'est aussi le cas de votre conjoint, s'il est avec vous. Il n'est pas facile pour lui de se montrer rassurant et confiant. Il n'ose peut-être pas pleurer, mais il en a sans doute parfois envie lorsqu'il constate votre désarroi, qui s'ajoute souvent au sien. Si pleurer n'améliore en rien votre situation, seule ou en couple, cela peut quand même vous faire le plus grand bien. Inspirez ensuite profondément et dites-vous que d'autres l'ont fait avant vous et que vous êtes capable… une heure à la fois. Demain — ou tout à l'heure, peut-être —, tout ira déjà un peu mieux.

L'important est de tenter de faire du retour à la maison un événement agréable et de limiter les facteurs de stress. Que ce retour soit à la hauteur de vos rêves ou non, n'oubliez pas qu'il ne s'agit que d'une journée parmi d'autres. La « vraie vie » avec vos jumeaux ne fait que commencer.

Bienvenue dans ce que plusieurs appellent « le 4e trimestre ». Nous connaissons les trois trimestres de la grossesse, mais avec les jumeaux, il arrive souvent que le 3e trimestre soit quelque peu raccourci… Qu'est-ce que le 4e trimestre ? L'expression est utilisée pour décrire les trois premiers mois de vie du poupon. Quand on remarque que plusieurs animaux sont debout quelques heures à peine après leur naissance, on peut être surpris de constater à quel point l'être humain, qui est pourtant décrit comme l'être le plus intelligent de la classe des mammifères, donne naissance à de petits êtres si dépendants. Selon certaines théories, nos bébés naissent presque « trop tôt », alors qu'ils n'ont pas encore tout à fait fini leur développement. Ils ne savent pas tous très bien prendre le sein alors que s'alimenter est la base même de la vie. Plusieurs de leurs mouvements sont incontrôlés. Leurs systèmes immunitaire et digestif sont fragiles et immatures. Ces conditions sont d'autant plus sévères chez les bébés nés prématurément. Pourquoi la nature nous joue-t-elle ce tour ? Il semble que soit simplement pour permettre à la tête de l'enfant de « passer » lors de l'accouchement. Sa tête deviendrait en effet trop grosse si la durée de la gestation se prolongeait puisque le cerveau est en plein développement.

Avec le retour à la maison débute une période de découvertes. Qui sont véritablement ces petits êtres qu'on attendait avec tant d'impatience ? Vous ne vivez plus la symbiose toute naturelle de la grossesse : vous devez maintenant apprivoiser une nouvelle réalité. Cela explique en partie que les trois premiers mois soient si exigeants pour les parents.

Les visiteurs : gentils ou dangereux ?

Si votre retour à la maison se fait en douceur, tant mieux. Les bébés sont calmes, ils dorment bien ? Il fait soleil et vous vous sentez heureux et énergiques ? Bravo ! Ce n'est toutefois pas le moment de « recevoir » des gens ; accordez-vous quelques heures d'intimité avant l'arrivée des visiteurs. Demain sera un aussi bon moment pour montrer fièrement vos petites merveilles. Si vous avez la chance de pouvoir compter sur l'aide d'une personne, laissez-la vous préparer un repas léger et profitez de ce moment pour gâter un peu vos aînés ou pour bercer l'un des nouveau-nés. Si les bébés dorment et que vous disposez de quelques minutes avant le prochain boire, étendez-vous un peu ; cela vous donnera un regain d'énergie dont vous aurez bien besoin. Vos aînés peuvent partager avec vous ce moment privilégié avant que les bébés vous réclament.

On vous téléphonera sans doute pour vous rendre visite. Plusieurs mamans, en proie à une trop grande fierté ou saisies d'une poussée d'adrénaline, sont très heureuses, sur le coup, de recevoir des visiteurs tout de suite après leur premier accouchement ou dès le retour à la maison. Avec un certain recul, ces mêmes mamans disent souvent qu'elles ne recevront pas autant de visiteurs aussi tôt lors de leur prochain accouchement. Il peut être judicieux de s'inspirer de l'expérience des autres. Ce sentiment de « super-maman » est trompeur. Vous n'avez pas autant d'énergie que vous le croyez. Respectez vos limites et vos envies. Selon l'accouchement et la situation des bébés, vous souhaiterez peut-être — et aurez même besoin — de voir certaines personnes, mais pas nécessairement tout le monde. Peut-être que vous aurez envie de vous enfermer dans la maison avec les petits et de faire abstraction du reste du monde. Toutes ces réactions sont acceptables. Vous n'avez pas à vous justifier ! Si vous acceptez de recevoir des amis ou de la parenté, ne vous gênez pas pour leur faire comprendre que vous n'avez pas beaucoup d'énergie et que vous avez besoin de vous reposer. Dites-leur clairement que vous avez envie de les voir, mais que vous préférez de courtes visites. Profitez-en pour leur demander de faire quelques courses pour vous s'il vous manque quelque chose. Les gens sont prêts à rendre service, mais c'est à vous de faire connaître vos besoins.

Plutôt qu'à la fatigue, certains parents peuvent davantage associer les nombreuses visites prévues à un risque de propagation des microbes. Est-ce irresponsable d'ouvrir sa porte au flot de visiteurs ? À quel point doit-on protéger ces deux petits êtres sans défense ? Il faut dire qu'aujourd'hui, on a souvent une peur exagérée des microbes. On entend parler de bactéries ayant développé des résistances aux antibiotiques. Les médias nous ont aussi inquiétés avec des reportages, notamment sur les bactéries mangeuses de chair, les staphylocoques résistants (le fameux SARM) ou le *Clostridium difficile*, qui peuvent causer des épidémies dans nos hôpitaux. Il ne faut cependant pas conclure que tous les microbes sont pathogènes pour autant.

Plusieurs entreprises profitent de la peur souvent maladive que nous avons des microbes. Elles ont mis au point des produits à base d'alcool qui permettent de tout désinfecter rapidement. Ces produits miracles tuent jusqu'à 99,9 % des bactéries qui se trouvent sur nos mains, y compris des bactéries tout à fait inoffensives, voire aidantes.

Nos maisons sont habituellement assez propres pour ne pas mettre en péril la santé de nos tout-petits. Les bébés ne sont plus exposés aux bactéries qui causent des infections nosocomiales (acquises en milieu hospitalier). Il devient donc par le fait même superflu que quiconque s'aseptise constamment les mains. Les microbes que l'on retrouve dans nos maisons sont tout à fait inoffensifs et le corps de l'enfant doit apprendre à les reconnaître. Il est donc inutile de garder un désinfectant pour les mains sur le comptoir de la cuisine et de l'utiliser chaque fois que nous touchons aux bébés. Cela peut même nuire. Un enfant qui n'a presque pas de contact avec des microbes normaux (non pathogènes) ne développera pas suffisamment de flore pour lui permettre de se défendre contre des microbes potentiellement dangereux. Vivre dans une maison trop aseptisée empêchera son système immunitaire de fabriquer les anticorps dont il aura besoin un jour.

Nos standards de propreté sont devenus exagérément élevés. Il peut être utile de conserver un désinfectant à base d'alcool dans l'auto au cas où vous auriez envie d'une glace en rentrant de la ferme où vous avez flatté des chèvres. Mais si vous ne souffrez pas d'une infection (rhume, grippe, etc.), il n'y a aucune raison de vous aseptiser les mains sans arrêt. Il suffit de respecter les mesures d'hygiène de base. Si vous vous lavez les mains avant d'allaiter, après être allée aux toilettes, après chaque changement de couche et avant de préparer les repas et de faire manger la famille, tout ira bien. Ce n'est pas en pliant des vêtements fraîchement lavés qui sortent de la sécheuse que vous contaminerez les lieux avec de méchants microbes. Certaines études ont même avancé l'hypothèse selon laquelle les environnements trop aseptisés favorisent l'apparition d'allergies chez les enfants.

N'oubliez pas que les bébés nourris au sein profitent des anticorps que fabrique leur maman. Cela dit, il est évident que si quelqu'un présente des symptômes de grippe ou d'infection respiratoire, il est préférable qu'il attende avant de rendre visite aux bébés ou, à tout le moins, qu'il évite de les prendre dans ses bras.

Si des proches vous rendent visite au cours des premières semaines, n'oubliez pas de leur rappeler que votre aîné vit des moments difficiles. Il est important que les visiteurs lui accordent de l'attention, même si la raison première de leur visite est de voir les bébés.

Différencier vos jumeaux

Si vos jumeaux sont très différents dès leur naissance, la notion de différenciation vous semblera inutile, voire bizarre. Effectivement, si vous avez une petite blonde aux yeux bleus et un noir rondelet, la question est vite résolue. N'oubliez pas qu'il se peut que vous ayez des jumeaux identiques même si on vous avait annoncé le contraire. Certains parents sont impressionnés de voir à quel point leurs bébés se ressemblent. Vous pourrez plus tard vérifier si vos jumeaux sont effectivement identiques ou non. Pour le moment, l'important est de savoir lequel des deux vous êtes en train de bercer ! Sachez que même des jumeaux fraternels dizygotes peuvent se ressembler. En effet, deux bébés ayant « des airs de famille » et qu'on ne connaît pas encore vraiment peuvent se ressembler beaucoup plus que vous ne le croyez, comme le démontre l'histoire qui suit.

> Marguerite et Jean-Pierre

Marguerite et Jean-Pierre sont de nouveaux parents de jumeaux. Auparavant, ils dormaient sans faute huit heures par nuit. Leur vie si rangée a été complètement chamboulée par l'arrivée des bébés. Le manque de sommeil s'accumule, et ils commencent à manquer d'énergie. Ils sont dans un état second, un peu déconnectés de la réalité.

Il est 3 heures du matin et l'un des bébés pleure. Jean-Pierre se lève comme un automate, change la couche du bébé, lui donne le biberon et le recouche. Trente minutes plus tard, il se réveille encore en entendant de nouveaux pleurs. Jean-Pierre répète les mêmes gestes, presque sans ouvrir les yeux. Et voilà. Maintenant, les deux bébés devraient dormir. Pourtant, les pleurs continuent. Après quelques minutes, Marguerite se lève. Elle se rend compte que la couche de Sophie est vraiment mouillée. Pourtant, Jean-Pierre vient supposément de la changer. Il a effectivement changé deux couches et donné deux biberons... au même bébé ! Et il est père d'un garçon et d'une fille... Quand on est très fatigué, tous les bébés se ressemblent !

Si vos jumeaux sont identiques, il est primordial d'apprendre à les reconnaître. Il faut parfois trouver des signes distinctifs pour ne pas les confondre. L'un des deux bébés a un petit grain de beauté près du nez ou d'une oreille ? C'est merveilleux, ne cherchez pas plus loin ! Il est possible que l'élément distinctif soit une tache de naissance dans le bas du dos. Or, il n'est pas très pratique de devoir déshabiller les enfants pour les distinguer. Habituellement, il est plus facile pour la mère que pour le père d'identifier les petites particularités qui permettent de distinguer les jumeaux (après tout, elle les connaît depuis plus longtemps que lui...). N'oubliez pas que les gens qui vous entourent les connaissent moins bien que vous et peuvent avoir besoin d'un signe distinctif.

Il existe plusieurs possibilités pour vous aider à reconnaître vos bébés. À vous de choisir celle qui vous convient.

> Trucs en tous genres

Sarah a constaté qu'une de ses jumelles avait sur la joue une petite veine bleue que l'autre n'avait pas. Puisque ce n'était pas facile à voir, la nuit, elle s'est résignée à couper une petite mèche de cheveux à l'une de ses filles.

Monique s'est dépêchée de faire percer les oreilles à l'une de ses filles.

Nicole a acheté à chacune de ses filles une chaîne avec un médaillon sur lequel elle a fait graver l'initiale de leur prénom.

Christiane a simplement conservé les bracelets d'hôpital des bébés pendant quelques semaines.

Si vous êtes tentés de faire une petite marque au feutre, sachez que l'encre est toxique et que ce geste n'est donc pas recommandé !

Une technique facile, du moins au début, consiste à faire porter un bracelet de couleur aux enfants. Assurez-vous simplement qu'il tient bien, qu'il est juste assez grand pour ne pas blesser le bébé et qu'il ne décolore pas à l'eau. Ainsi, tout le monde peut différencier les bébés. Ils peuvent porter leur bracelet jusqu'à ce que d'autres signes se développent, vous permettant de mieux les différencier. Grâce à ces mêmes couleurs, vous pouvez aussi distinguer les accessoires appartenant à chaque enfant, voire les médicaments qu'ils prennent. Il est également possible d'identifier les couchettes si vous en utilisez deux. Un petit mot sur le réfrigérateur peut indiquer la couleur associée à chaque bébé. Ainsi, tout le monde sait qui dort et qui a faim. Cette stratégie est très utile pour les proches qui viennent vous donner un coup de main.

> Maman confuse...

Est-ce possible qu'une mère ne différencie pas ses propres enfants ? Oui ! À leur naissance, mes petits avaient un écart de poids d'environ 2 livres (presque 1 kg). Au début, il était facile de différencier le « petit » et le « gros » lorsque les deux étaient présents. Au bout de quelques semaines, toutefois, et lorsqu'on n'en voyait qu'un, il était loin d'être facile, même pour nous, les parents, de savoir à qui on avait affaire. Je me souviens d'avoir hésité à plus d'une reprise quand, après les avoir habillés le matin, mon mari ne m'en présentait qu'un seul. Il va sans dire que les voisins et la famille éprouvaient aussi de la difficulté à identifier correctement les garçons. Avec le temps, nous avons convenu que l'un des garçons porterait souvent du rouge lors des sorties alors que son frère n'en porterait jamais. Cela augmentait les chances que les gens puissent les distinguer.

Différencier les raisons des pleurs

Cette section ne s'applique évidemment pas qu'aux jumeaux. Cependant, il est particulièrement épuisant de gérer les pleurs de deux bébés. Il est donc important de bien s'outiller pour réussir à calmer les pleurs.

Certains disent qu'il est tout à fait normal qu'un bébé pleure jusqu'à trois heures par jour. Si tel est le cas et que vous avez deux bébés, faites le calcul... Nous devrons sûrement y ajouter les pleurs de la maman et même ceux du papa ! Les nouveau-nés ne pleurent pas sans raison : ils essaient d'exprimer un malaise quelconque. Pendant les premiers mois, ils sont trop jeunes pour chercher à manipuler ou pleurer par « caprice ». Le défi du parent consiste à trouver la raison des pleurs et à répondre au besoin exprimé. Lorsqu'on a des jumeaux, ce défi est double, comme tous les autres. À la longue, il est possible de reconnaître ce qu'un enfant essaie de dire par ses pleurs. À force de bien écouter, on apprend à différencier ceux-ci. Faites-vous confiance, ça viendra !

> Des pleurs identifiables

Quelques jours après mon premier accouchement, j'ai été surprise d'entendre ma mère me rassurer en disant que « ce pleur, c'est simplement de la fatigue ». Elle berçait le bébé pendant trois minutes et voilà que Morphée venait prendre la relève ! Comment faisait-elle pour « reconnaître » les pleurs de mon bébé, alors que moi, je ne savais pas ce qu'il me racontait ? « Tu vas voir, avec l'expérience, tu le sauras toi aussi », me disait-elle. Et elle avait raison.

Il est difficile pour le parent de ne pas comprendre les besoins exprimés par ses nouveau-nés et, conséquemment, de ne pas être en mesure d'y répondre. Ajoutez à cela le jeu des hormones et le manque de sommeil, et vous comprendrez à quel point l'estime de soi des parents est mise à rude épreuve…

Si vous croyez que les autres parents sont parfaits, qu'ils savent tout et qu'ils restent toujours calmes dans la tempête, détrompez-vous ! Avant de vous précipiter pour donner du lait à votre bébé, prenez le temps d'écouter ses pleurs. Même si personne n'aime laisser pleurer un bébé, prenez le temps, pendant 30 à 60 secondes, de le regarder et d'écouter ce qu'il cherche à vous dire. Ce faisant, respirez profondément deux ou trois fois. Rassurez-vous : vous ne le laissez pas pleurer, vous cherchez à comprendre son besoin pour mieux y répondre. Voici quelques petits signes qui peuvent vous aider à reconnaître les différents pleurs de vos bébés :

- Parfois, un petit gazouillis se transforme en pleurs courts qui ressemblent presque à des miaulements. Ceux-ci s'arrêtent dès que vous prenez l'enfant dans nos bras. Vous avez bien compris : bébé avait besoin d'un câlin ! Si vous reconnaissez ce pleur dès le début (vous verrez, entre autres, qu'il semble vous chercher des yeux), des mots doux et une simple caresse dans le dos peuvent suffire à combler son besoin. Avec des jumeaux, il est bon de pouvoir régler les problèmes sans avoir à prendre le bébé dans ses bras. Prenez donc l'habitude d'essayer d'abord de calmer l'enfant sans le prendre.
- Bébé porte les mains à sa bouche, se lèche les lèvres et sort la langue ? Caressez-lui la joue du doigt. S'il tourne la tête dans cette direction, c'est probablement

qu'il a faim. Inutile d'attendre qu'il crie plus longtemps pour comprendre le message. Mais ne vous inquiétez pas : même si vous n'avez pas été en mesure de comprendre tout de suite son comportement, votre bébé vous fera savoir qu'il a faim. Ses petits gémissements se transformeront rapidement en cris forts et persistants.

- Se peut-il qu'il ait trop chaud ou trop froid ? Les tout-petits ont habituellement les mains et les pieds plutôt froids. Vérifiez si la peau des bras, des cuisses ou de la nuque est froide ou si sa lèvre inférieure tremble avant de conclure que votre bébé a froid.
- Un tout-petit peut commencer à crier tout à coup, sans émettre de petits pleurs en guise d'avertissement. Il se peut qu'il ait eu peur ou qu'il s'ennuie. Même un très jeune bébé peut pleurer d'ennui ou vivre un *spleen*, surtout à la fin de la journée. Certains bébés pleurent quand ils sont surstimulés par l'activité et le mouvement qui règnent autour d'eux, par exemple lorsque de nombreux visiteurs les prennent dans leurs bras. Certains bébés ont besoin d'être isolés du bruit ; ils se calment alors plus facilement. Un bébé qui donne des coups de pieds et gesticule se détourne de la lumière ou émet des pleurs se transformant en un long pleur continu et fort est surexcité et fatigué.
- L'expression d'une douleur commence souvent par un cri aigu qui se transforme rapidement en pleurs soutenus et forts. Assurez-vous que le bébé n'a pas été pincé ou piqué ou que des plis de couverture ne le rendent pas inconfortable. Il peut se sentir courbaturé, avoir un bras engourdi… Il peut aussi avoir mal pour plusieurs autres raisons, notamment un érythème dû à de l'irritation. Vérifiez s'il a des

rougeurs sur les fesses, les organes génitaux, l'intérieur des cuisses ou l'abdomen. S'il y en a, changez la couche plus souvent afin qu'il soit au sec.

- Votre tout-petit est en « période de rodage » : son système digestif doit s'habituer à bien fonctionner. Certains bébés ont beaucoup de crampes. Parfois, celles-ci durent à peine quelques minutes. Si votre bébé replie ses jambes sur lui-même ou lance des cris aigus alors qu'il était très calme l'instant d'avant, c'est peut-être qu'il souffre de crampes abdominales. Il poussera un premier cri, suivi d'un silence, puis recommencera à crier. Vous pouvez l'aider en le berçant et en lui parlant doucement. Vous pouvez aussi lui masser délicatement le ventre ou le coucher sur le dos et lui faire faire des mouvements de jambes (comme s'il faisait de la bicyclette) afin de stimuler ses intestins. Vous pouvez également tenir ses pieds en les frottant légèrement sous les talons pour stimuler les points de réflexologie qui influencent la digestion. Vous l'aiderez ainsi à éliminer l'inconfort lié à la présence de gaz intestinaux ou de selles.
- Si votre bébé commence à se tortiller pendant ou après un boire, cela indique probablement qu'il veut faire un rot. S'il avale beaucoup d'air en buvant, il devra faire plus de rots pour être bien. Si vous le nourrissez au biberon, vérifiez la taille des trous de la tétine. Si les trous sont trop petits ou trop gros, le bébé avalera beaucoup l'air en buvant. Si vous le nourrissez au sein, il se peut qu'il ait des gaz à cause de ce que vous avez mangé (du chou ou du brocoli, par exemple). Certains bébés préfèrent faire un rot au milieu du boire, tandis que d'autres n'aiment pas être interrompus et aiment

mieux faire un plus gros rot à la fin du boire. Ne vous inquiétez pas : vos bébés vous feront rapidement connaître leurs préférences.

- Les bébés qui pleurent beaucoup, surtout après les boires, peuvent souffrir de reflux gastro-œsophagien. Il s'agit du trouble alimentaire le plus fréquent chez les nourrissons. Ce trouble, beaucoup plus commun que les coliques du nourrisson, est causé par une immaturité du système digestif. Le reflux est encore plus commun chez les bébés nés prématurément. Souvent, ces bébés régurgitent beaucoup et leurs régurgitations sont douloureuses. Si votre bébé en souffre, vous comprendrez qu'il a mal en entendant ses pleurs. Vous reconnaîtrez son haleine plutôt acide. Si vos deux jumeaux souffrent de reflux, vous risquez de vous sentir dépassés, fatigués et découragés. Vous aurez encore plus besoin d'une aide extérieure. Il faudra tenter de les garder en position verticale pendant un certain temps après les boires. Vous pourrez aussi remonter un peu les têtes de lits. Ces bébés ne sont pas très confortables dans les positions horizontales, et ce n'est pas par caprice. Ils sont ce qu'on appelle des « bébés à bras ». Vive les porte-bébés ! Parlez de votre situation à l'infirmière qui vient vous rendre visite ou à votre médecin lors de votre prochain rendez-vous. Il existe des médicaments qui peuvent soulager votre bébé (et vous-mêmes, par la même occasion). Des traitements de chiropractie ou d'ostéopathie peuvent aussi être bénéfiques.

Un autre outil peut vous être utile pour comprendre ce que vous dit votre bébé. Dans le cadre d'une étude[1], Priscilla Dunstan a identifié les différents sons produits par les nouveau-nés. L'étude, menée

> auprès de 1 000 bébés de 0 à 3 mois partout dans le monde, a démontré que les nouveau-nés utilisent les mêmes sons pour dire « j'ai faim », « je m'endors » ou « je veux faire un rot ». Elle a identifié un « mot » exprimant un simple inconfort et un autre indiquant un malaise intestinal (gaz ou mauvaise élimination des selles). Il semble que tous les bébés utilisent ce « langage », composé de cinq « mots », pendant leurs premières semaines de vie. Selon elle, il est possible de comprendre ce que le bébé tente d'exprimer en écoutant très attentivement les sons qu'il fait lorsqu'il commence à pleurer. Si l'on tarde à répondre à ses pleurs, toutefois, il se mettra à crier et l'on ne distinguera plus les sons typiques de chacun des messages. Les bébés abandonnent ce langage après quelques semaines s'ils ne parviennent pas à se faire comprendre.

Voici, en résumé, les résultats de la recherche de Dunstan[2]. Pour exprimer la faim, les enfants émettent d'abord un son semblable à « n'est ». La langue vient se placer sur la gencive du haut, comme pour téter. Lorsque la bouche s'ouvre pour émettre le pleur, la langue quitte la gencive, ce qui donne le son « n ». Si vous entendez le son « n », pensez… nourriture ! Toujours selon Dunstan, le bébé dit « a-ou » (cela ressemble au son que l'on fait lorsqu'on se fait mal) pour exprimer la fatigue et l'envie de dormir. La bouche du bébé forme un ovale, comme s'il se préparait à bâiller. Si vous lui offrez le sein dans ce contexte, il se calmera peut-être, mais s'endormira assez rapidement en tétant. Comme il exprime sa fatigue, il vaut mieux tenter de le calmer autrement. Lorsque votre bébé est inconfortable (parce que sa couche est souillée ou qu'il a besoin de changer de position, par exemple), il pleure en faisant le son « h'est ». Retenez alors le son du « h » aspiré (comme dans « héros »). S'il a besoin d'un rot, votre bébé produira plus souvent le son « est », sans le « h ». Le son sera plus court et exprimera bien son malaise. Il s'agira presque d'une petite toux sèche. Le dernier mot — « e-air » — est utilisé par les bébés pour exprimer un inconfort intestinal (selles ou gaz). Souvent, le bébé force et remonte les genoux sur la poitrine.

Certains bébés pleurent sans arrêt pendant des heures, quoi que leurs parents fassent. On parle de coliques dans ces cas. Ces périodes de pleurs sont épuisantes et frustrantes pour les bébés. Elles s'observent entre l'âge de 3 semaines et de 3 mois. Le plus souvent, elles commencent lorsque le bébé est âgé de 6 à 8 semaines, pour s'estomper vers 12 ou 14 semaines. Une « règle de trois » s'applique pour diagnostiquer ce problème. Si votre enfant pleure plus de trois heures par jour, au moins trois jours par semaine et pendant au moins trois semaines consécutives, votre médecin vous dira sans doute qu'il a des coliques. Malheureusement, il n'y a pas de solution magique pour réconforter les bébés souffrant de coliques. Essayez de le calmer en mettant une musique douce ou en adoptant la technique peau à peau. Vous réussirez parfois à le réconforter en lui donnant un bain ou en l'amenant faire une balade en poussette ou en auto. À d'autres moments, il se sentira mieux après avoir ingurgité une cuillère à soupe d'eau bouillie, tiède, offerte au compte-gouttes. Les conseillères en allaitement vous suggéreront d'offrir des « boires groupés » en soirée, c'est-à-dire d'offrir le sein plus souvent, avec moins de temps entre les boires. On vous conseillera aussi d'offrir le sein s'il pleure sans arrêt et que vous ne réussissez pas à le consoler. Le fait de boire calme-t-il les coliques ? À vous d'essayer. Par contre, gardez en tête que consoler un bébé en offrant toujours le sein n'est probablement pas la meilleure habitude à prendre, ni pour la maman ni pour le bébé.

> Il pleure !

Parfois, lorsqu'un bébé pleure, toute la vie arrête dans la maison. Les parents sont tellement bouleversés qu'ils semblent prêts à tout pour arrêter les pleurs. Imaginez la scène : bébé pleure depuis 15 minutes. Les parents ignorent la cause des pleurs. Maman ou papa commence à s'énerver. Ils placent bébé dans la balançoire (vous savez, le modèle qui a le siège vibrant, le mobile et la musique incorporés), mais il continue à pleurer. Maman cherche désespérément une autre solution. Elle le promène en chantant. Rien n'y fait. Elle le dépose sur sa couverture, par terre, et lui parle en lui montrant le merveilleux hochet qui couine. Les parents ont épuisé leurs ressources, mais le bébé pleure encore…

Que faire pour calmer bébé ?

Il est plus facile de calmer un bébé en intervenant dès le début des pleurs. Il est cependant recommandé d'écouter et de regarder votre bébé pendant un bref moment pour déterminer l'intervention la plus efficace. Les bébés ne pleurent pas pour des raisons émotives ; c'est le seul moyen dont ils disposent pour exprimer leurs besoins.

Il existe certaines techniques éprouvées pour consoler un bébé qui pleure.

- Les nouveau-nés se calment plus facilement quand ils sont bien emmaillotés dans une couverture. N'oubliez pas qu'hier encore, vos bébés étaient à l'étroit dans votre utérus et qu'ils s'y sentaient en sécurité.
- Debout, tenez votre bébé à plat ventre sur votre bras et chuchotez-lui des mots d'une voix calme et réconfortante. Bercez votre bébé ou marchez en le portant dans vos bras. Des études ont montré que

les bébés qui passent beaucoup de temps dans les bras ou dans les porte-bébés, tout près du cœur, pleurent beaucoup moins. Il n'est peut-être pas souhaitable de prendre l'habitude de marcher continuellement avec un bébé dans les bras si vous avez des jumeaux, mais il peut valoir la peine de tenter l'expérience si vous avez un jumeau particulièrement difficile. Pour ma part, j'économisais mon énergie en m'assoyant sur un gros ballon servant aux exercices de Pilates. Les petits mouvements de rebondissements, de haut en bas, suffisaient souvent à calmer mon bébé, et je pouvais rester assise !

- Prenez garde à la surstimulation. Rappelez-vous que le nouveau-né arrive dans notre monde bruyant et lumineux après plusieurs mois passés dans l'utérus. Il y fait noir et, même si c'est plutôt bruyant, les sons qu'il entend sont familiers, rythmés et le rassurent. Les bébés n'ont pas besoin de grand-chose pour être stimulés : un mur, une plante ou un ventilateur suffit. Il découvre ce nouveau monde à son rythme. Une feuille blanche sur laquelle vous avez tracé un rond ou des lignes au feutre foncé, placée à un endroit où l'enfant peut la voir, constitue d'ailleurs une excellente stimulation. Nul besoin de couleurs criardes, le contraste pâle-foncé fait tout à fait l'affaire. Il fixera cette feuille quelques instants, puis détournera le regard ou manifestera son impatience quand il sera fatigué d'avoir porté autant d'attention à cette découverte. Nul besoin de « faire le clown » pour divertir votre tout-petit et calmer des pleurs.
- La sucette peut également être très utile, même s'il est préférable de ne pas en abuser ; téter sans boire aide les bébés à se calmer. C'est un besoin naturel.

Le bébé tète ses doigts déjà depuis plusieurs mois. Pour les bébés nourris au sein, l'utilisation de la sucette est controversée. Certains recommandent d'attendre que le bébé ait au moins 3 semaines et que l'allaitement soit bien établi. De nombreux bébés acceptent très bien la sucette sans que cela crée de problème pour l'allaitement.

- Lorsqu'un bébé pleure, on arrive souvent à le calmer et à régler le problème en lui offrant le sein (on est moins porté à offrir le biberon « trop » rapidement parce qu'on sait plus précisément quelle quantité il a pris lors du dernier boire). Si le fait de boire peut effectivement le calmer, il ne pleurait pas nécessairement parce qu'il avait faim. Un petit bedon trop plein peut d'ailleurs aussi causer des pleurs... Tentez d'abord d'éliminer les autres causes possibles : couche souillée, sensation de chaleur ou de froid, besoin de faire passer des gaz ou un rot, désir de se faire prendre ou besoin de changer de position. Écoutez bien ce que son corps vous dit.

Difficiles à vivre, les pleurs...

Vous serez peut-être surpris de voir à quel point un nouveau-né peut pleurer fort. Vous pouvez vous consoler en vous disant qu'il est en santé ! Parfois, surtout en fin de journée, les crises durent plus d'une heure. Cela n'est pas facile, ni pour le bébé ni pour ses parents. Il est possible que vous vous mettiez à douter de vous. Les premières fois que l'on vit une crise, il est normal se sentir dépassé, voire incompétent. Il y a des journées (et des nuits) où les illusions en prennent un coup.

Lorsque la fatigue et le découragement vous submergent, vous vous demandez si vous êtes à la hauteur, si vous êtes les parents que vous espériez être. Faites-vous confiance. Donnez-vous le temps d'acquérir de l'expérience en tant que parents. Bientôt, vous comprendrez mieux ce que votre bébé vous dit et vous répondrez mieux à ses besoins. N'oubliez pas que les hormones (pour la mère) et le manque de sommeil vous rendent encore plus fragiles. Les émotions sont intenses : l'amour que vous portez à ces petits êtres fait que vous trouvez difficile de les entendre pleurer… et la crainte de ne pas être à la hauteur vous tenaille. Être parent est un grand défi à relever. Vous ferez sûrement quelques erreurs, mais il ne faudra pas vous en tenir rigueur. Avant d'être un parent, vous êtes d'abord un être humain.

> Le temps est relatif…

Un jour, une amie m'a conseillé de jeter un coup d'œil à l'horloge lorsque mon bébé commençait à pleurer. J'ai fait l'expérience : lorsque les cris se sont finalement arrêtés et que j'ai regardé l'heure à nouveau, j'ai vu que la petite n'avait pleuré que huit minutes. Cela m'a aidée à dédramatiser la situation et à prendre conscience que huit minutes, ce n'est pas si long. Cela m'a donné la confiance nécessaire pour endurer la prochaine crise.

Il existe une technique plutôt efficace pour calmer des pleurs des bébés : « la danse d'apaisement[3] ». Elle comporte trois mouvements simples qu'il faut exécuter rapidement : un pas en avant et un pas en arrière ; une torsion du corps, d'abord d'un côté, puis de l'autre ; et un mouvement de bas en haut en pliant les genoux. Tenez votre bébé dans la position qu'il préfère. Exécutez la danse et répétez. (Cela vous permettra de travailler vos cuisses, ça compte comme un exercice !) Habituellement, le bébé se calme en cinq minutes seulement.

Pour les nourrissons, le Dr Harvey Karp, auteur de plusieurs ouvrages, suggère la technique des cinq « s »[4] (en anglais : **s***waddle*, **s***ide or* **s***tomach*, **s***hoosh*, **s***wing*, **s***uck*) :

- Emmailloter le nouveau-né.
- Tenir le bébé sur le côté, ou le visage vers le sol.
- Faire le son « ch, ch » (c'est ce que le bébé entendait dans l'utérus). Remuer délicatement le bébé en le maintenant dans une position horizontale.
- Offrir au bébé sa sucette ou son auriculaire si téter lui fait du bien.

Malgré leur efficacité, ces techniques ne font pas disparaître la douleur. Votre bébé a-t-il eu un nerf coincé à la suite de l'accouchement ? Une visite chez l'ostéopathe ou le chiropraticien pourrait peut-être aider. Certains d'entre eux se spécialisent dans les traitements pour les nouveau-nés. Malgré tous vos efforts et toutes vos tentatives, il se peut que vous ne trouviez pas la solution miracle que vous espérez (attention de ne pas tout essayer en même temps !). Si vous êtes seule, sortez la poussette et allez marcher un peu. Cela facilite souvent l'endormissement des bébés. Vous pourrez ainsi respirer un peu d'air frais et vous rencontrerez peut-être d'autres adultes avec qui vous aurez l'occasion de discuter « entre grandes personnes ». Tout le monde en sortira gagnant !

> Des parents épuisés

Une maman de jumelles me racontait qu'il y avait des soirs où son mari et elle étaient tellement découragés d'entendre pleurer leurs filles qu'ils tournaient littéralement en rond dans la maison, passant du salon à la cuisine sans arrêt, mais n'accomplissant absolument rien. À la suite d'une recommandation d'un membre de leur association de parents de jumeaux, ils ont pris l'habitude de sortir après le repas du soir et de marcher quelques minutes, chacun leur tour. Au retour, chacun était plus calme et la soirée se passait beaucoup mieux. Elle disait que cette petite suggestion anodine leur avait été fort utile, car elle leur avait permis de préserver leur santé mentale. Les jumelles ont 20 ans aujourd'hui, mais maman Nicole s'en souvient encore...

Chez nous, mon mari me « mettait dehors » une heure par soir, après le souper. C'était l'été et il faisait encore jour. Je m'attaquais aux mauvaises herbes des plates-bandes avec toute l'énergie des frustrations et de la fatigue accumulées durant la journée. Au bout de 30 minutes, mon rythme d'arrachage et de respiration ralentissait et je cessais d'arroser les fleurs avec mes larmes. Chaque soir, j'étais plus calme quand je rentrais dans la maison. Je le remercie encore aujourd'hui pour ce geste d'amour qu'il m'offrait en fin de journée. Je n'ai d'ailleurs jamais eu d'aussi belles plates-bandes avec aussi peu de mauvaises herbes depuis.

Un jour — ou une nuit peut-être —, vous vous sentirez vraiment à bout de patience. Cela arrive à tout le monde. N'oubliez pas que les bébés sentent votre nervosité. Déposez alors le bébé qui hurle dans son lit ou dans un autre endroit sécuritaire. Fermez la porte de la chambre. Il se peut qu'il cesse de pleurer au bout de quelques minutes dans le calme.

Pendant ce temps, faites quelque chose pour vous calmer. Prenez une douche rapide, criez ou pleurez vous aussi, frappez votre oreiller, n'importe quoi ! Des études ont démontré que les jumeaux sont plus souvent victimes de mauvais traitements, et notamment du syndrome du bébé secoué[5]. Les risques sont plus élevés lorsqu'on est au bout du rouleau. C'est à ce moment que vous devez vous tourner vers le soutien qui vous est offert. Une association de parents de jumeaux ? Une ligne d'écoute pour les parents ? Ces ressources sont là pour vous et il ne faut surtout pas hésiter à y faire appel.

Comment se passeront vos journées ?

Souvent, au début, les parents de jumeaux tentent de respecter le rythme de chaque bébé. Ceux que j'ai rencontrés au fil des années ont été agréablement surpris de m'entendre leur conseiller de synchroniser le plus possible les boires de leurs enfants. Cela leur semblait vraiment plus simple, mais ils n'osaient pas contredire les infirmières chargées des suivis à domicile…

Qu'on allaite ou pas, il est généralement mieux d'établir une certaine routine tout en restant flexible. Malgré certaines journées plus difficiles, vous pouvez espérer, à la longue, développer une routine qui vous permettra de faire autre chose que nourrir et faire faire des rots à des bébés. La très grande majorité des mères de jumeaux reconnaissent que la journée se déroule généralement mieux lorsqu'elles font patienter l'un des enfants quelques minutes ou qu'elles devancent un peu le boire de l'autre pour qu'ils boivent l'un après l'autre. L'important est de trouver un compromis acceptable pour vous et pour les enfants. Tout en respectant les besoins de chacun, tentez si possible de coucher les deux bébés à peu près en même temps. Si vous privilégiez la méthode « E.A.S.Y », dont nous avons parlé précédemment (*voir le chapitre 2*), chacun aura son boire au réveil. Celui qui aura faim en premier aura sa maman à lui tout seul pendant un bref moment. La nuit comme le jour, vous serez heureuse de nourrir un bébé pendant que l'autre dort encore. Quand vous serez prête à nourrir le deuxième bébé, vous pourrez le caresser doucement pour voir s'il est prêt à se réveiller. Que faire si les deux vous réclament ? Certaines mamans choisissent de les faire boire simultanément. Elles ont ainsi un peu plus de temps à accorder aux autres enfants — s'il y en a —, pour se reposer ou pour faire un peu de lessive.

L'heure du boire, toujours compliquée ?

Qu'ils soient allaités ou non, vos jumeaux boiront à peu près huit fois par jour. Il est donc important de vous installer le plus confortablement possible à l'heure du boire. Si vous êtes seule à ce moment-là, vous devrez développer une technique pour nourrir convenablement les deux bébés. Les premières semaines, vous installerez le bébé le plus patient près de vous dans la balançoire ou dans son siège pendant que vous nourrirez l'autre. Pendant que vous ferez boire le plus affamé des deux, vous bercerez avec le pied le siège dans lequel l'autre bébé attendra son tour.

Imaginez la scène : le bébé que vous nourrissez ne boit pas assez vite et vous commencez à vous impatienter. Vous vous mettez alors à parler à l'autre bébé pour lui expliquer le retard. Ne vous surprenez pas si vous ressentez une certaine culpabilité et que vous avez l'impression de n'être véritablement présente pour aucun de vos deux enfants. Si vous donnez toujours à boire en premier au même bébé — le plus impatient des deux —, il se peut que vous ayez l'impression de le favoriser.

> Surtout, ne pas se sentir coupable

Je me souviens avoir expliqué de vive voix au deuxième bébé que lui, au moins, pourrait prendre tout son temps pour boire. Bien sûr, c'était d'abord pour me consoler moi-même... Avec le recul, je ne me sens plus coupable. J'ai fait de mon mieux, après tout ! Mes deux « bébés » sont devenus grands et ils ont toujours l'écart de poids de 2 livres (1 kg) qu'ils avaient à la naissance. J'en conclus que le fait d'attendre n'a pas empêché mon plus patient de bien se développer.

Certains bébés sont naturellement plus exigeants. Il y aura probablement un jumeau moins patient, qui a toujours faim en premier ou qui digère moins bien que l'autre. Vous n'avez pas vraiment le choix d'accorder plus d'attention à celui qui semble en avoir le plus besoin. Cela est tout à fait naturel et même sain. Si vous avez un bébé vraiment plus fragile que l'autre, ou qui a un handicap quelconque et qui est plus demandant, vous répondrez d'abord à ses demandes. Dites-vous que l'autre est justement moins demandant : vous ne reniez donc pas ses besoins. Peut-être deviendra-t-il un adulte plus patient ? Il faut cependant essayer, lorsque cela possible, de ne pas accorder l'attention au même bébé en priorité.

Vous pouvez toujours bercer individuellement les bébés une fois qu'ils sont rassasiés. Les jumeaux ont souvent un sens inné du partage. Ceux qui ne l'ont pas le développeront dès les premiers jours de leur vie. Heureusement, car il n'est pas toujours possible pour les parents de jumeaux de combler les besoins de leurs deux bébés en même temps, et ce, malgré toute la bonne volonté du monde.

> Aristote et moi

D'après Aristote, la nature a horreur du vide. Les vides auraient ainsi tendance à se combler, tout naturellement. Je suis d'accord avec Aristote... J'ai même ma propre théorie à ce sujet. Je pense qu'une fois l'accouchement passé, le vide laissé par le placenta est comblé par la culpabilité. Puisque le placenta est particulièrement gros chez les mamans de jumeaux, celles-ci auraient ainsi tendance à se sentir « doublement coupables »... Vous vous sentirez en effet débordée, frustrée et peinée de ne pas pouvoir offrir à chacun de vos bébés le temps qu'ils méritent et que vous voudriez leur donner. Essayez de ne pas vous sentir coupable : vous n'y pouvez rien, il faut bien vous y faire !

Allaiter des jumeaux

L'allaitement permet à la mère de recréer la symbiose qu'elle vivait avec son bébé pendant la grossesse. Plus rien n'existe au monde : elle allaite son bébé et elle adore ça ! Le boire devrait être un moment de pur bonheur pour la mère et l'enfant. On aimerait toutes qu'il en soit ainsi, mais, malheureusement, ce n'est pas toujours possible. Les moments de douceur sont plus rares, mais on les savoure d'autant plus.

Il faut dire que l'allaitement n'est pas toujours aussi facile qu'on le dit, surtout au début. Lorsque vous allaitez un bébé, assurez-vous qu'il prend bien le mamelon pour éviter les gerçures. Cela est d'autant plus important avec des jumeaux, puisque vous ne pouvez pas laisser guérir une gerçure en favorisant l'autre sein comme vous pourriez le faire avec un seul bébé. Consultez rapidement une conseillère en allaitement si vous ressentez trop de douleurs. Certaines positions facilitent la prise du mamelon. Adoptez-les ! Dès le début, lorsque vos seins sont congestionnés, tirez un peu de votre lait pour permettre au bébé d'avoir une meilleure prise du sein. Le lait se conserve environ trois jours au frigo et six mois au congélateur. Vous aurez ainsi une réserve de lait qui vous sera sûrement utile un jour… ou une nuit. N'en tirez pas trop, car cela pourrait stimuler la production et maintenir la congestion. Attention, le lait maternel ne doit pas être réchauffé au four à micro-ondes, car cela détruit les anticorps qu'il contient. Une fois dégelé, il se conserve 24 heures au frigo et ne doit pas être recongelé.

On préconise l'allaitement sur demande pour les nouveau-nés. Plusieurs mamans donnent le sein dès que leur bébé s'agite ou pleure, croyant mettre en application cette recommandation. Même celles qui n'ont qu'un seul bébé finissent par trouver que l'allaitement sur demande est beaucoup trop prenant. Avec des jumeaux, vous ne ferez rien d'autre qu'allaiter, et cela risque de vous donner l'envie d'abandonner. Rappelez-vous que vous devez d'abord *reconnaître* les signaux de faim de vos enfants. Les bébés allaités qui ont pris un bon boire sont rarement tenaillés par la faim avant environ deux heures ou deux heures et demie. D'ailleurs, un petit repos fera grand bien à leur système digestif « en rodage ». Évidemment, cela ne veut pas dire que vous devez toujours regarder d'abord l'horloge pour déterminer si bébé a le « droit d'avoir faim » ! Assurez-vous simplement que c'est bel et bien le cas. Ainsi, il prendra un vrai boire (et non une « collation ») lorsque vous lui offrirez le sein. Autrement, vous constaterez qu'il aura faim de nouveau très rapidement et vous n'aurez aucun moment à vous dans la journée. Si le bébé tète pour se consoler ou pour s'endormir, ce n'est pas de l'allaitement sur demande, c'est de l'esclavage ! Il serait dommage de cesser d'allaiter parce que vous avez l'impression de ne faire que cela. Les mamans qui se plaignent — avec raison — de devoir donner le sein aux heures depuis des semaines, nuit et jour, ne savent pas encore reconnaître les signes de faim. Elles sont devenues des « sucettes humaines ». Prenez le temps de bien reconnaître les signaux de faim que vos bébés vous envoient. Entendez-vous le « n » au début de leurs pleurs ? Portent-ils les mains à la bouche ? Vous savez maintenant que ce n'est pas parce qu'ils pleurnichent que vous devez absolument et instantanément les mettre au sein. Bien sûr, les bébés en poussée de croissance peuvent demander le sein après une heure ou deux… Dites-vous que la nature s'assure ainsi de faire augmenter votre production afin que vos bébés soient bien alimentés. Ces poussées de croissance durent généralement entre 24 et 48 heures.

Dans vos rêves, vous vous êtes imaginée en train de câliner votre joli poupon en lui chantant doucement une comptine. Dans la réalité, il est possible que vous incitiez votre bébé à terminer son boire au plus vite parce que son jumeau vous réclame à grands cris. Disons que le charme est rompu… C'est là une frustration inhérente au rôle de parent de jumeaux. Il est en effet déchirant de donner le boire à un bébé en ignorant l'autre alors qu'il exprime clairement qu'il a faim. Si le père (ou une autre personne) est là, il peut au moins faire faire le rot pendant que la maman allaite le deuxième bébé.

Certains pédiatres français recommandent de mettre les deux bébés au sein en même temps, surtout si l'un des deux bébés a de la difficulté à téter. Le réflexe d'éjection du lait serait en effet maintenu par le bébé qui tète bien. Cela est aussi plus reposant pour la mère, car le nombre de tétées est le même qu'avec un enfant unique. Certaines mamans apprécient la commodité et la rapidité de l'allaitement simultané. D'autres ont l'impression de ne pas être aussi présentes que lorsqu'elles n'en allaitent qu'un seul à la fois. Pour ma part, je n'aimais pas sentir téter deux bébés à la fois, mais je m'y résignais plus volontiers la nuit. À vous de voir si cette technique vous convient. Nous verrons plus loin comment vous pouvez vous y prendre.

Vous lirez sûrement quelque part que les mères qui allaitent doivent éviter certains aliments qui donnent un mauvais goût au lait ou des gaz aux bébés. C'est un mythe. Ne vous empêchez pas de manger quoi que ce soit, à moins que vous constatiez une réaction chez l'un de vos bébés. La plupart des bébés nourris au sein acceptent de boire le lait maternel peu importe ce que la mère a mangé, surtout si son régime alimentaire a été varié pendant la grossesse. Il est vrai, par ailleurs, qu'il arrive qu'un bébé allaité refuse le sein. Rappelez-vous ce que vous avez mangé lors de votre dernier repas. Avant de tirer des conclusions, vérifiez si cela se reproduit chaque fois que vous mangez le même aliment. Une fois n'est pas coutume ! Il se peut que les oignons le fassent réagir, mais aussi les agrumes ou les asperges... Vous verrez bien. Ne vous empêchez pas de manger tout ce qui peut théoriquement causer des problèmes aux bébés, car il y a de bonnes chances que vous vous priviez pour rien !

Si vous offrez un boire à l'enfant à son réveil, il boira sûrement mieux et avec plus de vigueur. Si vous le faites boire avant de le coucher, il est fort possible qu'il boive moins bien et moins longtemps. Il est déjà fatigué et boire demande de l'énergie. Il s'arrêtera plus rapidement et s'endormira au sein, sans prendre un vrai boire. La prochaine tétée sera sûrement devancée... Laissez le bébé téter tant que vous voyez qu'il avale du liquide. S'il tète sans avaler, peut-être est-il simplement mal positionné. Vous devrez parfois le stimuler en le caressant doucement s'il s'arrête trop longtemps pour se reposer. En moyenne, la durée du boire est d'environ 40 minutes pendant les deux premiers mois. Elle diminue ensuite à mesure que le bébé améliore sa succion. À partir de la 8e semaine, le boire dure souvent une trentaine de minutes. À 3 mois, il dure d'environ 20 minutes.

Chaque enfant est différent, bien sûr. Certains, plus gourmands, ont tendance à boire rapidement, tandis que d'autres étirent le plaisir. Si vos jumeaux sont prématurés, ils se fatigueront plus vite. Tant que les bébés mouillent six à huit couches par jour, tout va bien. Fiez-vous à eux : ils s'arrêteront de boire lorsqu'ils n'auront plus faim, tout simplement. On dit généralement aux mères qui allaitent un seul enfant de changer de sein à chaque boire afin de bien vider le sein et de favoriser une production suffisante de lait. Théoriquement, avec des jumeaux, les deux seins sont bien vidés à chaque boire. Les jumeaux n'ont droit qu'à un sein chacun pour le boire. Ne vous inquiétez pas, la production du lait s'adapte à la demande ; vous aurez suffisamment de lait pour nourrir vos deux poupons. Dans les faits, si vos deux bébés ne tètent pas de façon égale, il est préférable d'alterner quand même. Si la succion des bébés est à peu près équivalente, alternez moins souvent qu'à chaque boire. (« Martin boira au sein gauche toute la journée et Isabelle au sein droit. Demain, on changera. ») Vous pouvez utiliser un code de couleur — un petit ruban bleu attaché à votre bretelle de soutien-gorge — pour vous rappeler à quel sein chaque bébé devrait boire.

Prévoyez tout ce dont vous pourriez avoir besoin avant de vous installer pour allaiter. Une débarbouillette pourrait être nécessaire pour éponger les petits dégâts. Ayez à portée de main de l'eau ou un verre de lait (puisque vous devez bien vous hydrater), des noix, un fruit et un morceau de fromage (vous aurez sûrement faim !). Vous pouvez aussi garder des barres énergétiques près de l'endroit où vous allaitez. Puisqu'elles n'ont pas besoin d'être réfrigérées, elles seront disponibles nuit et jour. Et hop ! Vous pourrez manger en même temps que vos bébés ! C'est efficace, une maman de jumeaux ! Si vous avez des enfants plus âgés, prévoyez une collation pour eux aussi quand ils viendront vous voir. Ils ont besoin de savoir qu'ils sont encore importants pour vous. Ils choisiront probablement le moment où vous allaitez pour vous demander de l'attention. Vous pourriez aussi aimer avoir près de vous le téléphone, la liseuse électronique, la télécommande du téléviseur ou une revue à feuilleter. Prenez l'habitude d'allaiter parfois ailleurs que dans la chambre, dans le calme et la pénombre. Cela vous sera utile lors de vos sorties. Certains bébés allaités ont besoin d'un calme presque complet pour bien boire. La maman doit parfois utiliser une petite couverture pour éviter les distractions. Certains bébés sont dérangés lorsque leur maman discute, même au téléphone. Vous devrez vous habituer à toutes ces petites exigences qui peuvent rendre l'allaitement un peu moins idyllique.

Parfois, les deux bébés ont si faim qu'il est impossible d'en faire attendre un. Pour gagner quelques précieuses minutes de sommeil, par exemple, vous pouvez allaiter les deux bébés en même temps. Certaines mères se sentent encore plus « mère de jumeaux » lorsqu'elles les voient boire ainsi et adorent la rapidité d'exécution que cela permet. D'autres ont l'impression d'être des « machines à lait ». Vous tenterez probablement l'expérience au moins à quelques reprises, car cela peut effectivement être utile à l'occasion. Pour allaiter simultanément des jumeaux, plusieurs options s'offrent à vous.

La position classique : Les deux bébés sont devant vous, les corps croisés l'un par-dessus l'autre. Ne vous inquiétez pas, ils y sont habitués ; ils ont même beaucoup plus de place que lorsqu'ils étaient dans l'utérus ! Il peut être utile de coucher les bébés sur des oreillers ou sur un coussin d'allaitement afin d'avoir les mains libres. Vous serez ainsi prête à intervenir plus rapidement si l'un des bébés s'étouffe ou si vous devez faire faire un rot à l'un des jumeaux.

La position du « ballon de rugby » : Les corps des bébés sont placés sur des oreillers de chaque côté de la maman, sous ses bras, les pieds vers l'arrière. Cette position permet aussi d'avoir les mains libres.

La position maman couchée : La maman est allongée sur le dos et les bébés sont installés à ses côtés, sous ses bras, les pieds sur le lit, ou allongés eux aussi, parallèlement à la maman.

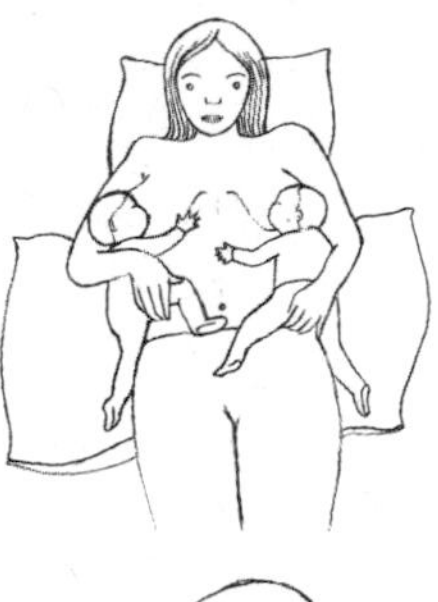

La position mixte : L'un des bébés est en position **« ballon de rugby »**, les pieds vers l'arrière, et l'autre dans la position **« classique »**, c'est-à-dire devant vous.

Il est possible d'allaiter des jumeaux, même si cela n'est pas toujours facile. Si vous tenez à allaiter, ne vous laissez pas dissuader par les commentaires négatifs que vous entendrez autour de vous. Communiquez avec des personnes qui ont vécu l'expérience avec succès lorsque vous aurez besoin de réponses ou d'une oreille compatissante. Accordez-vous suffisamment de temps pour vous habituer et vous sentir à l'aise avec l'allaitement. Les semaines plus difficiles seront vite passées. Bientôt, vos bébés babilleront, se tiendront assis tout seuls et vous feront des sourires charmeurs. Vous leur pardonnerez tout et vous serez heureuse d'avoir respecté votre choix. Et si un jour vous changez d'idée pour des raisons qui vous appartiennent, ne considérez pas que vous avez échoué. Vous aurez donné le meilleur de vous-même pendant cette période. On ne peut pas demander plus ! Une fois l'allaitement bien établi, vous pouvez offrir un biberon de votre lait à l'un des bébés pour lui permettre de s'habituer à cette nouvelle façon de boire. Il se peut que vos jumeaux ne soient pas très contents les premières fois, mais ils finiront par s'habituer. Lorsque vous cesserez définitivement d'allaiter, les bébés auront pris l'habitude de boire au biberon et le sevrage s'en trouvera facilité.

Que penser de la sucette ? Peut-on l'utiliser ? Il existe plusieurs écoles de pensée. Quelques bébés allaités — assez rares heureusement — ont de la difficulté à reprendre le sein après avoir pris la sucette. Plusieurs bébés n'ont aucun problème avec la sucette. Tentez l'expérience si vous en avez envie. Soyez simplement conscient que la sucette peut créer de la confusion au début. Habituellement, après quatre à six semaines, il est tout à fait possible d'offrir la sucette aux bébés sans créer de problèmes. Cela permet de les calmer et de donner plus de liberté à la maman… Quel bonheur !

Opter pour les biberons de lait maternisé

Vous aimeriez évidemment pouvoir prendre tendrement chaque bébé dans vos bras pour lui offrir le biberon. Rappelez-vous toutefois que vous n'avez que deux bras…

Si les deux bébés vous réclament avec urgence, installez-les dans les transats ou les coquilles de vos sièges pour l'auto et donnez-leur les deux biberons en même temps. En déposant le biberon sur un porte-biberon ou sur une serviette roulée dans l'angle qui permet à l'enfant de boire, vous aurez les mains libres pour intervenir si nécessaire et pour aider les bébés à faire leur rot. Évidemment, si votre conjoint (ou une autre personne) est avec vous, les deux bébés pourront boire en même temps.

Certains parents préparent d'avance les biberons pour chaque période de 24 heures. Il faut cependant savoir avec précision la quantité dont vous avez besoin. Il est en effet préférable d'éviter le gaspillage, car il s'agit d'un produit assez coûteux. Au début, versez de plus petites quantités dans chaque biberon, quitte à faire chauffer d'autre lait maternisé si l'enfant ne semble pas rassasié (il ne faut pas réchauffer un biberon de préparation lactée une deuxième fois). Vous pouvez en préparer un peu plus lorsqu'une poussée de croissance s'annonce. Avec le temps, vous serez à même de mieux prévoir la quantité nécessaire pour combler les besoins de vos poupons. Si la préparation lactée est déjà prête, vous pouvez la faire réchauffer dans un contenant d'eau chaude ou dans un chauffe-biberon. Lorsque vous saurez plus facilement prévoir l'heure du prochain boire, vous pourrez sortir le biberon quelques minutes à l'avance. Il atteindra plus rapidement la bonne température lorsque vous le déposerez dans l'eau chaude. Si vous utilisez le four à micro-ondes pour faire chauffer le lait, assurez-vous de bien vérifier sa température avant de le donner au bébé. Agitez le biberon pour bien mélanger le lait plus chaud avec le lait plus froid. Souvent, le contenu est beaucoup plus chaud que le contenant. Un lait qui a trop chauffé est aussi plus difficile à digérer pour certains bébés. Vous devrez par ailleurs attendre qu'il refroidisse avant de le lui donner. D'autres parents préparent les biberons au fur et à mesure. Vous pouvez faire chauffer rapidement de l'eau bouillie au micro-ondes, mais vous devrez ensuite attendre qu'elle refroidisse avant d'y verser la préparation en poudre. Quelle que soit la méthode employée, vérifiez toujours la chaleur du lait en versant quelques gouttes sur l'intérieur de votre poignet.

Combiner allaitement et biberons

Pour faciliter l'acceptation du biberon par vos bébés, choisissez les tétines qui ressemblent le plus possible à vos mamelons. Il en existe toute une panoplie de formes, de textures et de débits. Les bébés vous feront rapidement comprendre ce qu'ils aiment et ce qu'ils n'aiment pas. C'est eux qui auront le dernier mot. Assurez-vous que le débit est assez lent : si vous voulez qu'ils continuent à accepter le sein, il ne doit pas être trop facile pour eux de boire au biberon. Le débit sera plus lent si les bébés sont en position semi-assise et que le biberon est maintenu à l'horizontale (juste assez incliné pour garder la tétine remplie).

Vous mangez, vous aussi ?

Il ne faut pas oublier que les grands doivent eux aussi manger ! Est-ce une priorité pour vous que de vous retrouver à table au moins une fois par jour avec votre conjoint et les autres enfants ? Avez-vous l'impression que ces quelques minutes en famille rassurent les aînés en leur montrant qu'ils ont toujours leur place et que vous exercez encore un certain contrôle sur votre quotidien ? C'est souvent un défi de réussir à prendre un tel repas et à discuter avec son conjoint et les autres membres de la famille. Encore une fois, l'organisation est la clé du succès. Profitez du moment où les bébés dorment pour passer à table. En prévoyant l'heure approximative du prochain boire, vous pourrez planifier le moment du repas en famille. Vous devrez cependant faire preuve de flexibilité : vous mangerez parfois à 17 h, parfois à 19 h. Pour ma part, lorsque c'était possible, je préférais que les bébés mangent avant le reste de la famille. Pendant que l'on mange, il est plus facile de prendre un bébé pendant quelques instants pour l'aider à faire un rot que de tenter de le faire patienter quand il a vraiment faim. Manger avant les bébés ou après ? À vous de déterminer la solution qui vous convient le mieux.

S'il faut faire boire les bébés avant le repas des grands, il est utile d'avoir sous la main quelques collations santé (légumes crus, noix, fruits, fromage) pour réussir à faire patienter les enfants qui arrivent de l'école ou les adultes qui commencent à manquer d'énergie. Au cours des premières semaines, vous apprécierez particulièrement les plats mijotés ou les repas préparés avant l'accouchement. Ces derniers peuvent être réchauffés et il n'est pas nécessaire de les manger aussitôt qu'ils sont prêts.

Pour contenter les autres enfants qui ont très faim, il se peut que vous précipitiez les choses et que vous vous dépêchiez de manger avant que les bébés vous réclament. L'heure du repas ne sera pas aussi agréable que si vous pouviez prendre tout votre temps. Sachez qu'il est particulièrement difficile pour une maman qui allaite d'apprécier un repas lorsqu'elle sait que ses bébés ont faim eux aussi. Il faut qu'elle réussisse à se détendre rapidement pour permettre à l'enfant de boire. Plusieurs femmes renouent alors avec les brûlures d'estomac qu'elles ont connues lors de la grossesse.

Les bains

Pour les parents épuisés, les bains ne sont qu'une tâche supplémentaire. Sachez que les bébés n'ont pas besoin de prendre un bain chaque jour. Aucune instance gouvernementale n'est établie pour en faire la vérification. Après tout, vos nouveau-nés ne jouent pas encore dans le carré de sable, vous leur lavez les fesses plusieurs fois par jour lors des changements de couche et vous essuyez le lait qui a coulé dans les plis de leur cou après le boire. Leur donner leur bain l'un après l'autre fera aussi en sorte de vous faire changer l'eau du bain, qui se sera éventuellement trop refroidie. Vous pouvez très bien leur donner un bain tous les deux jours. Leur peau fragile aura moins tendance à s'assécher et votre dos ne s'en portera que mieux. Vous pouvez par exemple décider de baigner un bébé par jour, en alternance. Si vous tenez à leur donner un bain par jour, vous pouvez choisir d'en baigner un le matin et un plus tard dans la journée.

Le coucher

Où faire dormir les jumeaux ?

Vos nouveau-nés dormiront une grande partie de la journée. Où que vous les couchiez, il est presque certain qu'ils ne se dérangeront pas au cours des premières semaines. Après tout, dans les anciennes pouponnières des hôpitaux, la moitié des bébés pleurait et l'autre moitié dormait à poings fermés.

Pour aider l'enfant à bien dormir, plusieurs utilisent un « bruit blanc », c'est-à-dire un son continu, régulier, comme celui produit par un purificateur d'air. Il existe des applications mobiles qui reproduisent les bruits qu'entendaient les bébés dans l'utérus. Si le but est de reproduire des sons qui rassureront les poupons, un poste de radio mal ajusté peut faire l'affaire. Les sons parasites qu'il produit permettent en outre de camoufler les autres bruits de la maison.

Faut-il faire dormir les bébés dans la chambre des parents ? Il existe encore une fois deux écoles de pensée. De nombreux nouveaux parents font dormir leur bébé dans leur chambre la nuit. Lorsqu'on n'a qu'un seul bébé, cela est assez facile. Avec deux bébés, il est parfois plus difficile de trouver de la place pour deux petits berceaux ou une grande couchette. Il faut aussi savoir que les bébés font beaucoup de bruit en dormant. Ces bruits, s'ils rassurent certaines nouvelles mamans, en empêchent aussi d'autres de dormir. Pendant ce temps, les petits dorment très bien, eux. Or, le sommeil est une denrée rare pour les parents de jumeaux : vous devez dès lors profiter de toutes les occasions possibles pour récupérer. Si les bruits que font les nouveau-nés en dormant perturbent votre sommeil, faites-les dormir dans une autre pièce.

Plusieurs parents choisissent de faire dormir les bébés dans une chambre à part pour favoriser leur propre sommeil. Attention ! Si vous installez des moniteurs dans la chambre des bébés, vous entendrez quand même tout ce qui s'y passe. Ces appareils sont surtout pratiques parce qu'ils permettent au parent d'aller dehors pendant la sieste tout en sachant qu'il entendra le bébé s'il se réveille. Ils peuvent aussi permettre de savoir si l'aîné de 3 ans fait effectivement la sieste ou s'il parle tout l'après-midi à ses animaux en peluche. Les moniteurs n'ont pas toujours existé et ils ne sont pas absolument essentiels pour la nuit. Si vos petits sont dans la chambre d'à côté, vous les entendrez sûrement dès qu'ils vous réclameront.

Dans quelle couchette ?

Certains craignent que les enfants couchés dans la même couchette roulent l'un sur l'autre. D'autres préconisent de coucher les jumeaux dans la même couchette pendant les premières semaines. Cette hypothèse n'a pas encore été prouvée hors de tout doute, mais une étude récente tend à démontrer que le fait de coucher les jumeaux tout près l'un de l'autre peut diminuer le risque de syndrome de mort subite du nourrisson.

› Une seule couchette

La plupart des parents que je connais ont fait dormir leurs jumeaux dans la même couchette sans problème. C'est ce que j'ai fait. Il me semblait que ces deux petits êtres, qui ont passé les neuf premiers mois de leur vie dans un même utérus, ne s'y sentiraient pas trop à l'étroit. En couchant les jumeaux ensemble, certains parents ont même dit sentir une espèce de plénitude s'installer entre eux. Mes jumeaux ont partagé une seule couchette pendant quelques mois sans se nuire d'aucune façon. Au début, je les couchais tous les deux à la tête du lit puis au pied du lit pendant quelques dodos avant de défaire le lit pour laver les draps. Lorsqu'ils se sont mis à bouger un peu plus, j'ai couché un bébé à chaque bout du lit afin qu'ils aient un peu plus de place tout en restant près l'un de l'autre.

Même si vous choisissez de coucher vos jumeaux dans des couchettes séparées pendant les premières semaines, vous pouvez coucher chaque bébé d'abord à la tête du lit et ensuite au pied avant de défaire le lit et de laver les draps. Vous pouvez même déposer une alaise à la tête du lit et une autre au pied du lit, par-dessus les draps. Lorsque l'alaise doit être lavée, il suffit d'en remettre une nouvelle ou de coucher les bébés directement sur le drap. Vous réduisez ainsi le temps passé à défaire et à refaire les lits et vous limitez le nombre de lavages. Il vous sera plus agréable de ne pas avoir à changer les draps de deux lits, deux fois par jour, simplement parce que les bébés ont régurgité un peu.

Si la chambre des bébés est à l'étage et que vous optez pour coucher les enfants dans la même couchette, vous pouvez très bien installer la deuxième couchette dans une pièce au rez-de-chaussée, du moins temporairement. Vous éviterez ainsi de monter et de descendre constamment les escaliers avec un bébé dans les bras.

Des listes pour vous aider

En tant que parent de jumeaux, vous aurez sans doute beaucoup de choses en tête. La vie est rarement aussi simple qu'on le voudrait. Il y a tant de choses à penser : les factures à régler, les assurances à renouveler, la vidange d'huile de l'auto à effectuer, les courses à faire, etc. La liste ne fait que s'allonger. Ajoutez à cela les besoins de chaque membre de la famille : les boires des jumeaux, les bains, le temps de bricoler ou de jouer dehors avec les plus vieux, un peu de temps pour le couple, si facile à « oublier »... Il est normal que vous vous sentiez un peu dépassé.

Après quelques semaines, les journées finissent par se ressembler. Vous donnez à boire et vous changez les bébés toutes les deux ou trois heures, sans arrêt, nuit et jour. Vous dormez lorsque vous pouvez et vous essayez de bien manger pour garder vos forces. Vous fonctionnez un peu à la manière d'un robot : votre vie est une succession de tâches répétitives. Pour l'instant, la nuit et le jour se confondent, dans la tête de vos poupons comme dans la vôtre. Gardez espoir : un beau jour, vous constaterez que les bébés ont dormi quatre heures d'affilée. Quel bonheur !

Vous avez probablement les idées un peu confuses. Vous fonctionnez tant bien que mal malgré le manque constant de sommeil. Pourquoi ne pas tenter de vous simplifier la tâche en dressant des listes ? Il existe des applications conçues sur mesure que vous pouvez télécharger sur votre téléphone intelligent. Une simple feuille affichée sur le réfrigérateur ou derrière une porte d'armoire peut aussi vous épargner bien des questionnements. Les informations seront aussi plus facilement accessibles pour les autres adultes qui viennent parfois vous donner un coup de main.

Que note-t-on sur ces listes ?

Les boires

Vous pouvez noter tout ce qui vous semble important, selon vos priorités, vos besoins et vos bébés. Par exemple :

- À quelle heure les jumeaux ont-ils bu ?
- Quel jumeau a bu le premier ? S'il a mis 45 minutes pour boire, cela influence l'heure du boire du deuxième.
- Lequel a eu le biberon et lequel a pris le sein ?
- La qualité de chaque boire, s'il y a lieu. A-t-il bien bu ou s'est-il endormi après quatre minutes au sein ?
- A-t-il pris le biberon avec un porte-biberon tandis qu'il était dans les bras d'un parent ou dans son siège ?

> Des notes fort utiles

C'est une habitude à prendre, tout simplement. Je me suis rendu compte à quel point cela avait de l'importance lorsqu'une nuit, j'ai vu mon mari s'apprêter à faire boire le jumeau que je venais d'allaiter. C'était d'un rot dont il avait besoin. Cela m'a confirmé qu'il fallait bien remplir la liste.

L'état de santé

- Quel bébé a eu son bain hier ?
- Quel bébé a fait des selles ? Cela peut parfois expliquer un mal de ventre et des pleurs.
- Quel bébé a pris ses vitamines aujourd'hui ?
- Un peu de fièvre ? Quel bébé a reçu le sirop médicamenté et à quelle heure ?

Les dodos

Vous pouvez aussi faire, comme moi, une « liste de la couchette ». Puisque mes deux bébés dormaient ensemble, je collais une feuille avec l'initiale du bébé à la tête ou au pied du lit (ma fille de 2 ans m'avait d'ailleurs demandé pourquoi je ne plaçais pas le collant directement sur les bébés…). J'alternais entre les deux extrémités du lit pour savoir où chacun dormait afin d'encourager chaque enfant à tourner la tête des deux côtés, selon l'emplacement de la fenêtre ou le côté d'où arrivaient ses parents.

Si vous avez l'impression de perdre votre temps avec de telles listes, libre à vous de ne pas en faire. En règle générale, toutefois, les parents de jumeaux utilisent au moins une ou deux listes. Chaque famille ayant sa dynamique propre, l'utilisation des listes peut être essentielle ou superflue. C'est en tentant l'expérience que vous saurez ce qui vous convient le mieux.

Les autres enfants

Pendant la grossesse, vous avez sûrement parlé à votre aîné de l'arrivée des jumeaux. S'il ne faut pas dramatiser la situation, il est important qu'il sache que les bébés vont occuper ses parents. Il n'est pas facile pour un tout-petit de les imaginer autrement que disponibles. À votre retour à la maison, offrez-lui une petite gâterie de la part des bébés. Il acceptera peut-être un peu plus facilement les petits. Un jouet qui l'encourage à jouer seul peut en même temps être un cadeau pour vous. Sachez toutefois qu'il préférera toujours jouer avec vous qu'avec de nouveaux jouets. Il est fort probable que les autres enfants choisissent le moment précis où vous allaitez pour réclamer votre attention. Il est tout à fait normal que l'enfant qui vient de « perdre » temporairement sa maman et qui la voit partager ce moment d'intimité avec les nouveaux venus veuille vérifier s'il a encore une place dans son cœur et dans ses bras.

> Rester disponible pour l'aîné

Pour ma part, je voulais éviter autant que possible de dire : « Maman ne peut pas être avec toi, car elle s'occupe de tes frères... » Lorsque ma grande de 2 ans avait envie de se coller sur sa maman, je déposais tout mon attirail par terre pour lui faire une place avec nous. Je gardais à portée de la main un livre qu'on pouvait regarder ensemble. Elle restait 30 secondes et repartait jouer, rassurée. J'ai appris à m'installer tout de suite sur le sol en lui réservant sa place. Je trouvais important qu'elle ne se sente pas rejetée. Après quelques jours, elle s'assoyait à mes côtés et allaitait sa poupée pendant que j'allaitais l'un des bébés. J'ai aussi tenté de faire coïncider les boires avec les moments où ma grande était couchée ou absorbée par une émission de télévision afin qu'elle souffre moins du fait que j'étais occupée avec les jumeaux.

Même si l'on ne veut pas utiliser la télévision comme « gardienne » de l'aîné, une émission occasionnelle peut être utile pour atténuer la peine qu'il ressent à voir sa maman encore occupée pendant les boires. D'ailleurs, si l'aîné pleure en même temps qu'un des bébés, il est probablement préférable de lui accorder votre attention en premier. Le bébé n'en saura rien — on ne parle après tout que d'une ou deux minutes —, tandis que le grand se sentira exclu et acceptera peut-être moins bien les bébés s'il passe toujours en deuxième. Il est probable que vous refusiez plusieurs demandes à votre aîné. Rappelez-lui souvent que votre amour pour lui demeure inchangé et que vous comprenez qu'il trouve difficile de vivre tous ces chambardements. Quelle que soit votre situation, votre aîné a besoin de câlins et de moments pendant lesquels il aura toute votre attention, ne serait-ce que quelques minutes. Faites un petit bricolage avec lui, lisez-lui une histoire ou demandez-lui de vous aider dans la cuisine… De nombreuses activités peuvent lui faire apprécier le fait d'être le plus grand.

> Chaque enfant est unique

Le hasard a voulu que je donne naissance à des jumeaux garçons, ce qui garantissait une certaine exclusivité à ma fille. Elle était ma complice, nous étions « les deux seules filles de la maison ». J'ai exploité cette situation au maximum et je crois bien que cela a aidé Marie-France à comprendre qu'elle serait toujours unique à mes yeux.

Dans plusieurs ouvrages, on suggère de faire participer l'aîné afin qu'il accepte mieux l'arrivée du ou des nouveaux bébés. L'idée est intéressante, mais il faut s'assurer que l'enfant a envie de faire les tâches qu'on lui confie.

Par ailleurs, on ne peut pas s'attendre à ce qu'un enfant de 3 ans se montre toujours raisonnable et responsable. Si celui-ci est déjà jaloux de la présence des bébés, il est loin d'être certain qu'il aura envie de vous aider à vous en occuper. C'est un peu comme si votre conjoint vous demandait de préparer un bon petit souper pour lui et sa nouvelle maîtresse. Avouez que cela pourrait être mal reçu…

Ne vous attendez donc pas à ce que l'aîné cesse de jouer ou de regarder une émission qu'il aime pour vous aider. Si sa participation est spontanée et qu'il est évident qu'il est heureux de rendre service, tant mieux ! Il se sentira utile et sera fier d'être votre « grand ». Si, en revanche, vous devez l'inciter à se montrer gentil envers les nouveaux bébés, un sentiment de frustration risque de se développer de part et d'autre. Ne soyez pas surpris si l'aide que vous recevez de la part de votre grand diminue soudainement. Il se peut en effet que l'attrait de la nouveauté s'estompe et qu'il ait envie d'explorer autre chose.

Si votre aîné a 2 ou 3 ans, il se peut qu'il traverse le stade du « non ». Lorsqu'il vous demande de l'attention, essayez d'éviter de lui dire « non ». Transformez votre refus en quelque chose de plus positif qu'il pourra mieux accepter. « Les bébés pleurent fort, tu ne trouves pas ? Je crois qu'ils ont faim et qu'ils ont besoin que je les fasse boire. Peut-être que toi aussi tu as un peu faim. Viens, je te donne un morceau de fromage. Les bébés sont trop petits pour manger du fromage, eux. Dès que tout le monde aura fini de manger, on pourra jouer ensemble avec tes autos. Veux-tu aller choisir l'auto qu'on fera rouler dans le corridor ? » Parler à votre enfant, c'est lui accorder de l'attention.

Existe-t-il toujours un couple ?

Après l'arrivée des jumeaux, il est difficile de partager des moments d'intimité sans être dérangés. Tâchez de ne pas oublier que si ces jumeaux sont arrivés, habituellement, c'est qu'il y a d'abord eu un couple... Il est fort possible que les soupers en tête-à-tête et les longues discussions soient impossibles pour le moment (sauf peut-être pendant les boires de nuit...). Sachez toutefois que chaque petite pensée, chaque petit geste que vous ferez pour faire plaisir au conjoint seront appréciés. Une mère racontait qu'elle savait que son mari aimait voir la table mise pour le souper à son retour du travail. Elle dressait donc parfois la table même si elle n'avait rien prévu pour remplir les assiettes. Elle se disait qu'au moins, la première impression serait bonne. Rares sont les gens qui n'aiment pas l'odeur des oignons qui rissolent. Parfois, le simple fait de sentir cette odeur donne l'impression que le souper est bientôt prêt. Cela peut faire plaisir au conjoint qui rentre à la maison après sa journée de travail. D'autres aimeront que le lit soit fait et que la chambre paraisse ainsi plus en ordre.

Comprendre papa

Il est tout à fait possible que le père et la mère ne perçoivent pas la naissance de leurs enfants de la même façon. Voici quelques réflexions qui aideront peut-être à ce que l'harmonie et l'entraide règnent de manière plus constante dans la maison...

Certains futurs pères n'envisagent pas concrètement les changements qu'apportera la présence de leurs jumeaux. Ils peuvent penser que la vie continuera comme avant.

Il faut donc comprendre que le papa restera probablement le même après l'arrivée des bébés. Après tout, la grossesse peut très bien ne pas l'avoir transformé autant que vous. Quelle sorte de conjoint est-il ? Si les demandes d'aide que vous avez formulées lors de la grossesse n'ont pas toujours été entendues, il est possible qu'il faille affirmer davantage vos nouvelles demandes de maman... D'où l'importance d'établir rapidement une bonne communication.

Avec le retour à maison débute véritablement la période d'adaptation aux bébés. La majorité des pères participent instinctivement à la nouvelle vie familiale : ils s'occupent des enfants et apprennent « sur le tas », au jour le jour, tout comme les mères. Il sera rassurant pour vous de savoir qu'il est là pour accomplir les tâches ou les partager. N'hésitez pas à le lui dire.

Par contre, pour d'autres hommes, le rôle de père ne sera pas aussi instinctif. Certains agiront plutôt comme des « aidants naturels » ou pourront donner l'impression — vraie ou fausse — qu'ils vous font un cadeau en vous aidant... Mais il reste que les jumeaux sont aussi *leurs* enfants. Dans certaines familles, il existe un clivage entre les rôles traditionnels « féminins » et « masculins ». Peut-être que votre conjoint n'a jamais vu participer son propre père aux tâches domestiques. N'ayant pas véritablement de modèle, il sera probablement plus difficile pour lui de se sentir à l'aise dans son nouveau rôle. Il faudra lui donner plus de temps.

On remarque aussi, dans plusieurs couples, que les tâches sont habituellement distribuées selon les talents naturels de chacun. Or, en plus du lavage, du ménage, des comptes, de l'épicerie et des repas, il y a maintenant toute une panoplie de nouvelles tâches à faire chaque jour : donner les boires, changer les couches, endormir deux enfants souvent simultanément, etc. Il se peut que papa ne se sente pas interpellé par ces tâches. Cependant, une excuse classique comme : « Je n'aime pas changer les couches » ne devrait pas être acceptée si facilement… Ce genre de réaction cache souvent une crainte de ne pas être à la hauteur, de ne pas savoir comment bien entreprendre et réussir une tâche. Ce sentiment d'incompétence est particulièrement déstabilisant pour quelqu'un qui est normalement en contrôle. Cela peut être le cas de votre conjoint. Il faudra alors lui donner confiance en ses capacités d'apprendre. Vous apprenez ensemble, alors partagez les petits trucs que l'un ou l'autre développe. Invitez par exemple votre conjoint à venir constater comment vous vous y prenez maintenant pour donner le biberon ou pour placer la couche afin d'éviter les débordements. Peut-être trouvera-t-il un autre moyen qui sera tout aussi efficace. Ne surveillez pas ses moindres gestes, mais offrez-lui de l'aide quand il le demande, comme il le fait sans doute pour vous. Évitez de le « prendre en pitié » ou d'émettre des jugements désobligeants. Avec de tels commentaires, vous ouvrez progressivement la porte à une vie de travail en solitaire. Même quand vous avez l'impression qu'habiller un bébé lui prend trop de temps, laissez-le apprendre. Soyez patiente. Vous l'apprécierez bientôt !

Pour certains pères, il est difficile de participer aux soins de base des bébés. Ils peuvent avoir peur de leur faire du mal tant ils les trouvent fragiles et petits. D'autres ne se sentent pas à l'aise d'interagir avec de petits êtres qui ne réagissent pas encore. Ils se disent qu'il sera plus facile d'avoir une véritable interaction avec eux quand ils parleront et seront plus autonomes. Ils pourront alors jouer ou faire du sport avec eux. Si c'est le cas de votre conjoint, parlez-lui du lien d'attachement qui se crée graduellement avec les enfants. Si ce lien est établi quand l'enfant est très jeune, celui-ci aura encore plus de plaisir à faire un bricolage avec papa ou à ramasser les feuilles avec lui dans la cour quand il aura 5 ou 6 ans. Acceptez avec plaisir toute l'aide que votre conjoint vous offrira et remerciez-le pour ses petites attentions. N'hésitez cependant pas non plus à lui dire qu'une journée n'a pas été facile pour vous parce que les jumeaux ont été particulièrement exigeants. Il comprendra mieux comment vous vous sentez et pourra vous venir en aide plus adéquatement.

Il arrive que la famille qui accueille des jumeaux compte d'autres enfants, dont certains sont issus d'une relation précédente. Si votre conjoint a déjà des enfants, profitez de son expérience. Toutefois, considérez aussi que chaque enfant et chaque situation restent uniques. Si vous avez d'autres enfants, vous verrez que ce qui s'est avéré efficace pour certains d'entre eux ne l'est pas nécessairement avec les jumeaux. Évaluez ensemble si les astuces tirées d'expériences précédentes sont applicables dans le cas de vos jumeaux. Quelle que soit votre situation, laissez, d'un côté comme de l'autre, la porte ouverte à la communication.

Le rôle de père

Certains nouveaux pères trouvent difficile de partager l'attention et l'amour de leur conjointe avec une nouvelle petite personne. Cela est d'autant plus difficile lorsqu'ils doivent les partager avec *deux* enfants. Les papas de jumeaux aident davantage, puisque la situation l'exige, mais, souvent, ils ont aussi le sentiment d'être encore plus mis à l'écart. Certains en veulent presque à ces deux petits êtres qui leur ont volé leur amoureuse ! Il leur est parfois difficile de trouver leur place. Les quelques pages suivantes leur sont destinées.

Être père de jumeaux devrait être une merveilleuse expérience. Vous avez la possibilité d'être doublement impliqué. Il y a toujours un bébé à bercer, à changer ou à baigner. Profitez de toutes ces occasions pour câliner vos bébés. C'est grâce à ces contacts que vous développerez votre confiance en vos capacités de père. Vous en viendrez à apprécier ces moments privilégiés avec vos enfants. Même si votre conjointe allaite, vous pouvez changer les couches avant le boire, faire faire les rots, baigner ou bercer les petits en chantant. Quel bonheur !

Or, l'arrivée de jumeaux entraîne son lot de tensions, de fatigue et de questionnements. La vie avec les jumeaux n'est pas de tout repos pour le couple. Vous vivrez peut-être un *spleen* vous aussi lorsque vous constaterez que votre quotidien ne correspond pas au scénario que vous aviez imaginé. Il est difficile de perdre ses illusions. Vous aviez rêvé de former une petite famille idéale avec une maman et un papa qui se regardent amoureusement devant leurs deux petits enfants endormis. Mais, pour l'instant, il y a tout simplement trop de choses à faire et pas assez d'heures de sommeil. Des membres de la famille ont promis de vous aider ? Ne vous y fiez pas trop. S'ils vous accompagnent effectivement dans l'aventure, tant mieux. La plupart du temps, toutefois, ils retournent rapidement à leurs occupations. Entraidez-vous dans le couple : vos liens n'en seront que plus forts.

Votre rôle de père consiste notamment à apporter du soutien à la nouvelle maman. Porter et sentir bouger un bébé peut être une expérience extrêmement intense. Après l'accouchement, la nouvelle maman tente parfois de prolonger ce bonheur avec le bébé, de continuer à vivre un peu la symbiose parfaite de la grossesse. Si elle vous a accordé amour et attention pendant cette période, il lui est peut-être plus difficile de vous démontrer son amour maintenant qu'elle est mère de jumeaux. Les demandes incessantes de deux nouveau-nés l'empêchent parfois de prendre simplement le temps d'être heureuse avec eux. Elle réussit assez difficilement à combler les besoins des bébés ; elle se dit sans doute que papa est capable de s'organiser, lui. Vous vous sentirez possiblement un peu délaissé. Comme on l'a déjà vu, il est plus difficile pour les parents de jumeaux de créer des liens d'attachement avec leurs bébés. Votre conjointe apprend à connaître et à s'attacher à ses bébés en même temps qu'elle doit s'en détacher. Cela est déchirant pour la nouvelle maman ! Il se peut que vous ayez parfois envie de rappeler à votre conjointe que vous existez encore. Tentez d'aborder calmement le sujet avec elle. Exprimez-lui vos pensées et faites-lui part de votre questionnement. Profitez-en pour la prendre dans vos bras : vous en avez tous les deux besoin.

Vous voyez bien que votre conjointe a vraiment besoin de vous, de vos bras, de votre soutien. Vous voulez aider, mais vous ne savez pas par où commencer ? Demandez-lui ce qu'elle aimerait que vous fassiez. Offrez-lui de vous occuper de diverses tâches ménagères. Vous pouvez lui manifester votre amour en cuisinant, en faisant les courses, en sortant les poubelles ou en réglant les factures qui s'accumulent. Tâchez de ne pas puiser dans la réserve du congélateur lorsque vous êtes à la maison ; laissez-lui ces repas pour les journées où vous êtes absent. Nettoyez la cuisine après le repas et videz le lave-vaisselle pour lui permettre de souffler.

Vous aurez plus de plaisir à jouer votre rôle de père si vous acceptez que certaines choses ne soient plus jamais comme avant. Il n'est pas facile de faire fonctionner une maison, avec tout ce que cela implique, tout en répondant aux nombreux besoins de jumeaux. Au retour du travail, vous pouvez faire une brassée de lavage et repasser la chemise dont vous aurez besoin le lendemain. Évitez de faire des reproches à votre conjointe si le souper n'est pas prêt lorsque vous arrivez à la maison. Si possible, téléphonez pour lui demander si elle a besoin que vous vous arrêtiez acheter quelque chose... Reste-t-il un repas congelé qui serait prêt en moins de deux ? C'est peut-être aussi le moment de vous gâter en vous faisant livrer à manger.

Vous avez envie de faire plaisir à la maman fatiguée ? Un bain mousse, avec de la musique pour enterrer certains petits cris, constitue le summum du bonheur pour une nouvelle mère de jumeaux. Une douche chaude ou un massage qui délie les muscles tendus, voilà qui calme des nerfs à fleur de peau. Je me souviens d'avoir régulièrement pleuré d'épuisement sous la douche. Si j'entendais pleurer les bébés lorsque j'arrêtais l'eau, je rouvrais le robinet pendant quelques minutes encore. Je sortais de la douche quand les bébés ne pleuraient plus ou que mon sentiment de culpabilité me poussait à aller à la rescousse d'un papa débordé. Quinze minutes de relaxation dans une journée peuvent aider la maman à mieux entreprendre la journée suivante ! Par ailleurs, n'oubliez pas que vous aurez probablement besoin vous aussi de ces petits répits. Votre conjointe comprendra si vous lui dites que vous avez besoin d'un petit tour de vélo avant de prendre la relève. C'est en discutant ensemble de vos besoins que vous réussirez à mieux vivre cette étape exigeante.

> Le père idéal

J'ai eu la chance d'avoir un conjoint idéal ; toujours présent, aimant, soutenant. Il donnait le biberon à l'un des bébés pendant que j'allaitais l'autre. Il donnait le bain aux enfants, endormait l'un des jumeaux dans ses bras (et s'endormait lui-même aussi, en règle générale). Il s'occupait beaucoup de notre fillette de 2 ans : il lui lisait des histoires et l'emmenait faire des tours à vélo. Il participait aux tâches ménagères ; il a même appris à cuisiner ! Quelques années plus tard, mon mari m'a avoué qu'il lui avait fallu environ huit mois pour développer un véritable amour envers ses propres fils. Pendant les premiers mois, il avait l'impression de ne répondre qu'à leurs besoins de base. Le tourbillon d'activités laissait peu de place au plaisir d'être papa. Il s'est pourtant impliqué dès le début. Avec le temps, il a fini par apprécier le lien qu'il avait réussi à tisser avec eux au fil des mois et il est devenu très fier de ses jumeaux. Cela démontre qu'il faut parfois du temps pour développer un lien d'attachement avec ses enfants. Si c'est en forgeant qu'on devient forgeron, c'est aussi en essayant d'être un bon parent qu'on le devient.

Quand vous voyez que votre conjointe a eu une journée difficile, essayez de vous mettre à sa place. Ses patrons sont peut-être plus petits, mais ils sont sans doute encore plus exigeants que les vôtres !

Et maman dans tout ça ?

Ce n'est pas par hasard que l'on parle de la maman à la fin du chapitre consacré au retour à la maison. Les mères ont tendance à s'oublier, à répondre en dernier à leurs propres besoins. Il ne faudrait pourtant pas que ce soit toujours le cas. Comment faire pour s'accorder un peu de temps lorsqu'on est maman de jumeaux ? Une bonne alimentation favorise le maintien de la santé, de la forme physique et du moral. Il ne faut pas penser uniquement aux bébés ! Si quelqu'un peut vous aider au retour de l'hôpital, demandez-lui de vous préparer des bâtonnets de carottes et de céleri que vous mettrez au réfrigérateur dans un peu d'eau salée. Vous aurez ainsi une petite collation santé à portée de la main lorsque vous aurez une fringale. Il s'agit là d'une façon toute simple de vous occuper de vous.

Si vous avez la chance de pouvoir compter sur un adulte en qui vous avez confiance, profitez-en pour prendre l'air quelques minutes, sortir regarder le monde qui vous entoure et respirer profondément en marchant d'un pas lent. Quel bonheur ! Faites le tour du pâté de maisons, allez au parc, trouvez-vous un coin tranquille pour vous asseoir et laissez le soleil vous caresser le visage. Quelques minutes bien utilisées peuvent vous permettre de surmonter les journées difficiles.

Vous vous sentez un peu déprimée et vous avez besoin d'un petit remontant ? Tâchez de vous remémorer à quel point vous étiez heureuse en attendant vos jumeaux. Il y a à peine quelques semaines, vous ne pouviez que les imaginer. Rappelez-vous la chance que vous avez, même si vous trouvez les choses très difficiles en ce moment.

Essayez de remarquer les petits plaisirs que vous apportent vos jumeaux. On ne peut que sourire lorsqu'on voit l'un des bébés sucer le pouce de l'autre ou s'émerveiller en voyant deux petits bébés qui dorment à poings fermés, collés l'un contre l'autre.

Relisez le chapitre portant sur la préparation de l'arrivée des jumeaux. À l'époque, vous l'avez lu en hochant la tête, sans nécessairement saisir toute la portée des diverses recommandations. Aujourd'hui, vous vivez concrètement cette réalité. Rappelez-vous : « La maman parfaite, toujours maquillée, souriante et reposée, qui vit dans une maison toujours bien rangée n'existe qu'à la télévision. » Permettez-vous de ne pas être parfaite. Un jour, vous aurez le temps et l'énergie nécessaires pour placer les livres dans la bibliothèque par ordre alphabétique. Pour le moment, acceptez les petites victoires : prendre votre douche ou faire les courses sera probablement votre exploit de la journée.

C'est souvent après quelques semaines que la maman commence à ressentir une plus grande fatigue. L'adrénaline s'estompe, l'effet cumulé des nuits raccourcies se fait sentir et les exigences quotidiennes de la famille semblent plus lourdes maintenant que vous avez un peu moins d'aide.

> Mylène

Mylène est une nouvelle maman de jumeaux. Elle est épuisée. Elle a l'impression de n'exister que pour ses bébés. Un jour, elle songe au fait qu'elle est encore une femme et qu'elle doit reprendre sa vie en main. Par curiosité, elle sort le pèse-personne et décide de vérifier combien il lui reste de poids à perdre. Elle sursaute en constatant qu'elle pèse 4 kg de plus que la dernière fois qu'elle s'est pesée. Elle est découragée ! Puis, elle se rend compte qu'elle tient un de ses bébés dans ses bras... Ouf !

Les mamans sont habituellement assez douées pour trouver mille et une raisons de se sentir coupables. À l'époque, seule la progéniture comptait dans la vie d'une femme ; elle était toujours disponible pour répondre aux moindres besoins de ses petits. La société projette encore souvent l'image de cette maman idéale, dévouée et souriante. Même avec un seul bébé, rares sont les femmes qui vivent une telle réalité. Les parents de jumeaux se sentent constamment déchirés entre les deux bébés. Lorsqu'ils bercent l'un des enfants, ils ont l'impression « d'abandonner » l'autre. Ne vous culpabilisez pas inutilement. Les bébés doivent apprendre à attendre, à partager. Ce n'est facile ni pour vous ni pour eux, mais, comme vous n'avez que deux bras, tout le monde doit composer avec cette réalité. Comme le fait remarquer l'auteur Frédéric Lepage[6] :

« La maman de jumeaux, doublement sollicitée, voudrait offrir à ses deux bébés la même plénitude, mais un complexe de culpabilité lui fait quelquefois penser qu'elle ne peut suffire à la tâche. Quand je leur donne le biberon, dit l'une d'elles, je fais manger d'abord celui qui a apparemment le plus faim. Aussitôt, l'autre se met à grogner, à pleurer. Alors, au lieu de regarder et de sourire à celui qui boit, comme ferait une autre maman, je regarde celui qui attend et c'est à lui que je parle, tout en m'impatientant un peu contre lui. Je souffre de ne pas pouvoir me donner à eux. »

> Déliska

Déliska, une nouvelle maman de jumelles, avait trouvé une belle façon de se déculpabiliser par rapport au peu de temps qu'elle pouvait consacrer individuellement à ses filles. Pendant la nuit, quand tout était tranquille et qu'une des filles se mettait à pleurer, Déliska lui offrait rapidement un biberon appuyé sur une petite serviette roulée. Pendant que Naomi buvait, sa maman en profitait pour prendre quelques minutes avec Danaé. Elle prenait le temps de la réveiller tranquillement, de lui parler, de la bercer pendant quelques minutes, de changer sa couche tout en douceur et, lorsque celle-ci était prête pour son boire, Déliska lui installait le biberon à son tour, sur la petite serviette roulée. Habituellement, à ce moment-là, Naomi était prête à faire son rot et c'était à son tour de profiter de quelques minutes dans les bras de maman. Déliska adorait ces moments de tranquillité.

Elle avait enfin du temps pour ses filles, ce qui comblait à la fois son propre besoin de maman.

Notes

1. Pour en savoir plus à ce sujet, consultez l'article suivant (en anglais) : www.dunstanbaby.com/our-research/ [consulté le 17 avril 2016].
2. Vous pouvez écouter la démonstration filmée d'environ quatre minutes à l'adresse suivante : www.youtube.com/watch?v=PgkZf6jVdVg [consulté le 17 avril 2016].
3. Pour une démonstration filmée, consultez le lien suivant : www.youtube.com/watch?v=wuOJEscbEBE [consulté le 17 avril 2016].
4. Pour une démonstration filmée, consultez le lien suivant : www.facebook.com/video.php?v=593182350696753 [consulté le 17 avril 2016].
5. J.R. Groothius, W.A. Altemeier, J.-P. Robarge et coll. « Increased Child Abuse in Families with Twins ». *Pediatrics* 1982 ; 70(5) : 769-773. « Insuffisance de poids et naissances multiples prématurées : profil canadien ». Meilleur départ, Centre Ontarien d'information en prévention, 2005. Disponible sur le Web : www.meilleurdepart.org/resources/faible/pdf/19422_Beststart_F_singles.pdf [consulté le 17 avril 2016].
6. F. Lepage. *Les jumeaux : enquête*. Paris : Laffont, 1991. p, 148.

CHAPITRE 4

La sécurité et les jumeaux

Depuis quelques mois, vous avez appris à fonctionner avec un manque chronique de sommeil en tentant de garder le sourire et l'œil vif. Il faut être conscient que l'épuisement est l'un des plus grands dangers qui vous guettent. Lorsque vous êtes trop fatigués et que vous êtes sollicités de toutes parts, vous pouvez baisser la garde malgré vous. Vous ne voyez tout simplement plus les dangers qui vous entourent. Or, lorsqu'il est question de sécurité, il n'y a pas beaucoup de place à l'erreur. Vos couchettes sont peut-être réglementaires, mais si vous êtes trop pressé ou fatigué et que vous oubliez de remonter le côté de la couchette en couchant votre bébé, il risque de tomber. Vous avez bien fixé la barrière de sécurité en haut de l'escalier, mais si vous n'avez pas eu le temps de la fermer et de la verrouiller…

Durant leur première année de vie, ces petits êtres qui bougeaient à peine à la naissance se transforment en deux petites tornades qui sont partout à la fois. Lorsqu'ils commencent à ramper, les enfants se déplacent parfois très rapidement. En attendant qu'ils se mettent debout, toute la famille — les autres enfants comme les parents — a avantage à porter des pantoufles plutôt que des souliers dans la maison. Vous réussirez sans doute à éviter d'écraser les doigts d'un bébé qui arrive à toute vitesse devant vous pour finir par poser le pied sur les doigts de l'autre qui vient derrière. Et si ce n'était que cela le problème…

Ne vous fiez jamais à un autre enfant (même si celui-ci semble très raisonnable et responsable) pour surveiller les jumeaux. Lorsque deux enfants sont de connivence pour explorer la maison ou la cour, qu'ils jouent avec entrain et qu'ils testent leurs limites, deux yeux et deux bras d'adultes suffisent à peine. Il est impossible pour une seule personne d'arrêter deux enfants qui courent dans des directions opposées… La sécurité des lieux prendra toute son importance lorsque vos deux explorateurs prendront d'assaut leur environnement.

La sécurité dans la maison

Votre environnement

Pendant leur première année de vie, vos bébés apprennent à ramper et à marcher. Il est difficile de les surveiller tous les deux en tout temps. Dès que vos jumeaux sortent de leurs petits sièges, ils font face à de potentiels dangers : escaliers, fils électriques, plantes, produits de nettoyage et j'en passe... Lorsqu'ils commencent à marcher, mieux vaut limiter la quantité de jouets qui traînent par terre. Vous ne pouvez pas être constamment près d'eux ; s'il y a moins d'objets sur lesquels ils risquent de trébucher, ils tomberont sûrement un peu moins. Parcourez chaque pièce de la maison et relevez tous les risques. On suggère même de faire cette visite préventive à quatre pattes afin de voir le monde sous le même angle que l'enfant qui s'y promène. Prenez le temps d'évaluer et d'écarter les dangers potentiels de votre environnement avant que les enfants les découvrent. Fixer les fils électriques pour éviter les chutes ou empêcher les jumeaux de les tirer, poser des capuchons sur les prises électriques non utilisées, remonter les cordons de rideaux pour les rendre inaccessibles, doter les tiroirs et armoires contenant des produits de nettoyages ou des objets lourds ou coupants de dispositifs de blocage, voilà autant de petites actions essentielles pour assurer la sécurité de vos enfants. Attention à la nappe sur la table : un enfant risque de s'y agripper et de recevoir un verre sur la tête. Vous ne pourrez sûrement pas éliminer tous les dangers qui vous entourent, mais en prenant le temps d'éliminer les plus apparents, vous profiterez beaucoup mieux de la présence de vos jumeaux, avec quelques inquiétudes en moins. Si vous avez d'autres enfants, vous avez probablement déjà fait le nécessaire. Dites-vous qu'avec deux bébés plutôt qu'un, il y a toujours deux fois plus de possibilités de blessures et de chutes, et qu'il est deux fois moins facile d'être toujours présent pour éviter les accidents. Chaque situation peut prendre un aspect un peu différent du fait qu'il y a deux bébés à surveiller.

Les barrières de sécurité

Vérifiez les fixations des barrières de sécurité que vous avez posées en haut des escaliers. Deux enfants qui se poussent, simplement pour jouer, mettront à l'épreuve la solidité de ces barrières. Le poids combiné de deux enfants qui foncent en courant sur la barrière peut facilement faire céder des fixations moins solides. Les barrières qui tiennent simplement par succion ne passeront probablement pas le test. Elles sont utiles pour empêcher l'accès à une pièce particulière de la maison, mais il n'est pas recommandé de les utiliser en haut d'un escalier.

Ne soyez pas surpris non plus de voir vos petits se concerter pour escalader ces obstacles. L'ingéniosité de jumeaux qui travaillent ensemble n'a pas de limite ! Sont-ils « conscients » qu'ils auront plus de succès en faisant équipe ? Se concurrencent-ils inconsciemment pour démontrer leur supériorité ? Quelle qu'en soit la raison, les jumeaux sont souvent plus débrouillards qu'on le croit et font équipe très jeunes pour arriver à leurs fins.

Les plantes

Que les bébés rampent ou non, qu'ils soient par terre, dans leurs sièges, dans le parc ou dehors dans la cour, vous devez toujours être vigilants. Des plantes très communes, comme le *dieffenbachia* ou le *poinsettia,* peuvent être toxiques pour les enfants. Certaines sont toxiques par simple contact, d'autres lorsqu'on les ingère. La liste de plantes toxiques est trop longue pour être reproduite ici. Si vous tenez à conserver certaines de vos plantes, assurez-vous que vos enfants n'y ont pas accès. Comme ils portent tout à leur bouche, il est essentiel de mettre les plantes hors de leur portée. Avec deux petits qui découvrent leur environnement, on a tout intérêt à accrocher les plantes au plafond plutôt que de les déposer sur une table. Peut-être pourriez-vous aussi en prêter temporairement à des amis ou à des membres de la famille ? Vous pourrez les reprendre dans quelques années, lorsque vos jumeaux auront grandi. Apprenez le nom des plantes que vous avez à la maison au cas où vous auriez à les nommer en appelant le centre antipoison. Les gens qui vous répondent ne peuvent pas identifier une plante au téléphone. Les réactions sont généralement légères, mais elles peuvent parfois être sévères si la quantité ingérée est importante. Certaines plantes sont très toxiques, voire mortelles. N'hésitez pas à téléphoner au centre antipoison de votre région si vous pensez que votre enfant a été en contact avec l'une de vos plantes.

Les produits dangereux et les médicaments

Les loquets de sécurité pour les portes d'armoires empêchent les enfants d'avoir accès à la pharmacie, aux armoires contenant des produits de nettoyage ou tout autre objet lourd ou dangereux. Vous en mettrez généralement dans la cuisine, la salle de bain et la salle de lavage. Certains jumeaux réussiront à briser les loquets de moins bonne qualité. Vérifiez donc régulièrement leur état et voyez à les changer s'ils ne bloquent plus efficacement les portes.

Avec certains jumeaux, il faut en poser sur toutes les portes d'armoire, même celles qui sont au-dessus du comptoir de la cuisine ! Vos tout-petits peuvent vous surprendre et se mettre à grimper très tôt. À deux, ils peuvent facilement réussir à approcher une chaise et s'adonner à une séance d'escalade. N'oubliez pas qu'à deux, ils peuvent avoir deux fois plus d'idées, mais qu'ils ne sont pas nécessairement plus conscients des risques.

En général, nous rangeons les médicaments dans la pharmacie de la salle de bain (même si les indications de conservation précisent presque toujours de conserver ces produits dans un endroit sec et tempéré...). Il faut donc redoubler de prudence. Il est préférable de conserver les médicaments dans une armoire de cuisine, sur la plus haute tablette facilement accessible aux parents. Pourquoi ? Tout d'abord parce que la salle de bain est l'une des rares pièces de la maison dont on peut verrouiller la porte. Des tout-petits qui s'y enferment (volontairement ou non) peuvent plus facilement mettre la main sur des produits dangereux pendant qu'on tente d'ouvrir la porte. Ensuite, il est rare qu'il n'y ait personne dans la cuisine ou à proximité. Il est en effet plus inhabituel de voir des enfants qui grimpent sur les comptoirs de cuisine et on risque de réagir plus rapidement à cette situation que si l'on voit simplement que la porte de la salle de bain est fermée. Il se peut que vous deviez administrer des antibiotiques ou un autre médicament à l'un des jumeaux. Il faut être conscient que l'autre jumeau voudra fort probablement en avoir lui aussi. Si possible, offrez les médicaments au petit malade en l'absence de l'autre jumeau. Il sera un peu moins tenté d'aller chercher le fruit défendu. Si les deux enfants prennent une médication d'ordonnance, inscrivez sur une feuille à quel moment chacun a reçu la dose prescrite afin d'éviter, par erreur, de donner deux fois le médicament au même jumeau. Avec la fatigue, les parents risquent plus de faire des erreurs qui pourraient avoir des conséquences assez graves. Qui a donné quoi ? À quelle heure ? À quel bébé ? Il est important que les parents aient toute l'information, même à 3 heures du matin.

Bien choisir et bien utiliser les accessoires pour bébés

Les sièges d'auto

Au Québec, la loi stipule que tous les enfants doivent être bien attachés dans des sièges lorsqu'ils sont en voiture. On détermine le type de siège — ainsi que son emplacement

— selon l'âge et le poids de l'enfant. Il est important de s'assurer que les sièges sont réglementaires et bien installés[1]. Un siège mal installé peut être dangereux en cas de collision.

Les couchettes

Vos bébés passent un nombre incalculable d'heures dans leur couchette. Pendant quelques années, ils y dorment la nuit (si vous êtes chanceux) et y font leurs siestes le jour. Ils jouent dans leur couchette à leur réveil et la secouent lorsqu'ils sont mécontents. La sécurité de ces lits est donc primordiale. N'achetez pas de couchettes usagées sans vérifier si elles sont très solides et si elles répondent aux normes de sécurité d'aujourd'hui. Quelle est la distance permise entre les barreaux ? Comment le matelas est-il fixé aux montants ? Le côté que l'on remonte tient-il bien en place ? Les couchettes fabriquées avant 1986 ne sont plus réglementaires. Les sites Internet gouvernementaux précisent les critères à vérifier pour assurer la sécurité des enfants (*voir la section Ressources à la page 379*). Dans la chambre, veillez à toujours remonter les cordons des stores afin de les rendre inaccessibles. Mieux encore, éloignez simplement le lit de la fenêtre ou utilisez une toile pour assombrir la chambre au besoin.

Les objets qu'on dépose dans le lit ne doivent pas non plus compromettre la sécurité de vos bébés. Ne placez pas d'oreillers ou d'animaux en peluche dans les couchettes ; les nouveau-nés pourraient s'y appuyer et s'étouffer. De toute façon, si vous optez pour coucher les deux bébés dans le même lit, il y aura peu de place pour ces petits éléments décoratifs qui peuvent se révéler dangereux.

Les bordures décoratives

Lorsque vous achèterez les accessoires pour la chambre des bébés, on vous offrira sans doute une petite bordure de lit décorative. Ces bordures rembourrées servaient autrefois à empêcher l'enfant de mettre sa tête ou ses membres entre les barreaux, qui étaient à l'époque beaucoup plus distancés qu'aujourd'hui. Santé Canada n'a pas encore rendu ces bordures illégales, mais leur utilisation n'est pas recommandée en raison des risques d'étouffement[2]. Certains croient que les bordures servent plutôt à empêcher l'enfant de se blesser s'il se frappe sur les barreaux de bois, mais un enfant ne peut pas se blesser en se retournant dans son lit, même si sa tête vient s'appuyer sur un barreau.

Ces bordures doivent être attachées aux poteaux du lit. Les cordons sont-ils solides ? Peuvent-ils se détacher ? Les pieds ou les mains des enfants peuvent parfois se glisser entre la bordure et le matelas et y rester coincés, ce qui, sans représenter un réel danger pour l'enfant, peut lui être désagréable.

Sans la bordure, vos jumeaux de quelques semaines ou de quelques mois prendront sûrement plaisir à se regarder lorsqu'ils seront couchés chacun dans leur couchette. Cela peut à la fois les rassurer et les amuser pendant un moment au réveil. Vous gagnerez peut-être quelques précieuses minutes de sommeil. De plus, des études récentes ont démontré que l'enfant qui dort dans un lit orné d'une bordure décorative risque plus de « manquer d'oxygène », puisque l'air frais circule surtout au-dessus de lui. Il semble que l'air « recyclé » que respire cet enfant pourrait être un facteur dans les cas de mort subite du nourrisson. Vaut-il la peine de courir ce risque ? Tout bien considéré, la bordure est-elle vraiment nécessaire ? Il existe des bordures en filets pour ceux qui croient que cet accessoire est essentiel au confort de leurs bébés. Celles-ci permettent de régler de façon sécuritaire les situations désagréables et empêchent en même temps les sucettes de tomber du lit pendant la nuit.

Les chaises portatives ou « transats »

Durant les premiers mois de vie, les bébés sont heureux dans leur petit siège. Vous avez envie de les installer sur la table avec vous pendant que vous mangez ? Vous songez à poser les sièges sur le comptoir pendant que vous faites la cuisine ? Vous vous dites que si les deux sièges sont côte à côte, vous verrez les bébés interagir et tendre leurs petites mains l'un vers l'autre ? Quelle belle image, en effet ! Vous supposez que cela vous permettra de voir les bébés en tout temps, de leur parler et de leur redonner la sucette sans vous déplacer ? Il faut cependant savoir que les bébés grandissent et renforcent progressivement leurs muscles et leur équilibre sans qu'on s'en rende vraiment compte. Les bébés qui, la semaine dernière, babillaient gentiment dans leur siège, à peu près sans bouger, s'agrippent cette semaine à tout ce qu'ils trouvent autour d'eux. On dirait qu'ils se sont tout à coup inscrits à un centre de conditionnement physique ; ils font des abdominaux en tentant de se redresser. Un bébé de 5 ou 6 mois peut se redresser suffisamment pour faire basculer son transat et tomber du comptoir. Les conséquences peuvent être dramatiques si le plancher de la cuisine est en céramique. Par ailleurs, si les jumeaux sont dans leur transat sur une table ou un comptoir, un jour, sans que vous l'ayez remarqué, leurs mains se rejoindront et ils tireront assez fort pour déplacer leurs sièges respectifs l'un vers l'autre. S'ils sont face à face, leurs pieds prendront appui les uns sur les autres et ils repousseront les deux sièges. Ceux-ci risquent alors de basculer et, même si vous êtes tout près, vous ne pourrez rien faire. Si vous avez d'autres enfants, il est fort probable que ceux-ci voudront souvent s'approcher des bébés, risquant du même coup de tirer ou de pousser sur les sièges placés sur une table. Le danger de chute est trop grand et le tourbillon d'activités, trop distrayant.

Mieux vaut prendre l'habitude de placer les sièges directement au sol, quel que soit l'âge des bébés. S'ils sont déjà par terre, vous êtes certain qu'ils ne tomberont pas. Placez les sièges à un endroit où ils ne risquent pas de vous faire trébucher si vous avez à vous déplacer rapidement. Si le téléphone sonne, il ne faut pas que vous soyez obligé de les enjamber pour répondre. Si votre conjoint arrive avec trois sacs d'épicerie et qu'il ne voit pas les bébés par terre, vous pouvez vous retrouver dans une situation bien pire que des œufs cassés... Si vous travaillez dans la cuisine, ne placez pas les sièges trop près de vous, car vous risquez de blesser un bébé si, par exemple, vous échappez un couteau. Prenez un instant pour déterminer le meilleur endroit pour installer les enfants. Ils doivent être bien à la vue sans être encombrants. Dégagez ce coin et réservez-le aux bébés. Toute la famille s'habituera à y voir les sièges, vides ou non, et à les contourner automatiquement.

Dans quelques mois, lorsque vous sortirez les bébés des sièges pour leur permettre de ramper, vous pourrez utiliser ce même petit coin pour y installer un parc.

Les centres d'activités stationnaires

Après quelques mois, les bébés commencent à apprécier la position verticale. C'est le moment de sortir les centres d'activités stationnaires. Peut-être vous offrira-t-on des marchettes usagées ? Celles-ci ont pourtant été retirées du marché pour des raisons de sécurité. En effet, plusieurs enfants ont subi des blessures, parfois graves, en déboulant des escaliers. Voulez-vous vraiment courir ce risque ? Même avec les centres d'activités stationnaires (l'équivalent immobile des anciennes marchettes), il faut garder à l'esprit les risques que courent vos tout-petits. Même si vous les gardez théoriquement toujours à la vue, il se peut que vous ayez une minute de distraction si un autre enfant vous réclame ou que vous recevez un appel téléphonique. Y a-t-il des fils électriques ou des cordons de téléphone, de rideaux ou de stores à leur portée ? Peuvent-ils atteindre les bibelots qui se trouvent dans la petite bibliothèque du salon ? Ont-ils accès au journal sur la table ou à la plante dans le coin ? Lorsque les bébés sont dans leurs centres d'activités stationnaires, offrez-leur des jouets légers et souples, car ils peuvent involontairement se les lancer. Ils les lanceront probablement aussi ailleurs autour d'eux, possiblement sur le bibelot que vous croyiez en sécurité. Tous les accessoires qui confinent un enfant sont intéressants ou rassurants pour les parents. N'oubliez cependant pas que l'enfant doit développer sa motricité et bouger librement. Utilisez ces accessoires au besoin, mais le moins longtemps possible. L'enfant sera mieux, par exemple, dans un parc que dans « la soucoupe » pendant 45 minutes !

Les parcs

La plupart du temps, les parents de singletons utilisent surtout le parc pour y faire dormir leur bébé. Comme les familles sont plus petites et que les mères travaillent souvent à l'extérieur, les parents ont envie de s'occuper activement de leurs enfants quand ils sont avec eux. Ils perçoivent souvent le parc comme une petite « prison » pour leurs amours. Pourtant, les enfants peuvent y bouger beaucoup plus librement que lorsqu'ils sont attachés dans un siège ou dans une balançoire. Les parents de jumeaux ont davantage tendance à utiliser le parc. Les bébés exigent beaucoup d'attention : les parents sont souvent occupés à prodiguer des soins, à changer des couches ou à consoler l'un des deux petits. Il est utile de pouvoir en déposer un dans le parc pendant que vous vous occupez de l'autre ou les laisser s'amuser ensemble pendant quelques instants pendant que vous finissez une tâche quelconque. Il faut cependant savoir qu'il n'est pas recommandé de laisser les deux bébés de 5 ou 6 mois ou plus ensemble dans un parc, car ils risquent de se blesser mutuellement. Ils sont encore petits, mais ils peuvent involontairement se donner des coups de pied ou de poing.

> Un parc, des jouets

Je me souviens d'avoir été charmée par mes nouveau-nés lorsque l'un suçait le pouce de l'autre en dormant. J'aurais sûrement été moins charmée si, plus vieux, l'un des jumeaux avait pris le bras de l'autre pour le mâcher comme un anneau de dentition. Un coup de hochet sur la tête ou des petits doigts dans les yeux, ça fait mal ! Jouer dans un parc peut être aussi intéressant que de jouer ailleurs pour un enfant. Ce n'est pas une punition ! Il peut cependant être intéressant de garder certains jouets uniquement pour le parc. Comme les enfants n'y sont que quelques minutes à la fois, ces jouets sont toujours « nouveaux » et stimulants.

Vivre en sécurité avec des jumeaux

Transporter vos jumeaux

On ne doit jamais transporter deux bébés à la fois. Il est déjà difficile de bien tenir un seul bébé lorsque celui-ci est fâché et pleure, même s'il n'est pas très lourd. Il est quasi impossible de bien tenir deux bébés qui gigotent. De plus, les bébés de quelques mois à peine ont souvent le réflexe de lancer soudainement leur tête et leur corps vers l'arrière. On a alors besoin de nos deux bras pour les retenir. Imaginez-vous perdre pied et tomber dans l'escalier pendant que vous transportez vos deux bébés ! Comment ferez-vous pour vous retenir à la rampe ? Serez-vous capable de protéger leurs deux petites têtes contre votre corps ? Vous serez tout de même souvent tenté de transporter vos deux bébés à la fois, ne serait-ce que pour épargner du temps et des pas. N'oubliez pas que la fatigue est le premier danger qui vous guette. Vous aurez parfois l'impression de ne pas avoir d'autre choix que de transporter les deux en même temps. Et malheureusement, tous les parents de jumeaux le font à un moment ou un autre. Pour éviter cela, mieux vaut être bien préparé aux situations du quotidien.

Comment faire lorsque vous êtes seul avec les deux bébés ?

Si vous avez un parc à votre disposition, vous pouvez y laisser l'un des bébés en sécurité pendant quelques instants, le temps de changer la couche de l'autre ou de répondre au téléphone avec l'autre bébé dans les bras. Comme nous l'avons déjà évoqué dans un chapitre précédent, il peut être utile d'avoir non pas un, mais deux parcs.

Le second est peut-être un luxe, mais vous l'apprécierez sans doute dans plusieurs circonstances. Si vous avez la chance d'avoir deux parcs (vous pouvez en emprunter un pendant quelques mois), vous pouvez y déposer les deux enfants pendant quelques instants. Un bébé de 10 mois peut ramper à une vitesse assez surprenante. Il vous rejoindra parfois rapidement près de la porte brûlante du fourneau, par exemple. Il pourrait être soudain à vos pieds pendant que vous déplacez un chaudron de soupe chaude. Avec les deux enfants en sécurité dans leur parc, vous aurez quelques minutes de quiétude pour faire le lit, mettre en marche le lave-linge, passer l'aspirateur ou simplement aller aux toilettes.

Les jumeaux grandissent et sont partout à la fois... Comment faire pour aller dehors ou revenir à l'intérieur avec eux ? Ni l'un ni l'autre ne restera sagement assis à vous attendre pendant que vous vous occupez du premier. En attendant qu'ils puissent vous suivre en marchant, vous devrez transporter un enfant à la fois dans la maison, tout en assurant la sécurité de l'un et de l'autre. Celui qui sera resté dehors sera possiblement attiré par la rue, la petite piscine ou la fleur à laquelle il n'a pas encore goûté. Amenez les deux le plus près de la porte pour faire la transition le plus rapidement possible. Prévoyez une barrière de sécurité sur le balcon, une poussette dont les freins fonctionnent bien ou un deuxième parc. À l'intérieur, placez le parc le plus près possible de la porte d'entrée afin de pouvoir déposer l'un des enfants en sécurité pendant que vous allez chercher l'autre. Des imprévus peuvent survenir et vous empêcher d'être de retour aussi rapidement que prévu auprès de l'enfant qui attend : une voisine qui vous salue pendant que vous êtes à l'extérieur, une attache récalcitrante qui vous retarde pendant que vous détachez le bébé, etc. Pendant ce court laps de temps, l'enfant de 12 mois laissé libre et sans surveillance a le temps de se promener dans la maison à sa guise !

Il n'est pas facile de faire attendre un enfant dehors pendant qu'on amène son jumeau à l'intérieur. Les enfants ne sont pas reconnus pour leur patience. Un jour, toutefois, ils comprendront lorsque vous leur direz : « Maman revient tout de suite. »

Les changements de couche

Changer la couche d'un bébé de 6 ou 8 mois peut être un défi. Il commence en effet à découvrir le monde qui l'entoure et n'a probablement aucune envie de rester calmement sur le dos à attendre que vous finissiez de le laver. Lorsqu'un deuxième enfant demande votre attention ou tente de se relever en s'agrippant à vos pantalons, il est facile de vous laisser distraire. Il est alors d'autant plus important d'avoir à portée de la main tout ce dont vous avez besoin pour le changement de couche.

Il arrive que l'enfant résiste aux changements de couche pendant plusieurs mois. On peut alors apprendre à changer la couche de l'enfant debout ou développer une technique quand il s'agit d'un pipi. Peut-être vaut-il mieux proposer aux jeunes qui viennent garder quelques heures ou aux membres de la famille qui sont moins habitués avec des enfants qui remuent sans arrêt de changer les bébés directement par terre, sur une serviette. Plusieurs mamans pourtant habituées font de même avec les enfants qui résistent lors des changements de couche. Prévoyez alors un endroit hors d'atteinte pour mettre la couche souillée. Bébé numéro 2 peut être dans les parages et s'en emparer !

Autrefois, on utilisait beaucoup la poudre pour bébé lors des changements de couche ; on recommande aujourd'hui d'en restreindre l'usage. Lorsqu'on la saupoudre sur les fesses du bébé, de petites particules restent dans l'air et sont inhalées par l'enfant. Malgré l'odeur de poudre qu'on aime bien, vaut mieux abandonner la pratique.

L'heure du bain

Lorsque vous vous préparez à donner le bain aux enfants, assurez-vous de ne pas être interrompu. Vous ne devez en aucun cas quitter les enfants des yeux. Cela présuppose de laisser sonner le téléphone, de verrouiller la porte de la maison si cela vous rassure, de placer à portée de la main tout ce dont vous aurez besoin : savon, débarbouillette, serviettes, couches, etc., de vous assurer que les enfants plus âgés sont assez responsables pour être laissés à eux-mêmes pendant que vous êtes occupé. Resteront-ils assis tranquillement devant la télévision ? On profite parfois de la sieste de l'aîné pour donner le bain aux bébés, mais il peut arriver que celui-ci se réveille et vous réclame avant que vous ayez fini.

Il existe de nombreux modèles de sièges sécuritaires conçus pour le bain. Plusieurs mamans en vantent les vertus. Mais comment laver adéquatement l'enfant lorsqu'il est assis dans le siège ? Bonne question, n'est-ce pas ? Il est peut-être suffisant d'avoir un seul siège pour mettre l'un des bébés en sécurité pendant qu'on lave l'autre. Encore une fois, il n'est peut-être pas nécessaire d'avoir absolument tout en double ! Quand les enfants se tiennent assis tout seuls, il est possible de les asseoir face à face dans un panier à linge. Un autre classique que vous utiliserez sûrement : un bébé de chaque côté d'un évier double. Si vos jumeaux sont à l'âge où ils tentent instinctivement de se lever, une plus grande vigilance s'impose. Un enfant mouillé est difficile à rattraper. Il risque aussi de tomber de haut, possiblement sur un plancher de céramique...

Avec deux bébés dans la maison, vous devez adopter certaines habitudes, notamment celle de vider l'eau dès que vous êtes prêt à sortir l'un des bébés du bain. Si vous donnez le bain aux deux bébés en même temps, il est d'autant plus important de laisser couler l'eau dès la sortie du premier bébé, même si vous avez l'intention de rester juste à côté. Si vos enfants ont commencé à marcher, vous pourriez avoir à courir après un petit « nu-vite ». Qui sait si l'autre jumeau ne voudra pas récupérer un jouet qu'il a utilisé dans la baignoire pendant ce temps ? Si l'un des jumeaux retourne dans la salle de bain à votre insu, vous aurez au moins écarté le danger de noyade.

Une autre bonne habitude à prendre est de garder en tout temps la porte de la salle de bain fermée. Avec deux enfants à surveiller, vous pouvez occasionnellement en perdre un de vue quelques instants. La porte fermée sert en quelque sorte de barrière de sécurité. De plus, ce petit geste anodin peut éviter les dégâts d'eau qui surviennent lorsque les enfants décident de « cacher » un jouet dans la toilette. Cela peut permettre aussi d'économiser quelques rouleaux de papier hygiénique. Tous les enfants adorent dérouler le papier...

La sécurité à l'extérieur de la maison

Insistez pour que vos enfants répondent immédiatement lorsque vous les appelez. En effet, lorsqu'une voiture arrive, vous n'avez pas le temps de courir pour rattraper deux bébés qui se dirigent vers la rue. Faites en sorte qu'ils comprennent à quel moment on joue et à quel moment il faut être sérieux. Dès que vos jumeaux marchent, habituez-les à vous tenir la main. Vous serez sans doute heureux de vous déplacer avec eux en marchant plutôt que de toujours en avoir un dans les bras. Il est cependant important que ce soit les jumeaux qui vous suivent, et non l'inverse, que vous soyez sur le trottoir ou dans un lieu public. Si vous leur accordez la liberté d'aller où ils veulent, ils peuvent décider de prendre des directions différentes : il vous sera alors impossible d'assurer la sécurité des deux enfants. Certaines mères disent que leurs enfants refusent de leur tenir la main. C'est alors à la maman de leur tenir fermement la main ! Ils protesteront peut-être contre cette entrave à leur liberté au début, mais ils finiront par s'y habituer. Cela vaut la peine d'insister si vous ne voulez pas courir après deux enfants qui se faufilent partout (et beaucoup plus aisément que vous !). Les jumeaux pourront courir librement au parc, dans la cour ou ailleurs, lorsqu'ils seront accompagnés de deux adultes. Si vous êtes seul, vous devrez vous montrer extrêmement vigilant.

Pour bien profiter du grand air avec vos enfants, il vous faut malheureusement penser à ce qui pourrait arriver de pire et agir en conséquence.

Dans votre propre cour

Ne laissez jamais les tout-petits seuls dans la cour. Si vous emmenez les jumeaux jouer dehors, n'oubliez pas d'avoir un téléphone sans fil avec vous, ou soyez prêt à laisser la boîte vocale jouer son rôle. Si vous avez d'autres enfants, vous avez peut-être déjà une balançoire, une glissoire ou un autre élément de jeu conçu pour des enfants plus âgés. Ces jeux peuvent être dangereux pour des enfants plus petits qui s'y aventurent sans vraiment maîtriser leurs mouvements. Vos jumeaux y grimperont sûrement un jour !

> Petit incident

Bébé venait d'avoir 1 an. En l'espace de deux secondes, il s'est retrouvé debout sur le dossier de l'une des deux chaises qui composent le modèle de balançoire face à face. Le temps de me rendre jusqu'à lui, il était déjà par terre. Heureusement que la terre était creusée sous la balançoire, car celle-ci continuait à se balancer au-dessus de lui. La maman et le bébé ont eu plus de peur que de mal !

D'autres dangers guettent les tout-petits. Si l'aîné se balance, il peut facilement frapper et blesser l'un des jumeaux qui arrive derrière lui. L'un des bébés peut aussi tenter de grimper dans l'échelle du module de jeu et tomber... Un jumeau peut assommer l'autre avec le gros camion, la pelle ou le seau qui se trouvent dans le carré de sable. La piscine représente aussi un danger, même si elle ne contient que quelques centimètres d'eau. Il en va de même pour une plate-bande en fleurs : le muguet sent si bon ; l'enfant peut fort bien avoir envie d'y goûter pendant que vous avez le dos tourné ! Or, le muguet — comme la digitale, le pied d'alouette et la jonquille — est une plante toxique... Même dans le potager, le risque n'est pas exclu : les feuilles de rhubarbe et de tomates sont également toxiques. Vous encouragez pourtant vos enfants à manger le fruit de ces plantes — avec raison. Dès leur jeune âge, habituez-les à s'informer avant de manger les fruits, les petites baies, les plantes ou les champignons qu'ils trouvent dans leur environnement. En cas de doute, ne leur permettez tout simplement pas d'en manger. Lorsque vos enfants sont plus âgés, vous pouvez faire des recherches avec eux pour identifier les plantes inconnues et voir si elles sont toxiques. Vous pouvez trouver des photos sur Internet ou, pourquoi pas, faire une sortie à la bibliothèque un jour de pluie pour consulter des livres de botanique ?

Si vous avez la possibilité de clôturer votre cour, cela évitera que l'un des enfants se sauve pendant que vous avez le dos tourné. Toutefois, que votre terrain soit clôturé ou non, apprenez à vos jumeaux à ne jamais aller à proximité de la rue sans vous tenir la main. Transmettez-leur cet enseignement dès qu'ils sont assez grands pour se déplacer et pour comprendre ce que vous dites.

Les piscines et les plans d'eau

De plus en plus de familles ont des piscines hors terre ou creusées. Ces plans d'eau représentent des dangers potentiels. Un tout-petit qui échappe à la surveillance de ses parents peut très rapidement sortir de la maison et se diriger directement vers l'eau. Les propriétaires de piscines se conforment généralement aux règlements municipaux régissant leur installation, mais cela ne veut pas dire que tous les dangers sont écartés.

Les enfants ne doivent jamais être laissés dehors sans surveillance, même si la barrière est fermée à clé et l'échelle qui donne accès à l'eau, remontée.

Même si la piscine ou la cour est clôturée, rappelez-vous que deux enfants peuvent toujours aller voir de plus près ce qui les intéresse. Ils peuvent déplacer une chaise de jardin, une poubelle, un vélo ou tout autre objet et grimper pour passer de l'autre côté de la clôture. Un petit qui tombe dans une piscine ne fait pas toujours de bruit ; habituellement, en fait, il ne se débat même pas.

Si vous êtes près d'une piscine, d'un lac ou d'une rivière, ne vous fiez pas à d'autres adultes pour surveiller vos jumeaux et ne confiez jamais leur surveillance à des enfants plus âgés, même s'ils sont habituellement responsables. Chaque année, des enfants en bas âge se noient en présence d'adultes... Si les deux parents sont présents, il est préférable qu'ils s'engagent chacun à suivre des yeux l'un des deux jumeaux. Il est trop dangereux de supposer que l'autre parent (ou tout autre adulte) accompagne un petit que vous ne voyez plus. Précisez bien lequel chacun prend à sa charge ! Vous ne vous pardonneriez jamais d'avoir manqué aux règles de sécurité de base s'il fallait qu'un drame survienne.

Depuis quelques années, les gens font des aménagements paysagers avec des bassins d'eau. Ceux-ci ne sont pas assujettis à des règles de sécurité particulières. L'enfant peut être attiré par l'eau qui coule sur les roches. Or, ces bassins contiennent généralement suffisamment d'eau pour qu'un jeune enfant s'y noie. Il peut aussi s'assommer ou se blesser en glissant sur les roches.

Les dangers des voitures

Chaque année, des enfants sont happés par des voitures faisant marche arrière. Cela se produit le plus souvent tout près de la maison et le véhicule est fréquemment conduit par l'un des parents. Comment éviter cette tragédie ? Il faut toujours vérifier où sont les enfants avant de mettre la voiture en marche, surtout lorsqu'on a plusieurs enfants et que le tourbillon d'activités qui règne à la maison risque de nous distraire. Cela vaut tout autant lorsqu'on a des enfants d'âges différents. Idéalement, l'un des deux parents rassemble les enfants et leurs amis et vérifie où sont le chien et le chat quand l'autre doit partir en auto.

Si vos jumeaux sont dans la cour, seuls ou avec des amis, assurez-vous de pouvoir tous les voir. Prenez aussi l'habitude de faire le tour de votre voiture afin de déplacer tout objet que vous pourriez frapper. Ce faisant, vous pourriez avoir la surprise de trouver, par exemple, un enfant couché devant l'auto, occupé à dessiner avec de la craie sur le pavé.

> Charles et Eliott

C'était une journée d'été. Les jumeaux, Charles et Eliott, avaient environ 4 ans. Ils étaient à vélo chez un voisin, à quelques maisons de chez eux. Jean-Sébastien, leur père, est sorti pour faire une course à l'épicerie. En s'assoyant dans l'auto, il a envoyé la main aux garçons. Toujours très prudent, il a regardé dans son rétroviseur et constaté que le chemin était libre. En voyant que papa allait partir, Charles et Eliott ont voulu aller lui donner un bisou. Ils sont arrivés à toute vitesse. Le temps que Jean-Sébastien mette l'auto en marche arrière et qu'il recule d'à peine un mètre, les deux garçons étaient derrière l'auto. Il y a eu un bruit de ferraille, des cris. Les deux vélos ont été renversés. Heureusement que Jean-Sébastien n'a jamais cessé de regarder dans le rétroviseur en reculant et que les freins de la voiture étaient en bon état. Les garçons n'ont subi aucune blessure. Ils se souviennent encore très bien de l'événement et comprennent aujourd'hui à quel point ils ont été chanceux. À l'époque, ils n'en étaient pas aussi conscients. Ils ont pleuré lorsqu'ils sont tombés à la renverse et quand ils ont constaté les égratignures sur leur vélo, sans plus. Jean-Sébastien a quant à lui vu son sommeil perturbé par la vision de ce qui avait failli se produire.

Habituellement, on tente de voir le côté positif de la vie avec des jumeaux. Toutefois, lorsqu'on parle de sécurité, il vaut peut-être mieux enlever nos lunettes roses et bien voir les dangers qui nous guettent. Il vaut mieux être trop prudent que pas assez.

Danaé et Naomi ont besoin de quelqu'un pour veiller à leur sécurité.

Notes

1. Pour plus d'information, consultez le site de la SAAQ à l'adresse suivante: www.saaq.gouv.qc.ca/securite_routiere/comportements/sieges-auto-enfants/
2. Voir à ce sujet le site Internet de Santé Canada: www.hc-sc.gc.ca/cps-spc/pubs/cons/child-enfant/sleep-coucher-fra.php#a45

CHAPITRE 5

Comment survivre à la première année

Vous avez survécu aux premières semaines et appris à connaître vos deux petits envahisseurs. Plus le temps passe, plus ils prennent de place dans votre vie et dans votre cœur. La première année en est une de changements. Vos jumeaux découvrent le monde qui les entoure, les gens, les textures, les sons et les goûts. Et ils se découvrent eux-mêmes. Ils commencent à manger et apprennent à ramper, à marcher et même à grimper. Ils comprennent ce que vous leur dites et prononcent leurs premiers mots. Ils percent probablement leurs premières dents, ressentent leurs premières peurs. Les bébés changent tellement rapidement ! Hier encore, ils faisaient une sieste le matin et l'après-midi. Cette semaine, tout à coup, l'un des deux dort moins le matin, a à peine l'énergie suffisante pour dîner et s'endort pratiquement dans sa chaise haute. Cela vous confirme que les jumeaux, identiques ou non, peuvent être très différents.

Vous devez continuellement vous ajuster, d'autant plus que les changements ne se produisent pas nécessairement en même temps pour les deux bébés ! Il y a de quoi fatiguer des parents, n'est-ce pas ? Il faut beaucoup de flexibilité pour s'adapter aux horaires parfois non synchronisés de deux bébés.

> Une première année chargée

Le jour de mon accouchement, on m'a dit que la première année avec des jumeaux était épouvantable. À l'époque, j'avais trouvé ça plutôt inquiétant. Il faut rester positif et prendre une journée à la fois, mais il faut aussi être réaliste : la première année avec des jumeaux n'est pas de tout repos.

Vous constaterez sans doute que la vie ou les réactions de vos jumeaux ne correspondent pas toujours à ce que vous voyez dans les livres (même celui-ci !) ou dans d'autres ressources. Apprenez donc plutôt à accepter vos bébés tels qu'ils sont, avec toutes les surprises que cela peut supposer.

Une période d'adaptation pour les parents

Après quelques mois, vous vous retrouverez souvent seuls avec vos jumeaux. Vous aurez pourtant encore besoin d'aide à l'occasion, mais les gens autour de vous l'auront peut-être oublié. N'attendez pas toujours que les gens vous offrent de l'aide ; pendant la première année, il faut que vous soyez capables d'en demander. Les gens ne peuvent pas imaginer ce que vous vivez. S'ils ne l'ont pas vécu, ils ne se rendent pas compte à quel point il peut être exigeant d'être parents de jumeaux.

Même si vous vivez de beaux moments avec vos petits amours, il se peut que vous ayez des doutes quant à votre capacité à gérer tous les stress et les responsabilités associées et que vous viviez encore des moments de grande fatigue émotionnelle et physique. Il est aussi possible que vous viviez certaines frustrations lorsque vous voyez qu'il est parfois impossible de répondre à tous les besoins des jumeaux ou d'accorder à chacun l'attention qu'il mérite et attend de vous.

L'important est d'accepter votre nouvelle réalité et de continuer de faire de votre mieux tout en acceptant vos limites. On est habituellement très compréhensif et tolérant quand les gens autour de nous expriment leur incapacité à tout faire parfaitement. *N'exigez pas de vous ce que vous n'exigeriez pas de quelqu'un d'autre.* Souvenez-vous de ce qui a été abordé précédemment. La maison toujours en ordre, le repassage qui ne s'accumule jamais et l'odeur de biscuits tout juste sortis du four… Il est peu probable que vous viviez présentement ces bonheurs, mais ce n'est pas la fin du monde pour autant. Vous avez un peu de temps à vous accorder ? Tâchez de ne pas *toujours* en profiter pour passer l'aspirateur ou faire du lavage. Les bébés dorment ? Enroulez-vous dans une couverture pour lire un bon livre en prenant une tisane. Faites une petite sieste ou prenez un bain chaud avec des chandelles et de la musique. Ne vous surprenez cependant pas si l'un des jumeaux se réveille dès que vous mettez l'orteil dans l'eau...

Pendant cette première année, vos petits bébés sans défense se transforment en petites personnes qui prennent beaucoup de place. La période où ils ne marchent pas encore tout en étant très lourds à porter est particulièrement difficile.

Le premier hiver avec des jumeaux est aussi habituellement assez difficile à vivre. Au mois de mars, au Québec, il est normal de manquer d'énergie pour habiller deux bébés afin de sortir prendre l'air.

Les habits de neige, les bottes, les tuques et les foulards… Si l'on tente quand même l'expérience, quelle activité peut-on faire dehors ? Il est très exigeant de tirer deux bébés dans un traîneau : on est fatigué après 10 minutes, alors qu'on a mis 30 minutes à les habiller. Et même s'ils marchent un peu dans la maison, dehors, habillés comme ils le sont, avec quelques centimètres de neige au sol, ils perdent toute mobilité. Ce n'est pas une partie de plaisir, ni pour vous ni pour les enfants. Vous n'aurez jamais été si heureuse de voir arriver le printemps. Ne perdez pas espoir, il arrivera un jour.

Si vous vous sentez un peu isolée, vous pouvez appeler votre amie qui revient de la Chine pour qu'elle vous raconte son voyage. Cela vous changera les idées et vous rappellera qu'il existe bel et bien un monde à l'extérieur de la maison. Si vous avez besoin d'être écoutée et comprise, allez faire un tour sur des forums de discussion pour échanger avec des mamans de jumeaux. Les réseaux sociaux peuvent être d'une grande aide pour obtenir des réponses à certaines de vos questions ou une oreille attentive. N'oubliez cependant pas que plusieurs sites, dont les forums, n'offrent aucune garantie quant à la véracité ou à la valeur des informations qu'on y trouve… Il peut malgré tout être intéressant de voir des opinions ou des solutions diverses pour alimenter votre réflexion. Vous pouvez aussi joindre l'association de parents de jumeaux de votre région, si une telle association existe. Les membres de ces organisations sont bien placés pour vous comprendre.

L'alimentation des bébés

Le boire

Nous avons vu différentes façons de donner le lait aux bébés lorsqu'ils sont tout petits. Vous avez adopté la méthode qui vous convient le mieux. Vous vous êtes habituée à allaiter ou à donner un biberon de façon à ce que tout le monde soit heureux. Vous avez développé votre confiance en vos capacités parentales. Pendant la première année, les bébés apprennent à tenir seuls leurs biberons et à boire au gobelet. La tâche des parents s'en trouve simplifiée. Vous pouvez maintenant vous contenter de surveiller les bébés pendant qu'ils boivent et leur faire faire plus facilement leur rot, chacun leur tour. Mieux encore : il est possible de prendre un bébé dans vos bras pour lui donner le biberon pendant que l'autre boit dans sa chaise portative. Prendre un bébé dans ses bras pour le faire boire demeure un plaisir pour vous. Même s'ils sont capables de boire tout seuls, les bébés aiment toujours se faire prendre. Assurez-vous quand même d'alterner afin qu'ils reçoivent chacun leur tour des câlins. Pendant cette première année, les jumeaux commenceront aussi à manger.

La nourriture solide

Les purées offertes sur le marché sont de bonne qualité et habituellement adéquates pour la santé des bébés. Il fut un temps où l'on y ajoutait beaucoup de sel, de sucre et même des agents de conservation et des colorants artificiels. Aujourd'hui, la réglementation concernant les aliments protège mieux la santé de nos enfants. Vérifiez tout de même les étiquettes pour vous assurer que l'aliment correspond vraiment à ce que vous cherchez. Ces petits pots coûtent très cher. Il est pratique d'en avoir en réserve pour une fin de semaine à l'extérieur ou pour vous dépanner en cas d'urgence, mais il est plus avantageux de faire ses propres purées. Comme les bébés ne mangeront pas de fruits, de légumes ou de viande avant plusieurs mois, vous avez le temps de préparer une réserve de purées maison. Vous pouvez même utiliser des légumes frais du jardin ou attendre les prix spéciaux au marché d'alimentation.

Comment trouver le temps de faire ses propres purées ? Planifier ses journées, s'organiser, c'est possible, même avec des jumeaux ! Après quelques mois, les jumeaux ont souvent un horaire bien établi. On peut alors prévoir une heure où ils dorment tous les deux pour préparer des purées. Les enfants réaménagent parfois l'horaire à leur guise, mais, souvent, lorsqu'on décide qu'on *doit* faire quelque chose, on y arrive. On peut profiter de l'heure de la sieste pour réduire quelques kilos de carottes en purée et faire de même avec des haricots le lendemain. Après quelque temps, vous aurez une réserve de légumes variés à offrir à vos petits affamés.

Vous souvenez-vous de l'amie qui vous avait offert son aide ? Vous pourriez lui rappeler la proposition qu'elle vous a faite ! Elle pourrait faire cuire un sac de patates douces et les réduire en purée. Vous pourriez la remercier en lui offrant une plante potentiellement toxique dont vous préférez vous départir.

Les purées maison peuvent aussi se faire en préparant les repas pour toute la famille. Vous pouvez par exemple faire cuire un plus gros poulet et transformer les restes en purée pour les tout-petits. Même chose pour les pièces de bœuf ou de porc. Si, à chaque repas, vous faites quelques légumes en plus et que vous les passez au robot, vous aurez bientôt des réserves intéressantes de purées variées et de qualité. N'oubliez pas qu'il suffit de quelques cuillerées de légumes pour constituer un repas pour les tout-petits. Si vous privilégiez cette approche, il serait probablement préférable de limiter la quantité de sel que vous utilisez normalement.

Vous n'avez pas de fruits en purée à leur offrir pour dessert ? Allez voir dans le garde-manger : une boîte de conserve de fruits dans leur jus naturel, sans sucre ajouté, est tout à fait acceptable. Passez-les au mélangeur à mains avec la quantité de jus nécessaire pour atteindre la consistance désirée, servez-vous et congelez le reste. Vous en aurez en réserve pour une prochaine fois.

Les livres sur l'alimentation des tout-petits suggèrent souvent de préparer des purées maison et de les congeler dans les bacs à glaçons. On peut ensuite démouler les portions individuelles et les placer dans des sacs de congélation. L'idée est très intéressante, mais cette quantité ne suffit généralement pas lorsqu'on a affaire à des jumeaux. Pour nourrir vos deux jumeaux affamés, vous utiliserez sans doute un seul plat et une seule cuillère et vous donnerez des bouchées en alternance. Chaque bébé peut ainsi prendre le temps d'avaler sa bouchée et de se préparer pour la suivante. Pendant les premières semaines, les petites portions faites à partir des bacs à glaçons peuvent suffire, mais vous devrez rapidement sortir plusieurs petits carrés de purée pour nourrir les deux bébés. Les petits contenants de yogourt, par exemple, permettent de congeler de plus grosses portions de purées et de gagner en temps de préparation.

Il y a de plus en plus d'allergies chez les enfants. Lorsque vous faites goûter un nouvel aliment en purée, il est plus sûr de l'offrir à l'état naturel. Il sera toujours temps d'inclure des épices, des oignons ou de l'ail plus tard. Les bébés développent en effet des goûts plus diversifiés si vous leur offrez des repas variés. Cela vous simplifiera la vie lorsque vos bébés commenceront à manger les mêmes repas que vous, des aliments ayant une texture plus grossière, écrasés simplement à la fourchette. Les nouveaux aliments devraient être introduits lors des repas du matin ou du midi. Vous aurez ainsi quelques heures devant vous avant la nuit pour voir si le nouvel aliment donne des maux de ventre aux bébés. Doit-on éviter les aliments qui causent des réactions allergiques chez certains bébés ? Des études récentes semblent démontrer que le fait de retarder l'introduction de certains aliments (noix, œufs) n'influence en rien l'apparition des allergies. En fait, dans les cultures où les enfants mangent des arachides dès la première année, il y a beaucoup moins d'enfants allergiques. On en apprend tous les jours et les recommandations changent au gré des nouvelles découvertes... Parlez-en avec votre médecin.

Vous rappelez-vous les listes que vous avez utilisées pendant les premières semaines ? Certains parents décident de tenir une nouvelle liste lorsque les bébés commencent à manger. Lequel des deux a vraiment détesté les céréales d'avoine ? Lequel a eu une réaction allergique au riz ? Lequel ne digère pas bien les petits pois ? Lequel n'a rien mangé de solide au dernier repas ? Les listes peuvent à nouveau vous libérer l'esprit.

Mes jumeaux ont vraiment tardé à percer leurs premières dents. Ils ont donc mangé des purées pendant plus longtemps que la moyenne des bébés. Nous les nourrissions à la cuillère, dans leurs petits sièges. Les garçons s'amusaient ensuite par terre pendant le repas des grands. Lorsque nous avons commencé à leur offrir des petits bâtonnets de carottes cuites, nous nous sommes rendu compte qu'ils ne savaient pas quoi en faire. Ils n'avaient pas le réflexe de les mastiquer. Était-ce parce qu'ils ne nous avaient jamais vus mâcher les aliments que nous portions à notre bouche ? Nous avons donc commencé à les faire manger dans les chaises hautes en même temps que nous. Ils ont rapidement compris ce qui était attendu d'eux.

> Rusés, les jumeaux !

Pendant un certain temps, Roxanne et Jean-Sébastien plaçaient les chaises hautes des jumeaux côte à côte à un bout de la table pendant l'heure du repas. Jean-Christophe et Louis-Philippe mangeaient avec leurs doigts et terminaient rapidement leur assiette. Les parents se réjouissaient de voir que les jumeaux avaient si bon appétit et qu'ils ne faisaient pas de caprices comme les enfants de leurs amis. Un jour, ils ont compris que leurs jumeaux avaient, comme tous les autres enfants, des aliments préférés et des aliments qu'ils détestaient. S'ils finissaient aussi rapidement leur repas, c'est parce qu'ils faisaient des échanges entre eux ! Jean-Christophe mangeait avec appétit ses légumes... et ceux de son frère, tandis que Louis-Philippe faisait disparaître la viande des deux assiettes. Roxanne a donc éloigné les chaises hautes l'une de l'autre.

L'alimentation autonome

Depuis quelques années, plusieurs familles optent pour l'alimentation autonome (*Baby-Led Weaning*)[1] pour leurs tout-petits. Ce type d'alimentation consiste à offrir à l'enfant d'environ 6 mois des morceaux d'aliments cuits plutôt que des purées. En fait, l'âge n'est pas aussi important que le fait que l'enfant puisse se tenir assis solidement seul avant de commencer l'expérience. Si vos bébés sont nés prématurément, il est possible que vous deviez attendre plus longtemps.

Les tenants de cette méthode vous diront qu'elle est plus « naturelle » puisque depuis que « le monde est monde », l'homme a fonctionné ainsi. Le robot culinaire est en effet une invention assez récente… Plus simple, ce type d'alimentation est aussi très accessible, en ce sens qu'il peut s'appliquer à plusieurs aliments issus de mets de toutes les cultures. Ne pas faire de purées représente également une économie de temps non négligeable. L'enfant mange la même chose que le reste de la famille, développant ainsi son goût pour des aliments communs dans la maison. Il mange à son rythme et à sa faim, tout en développant sa motricité fine.

Vous devez cependant considérer que les repas seront sûrement plus longs, puisque les enfants joueront longuement avec leur bâtonnet de carotte ou tout autre aliment avant de les porter à leur bouche. Cela annule quelque peu l'économie de temps que procure le fait de ne pas faire de purées... Vous devrez également prévoir des restes afin de pouvoir nourrir adéquatement vos jumeaux les soirs où le repas familial ne leur conviendra pas encore (pizza, aliments frits, etc.). Vous devrez vous attendre à des dégâts parfois majeurs : aliments par terre, dans les cheveux et à bien d'autres endroits… Pour vous simplifier la vie, étendez une grande serviette sous les chaises hautes. En donnant plusieurs morceaux à la fois aux bébés, vous augmentez aussi le risque de gaspillage de nourriture.

Si vous optez pour cette méthode, soyez conscient que l'enfant qui ne mange que les fruits et légumes en morceaux n'aura pas suffisamment de fer dans son alimentation. Il faudra donc compenser avec des céréales

enrichies de fer. Il faut également **éviter complètement les aliments durs, ronds ou collants** (mie de pain qui fait une boule humide dans la bouche, saucisse en rondelles, raisins entiers, arachides, etc.) **afin de prévenir tout risque d'étouffement.** Même si un enfant aura le réflexe de tousser et de recracher les morceaux qui sont pris dans sa gorge, vous devez assurer une supervision constante pendant que vos jumeaux mangent.

Gérer le quotidien

Le coucher

Vos jumeaux dorment dans la même couchette? Surveillez leur évolution pour déterminer à quel moment il est préférable de les séparer. Si les bébés se retournent facilement et bougent beaucoup en dormant, il faut les faire dormir dans des couchettes séparées afin d'éviter qu'ils se blessent.

> Une période d'adaptation nécessaire

Les jumelles dormaient dans la même couchette depuis leur naissance. Lorsque le moment est venu de les séparer, vers l'âge de 5 mois, elles l'ont très mal vécu. Marion a dû gérer plusieurs crises de larmes. Dans les couchettes séparées, les jumelles avaient de la difficulté à s'endormir; elles semblaient nerveuses, inquiètes. Était-ce à cause du lien particulier qu'elles partageaient en tant que jumelles monozygotes? Marion et Kevin se sont demandé si «l'absence de l'autre» était la cause de ce désarroi. Ils ont placé les deux couchettes l'une à côté de l'autre afin que Rose et Audrey puissent se voir (et même se toucher à travers les barreaux). Les deux filles ont recommencé à dormir paisiblement. Marion a progressivement éloigné les couchettes. Au bout d'une dizaine de jours, tout était rentré dans l'ordre. Chacune dans sa couchette, les jumelles dormaient maintenant calmement.

Vous avez peut-être imaginé que chaque enfant aurait un jour sa chambre. Comme nous l'avons déjà mentionné, il n'est pas absolument nécessaire de prendre cette décision dès la première année. De toute façon, pendant les premiers mois, il sera probablement plus simple de mettre les deux couchettes dans la même pièce.

Évidemment, vous vous demandez si les bébés se réveilleront l'un l'autre en pleurant. Certains parents m'ont dit que c'était le cas de leurs bébés lorsqu'ils qui dormaient dans la même chambre. Dans ce cas, il est préférable de les séparer. Si cela n'est pas possible, vous pouvez utiliser un appareil qui fait un « bruit blanc » pour atténuer les autres sons. À vous de voir comment se comportent vos jumeaux et d'agir en conséquence.

› Une ou deux chambres ?

Bien sûr, il m'est arrivé occasionnellement de constater qu'un de mes fils réveillait l'autre. Avec le temps, je me suis rendu compte que cela arrivait en général lorsque l'heure du boire approchait. En fin de compte, le réveil n'était devancé que de quelques minutes. Le reste du temps, les pleurs de l'un ne réveillaient pas l'autre.

Si vous n'avez qu'une chambre à votre disposition et que vos jumeaux se réveillent mutuellement, il vous faudra faire preuve de créativité. Pour certains dodos, vous pouvez coucher un bébé dans la chambre et l'autre dans un parc dans une autre pièce de la maison. S'ils s'endorment pendant votre promenade en traîneau, pourquoi ne pas les laisser dormir une fois à la maison ? Vous pouvez ainsi en profiter pour leur faire prendre l'air même si vous ne marchez pas. S'il ne fait pas trop froid et qu'ils sont bien emmitouflés, les bébés peuvent dormir dehors sans problème. Assurez-vous simplement de les garder à l'œil.

> Dodo à l'air frais !

Dans ma famille, le jumeau qui avait dormi dehors avait toujours mieux dormi que celui qui avait dormi dans la couchette. J'ai été triste de voir arriver les températures froides du mois de janvier, car cela m'obligeait à coucher mes deux fils dans la maison...

L'utilisation du parc

Depuis quelques années, l'utilisation du parc semble avoir perdu en popularité. Pourtant, un enfant peut très bien y jouer seul pendant quelques minutes. On ne parle évidemment pas d'y laisser l'enfant tout l'avant-midi ! C'est un endroit sécuritaire pour faire jouer un jeune bébé loin de l'aîné de 2 ans qui, sans le vouloir vraiment, risque de lui mettre sa sucette dans le nez, et hors d'atteinte du chien qui a tendance à lui lécher le visage. Même l'enfant de 1 an ou plus peut accepter d'y passer quelques instants. Les jouets réservés au parc seront toujours nouveaux et stimulants s'il n'y a accès que quelques minutes par jour. Nous avons déjà parlé des avantages du parc au chapitre 4. Rappelez-vous qu'il est important d'assurer la sécurité de vos enfants pendant que vous sortez un plat du fourneau, que vous changez une couche ou que vous faites votre lit. Il faut aussi savoir que les enfants n'ont pas besoin d'être toujours stimulés par un adulte pour être heureux. Certains sont faciles à surexciter et peuvent avoir besoin d'un peu de tranquillité à l'occasion. Dans ces cas-là, le parc peut répondre au besoin de tranquillité de l'enfant.

Si vous avez la chance d'avoir deux parcs, vous pouvez les placer l'un à côté de l'autre. Les jumeaux pourront ainsi s'amuser en toute sécurité. Lorsqu'ils sont capables de se lever tout seuls, faites attention qu'il n'y ait rien dans les parcs qui leur permette de grimper pour en sortir. Le plus téméraire des deux peut vous surprendre : il fera preuve de beaucoup d'ingéniosité pour aller rejoindre l'autre !

L'heure du repas, un moment critique

L'heure des repas est toujours un peu complexe vers la fin de la première année. Ils ont grandi, ils mangent presque comme le reste de la famille. Souvent, en fin d'après-midi, ils sont plus fatigués, moins patients… tout comme leurs parents.

> Jumeaux affamés

Après la sieste de l'après-midi, j'offrais toujours un jus ou un fruit pour permettre aux jumeaux de patienter jusqu'au souper. Toutefois, même s'ils avaient pris leur collation, dès que je commençais à travailler dans la cuisine pour préparer le repas, ils me suivaient pas à pas, réclamant de manger immédiatement. Il est impossible de faire comprendre à des bébés de 11 mois que leur mère doit les « abandonner » temporairement afin de mieux les contenter plus tard. Mon mari me disait qu'il entendait presque toujours un bébé pleurer lorsqu'il rentrait du travail. Il avait souvent envie de repartir en espérant que personne ne l'avait vu arriver. Cela lui permettait cependant aussi de comprendre à quel point mes journées pouvaient parfois être pénibles. Il venait toujours à ma rescousse et je l'accueillais avec bonheur.

Profitez de la sieste de l'après-midi pour faire mariner les viandes et préparer les légumes. Laissez-les dans l'eau froide salée en attendant de commencer la cuisson. Par ailleurs, rien ne vous empêche de dresser la table pendant l'après-midi. Ainsi, au moment où la faim commencera à tenailler les petits estomacs, vous aurez moins à faire dans la cuisine. Vous pourrez accorder un peu plus d'attention à vos enfants pendant ce moment critique et cela évitera quelques frustrations de part et d'autre. Il ne vous restera plus qu'à sortir le lait lorsque vous serez prêts à manger.

> Un tablier rempli de surprises

Lorsqu'elle prépare le souper, épluche des légumes pour la soupe ou vide le lave-vaisselle, Julie met son « tablier spécial ». Plus long qu'un tablier habituel, il comporte plusieurs petites poches dans lesquelles sont cachés des jouets fixés par de courtes cordes. Certains de ces objets font du bruit, d'autres non. Certaines poches ont un rabat, d'autres un « velcro » et d'autres encore un bouton. Les bébés y font toutes sortes de découvertes. Ils peuvent se cacher sous le tablier, sortir puis ranger tous les trésors... Parfois, Julie y cache même un petit morceau de pomme ou de fromage ! Cela permet à l'enfant de mieux tolérer l'attente du repas tout en rendant le temps de préparation plus agréable pour la maman ! C'est un beau projet pour celles qui savent coudre !

Une maman m'a dit qu'elle avait pris l'habitude de donner le bain aux jumeaux juste avant le repas du soir. Ses bébés étaient plus calmes après leur bain et l'heure du repas était plus agréable pour tout le monde. Vous pouvez aussi utiliser les centres d'activités stationnaires et les balançoires pour profiter de votre repas en toute quiétude. Si vos bébés tiennent seuls leurs biberons, peut-être voudrez-vous faire coïncider leur boire avec le repas des grands ?

Lorsqu'ils sont plus vieux, les enfants mangent avec leurs doigts dans la chaise haute. Installez d'abord dans sa chaise celui qui mange le plus lentement. Vous êtes enfin assis à la même table au même moment ! Mais le repas ne se passe pas toujours comme vous l'aviez imaginé... Vers la fin de la première année, tous les bébés jouent à laisser tomber des objets de la chaise haute, objets que vous vous empressez évidemment de ramasser. Ils assimilent ainsi le fait que l'objet existe toujours même s'ils ne le voient plus. Ils regardent tomber l'objet, voient s'il rebondit ou pas, roule ou pas, fait peu ou beaucoup de bruit. Avec deux bébés, vous aurez l'impression de ramasser constamment des objets. Il devient alors impossible de manger tranquillement. Même si vous reconnaissez que vos enfants font de beaux apprentissages, vous atteindrez rapidement votre seuil de tolérance. Le problème se règle assez facilement en attachant le jouet à la chaise haute avec un petit bout de ruban. Les jumeaux ne pourront peut-être pas terminer leur étude de la loi universelle de la gravitation et de ses effets ni celle de la permanence de l'objet pendant le repas, mais ils apprendront à récupérer eux-mêmes les objets en tirant sur la corde. Cela permettra aux autres membres de la famille de manger en paix ! Vous pourrez toujours les aider à faire cet apprentissage à un autre moment en cachant un objet sous une couverture et en les aidant ensuite à le retrouver.

Des jumeaux dans la salle de bain

Outre la cuisine, la salle de bain est la pièce de la maison qui comporte le plus de risques. En plus du danger évident que représente l'eau, la salle de bain comporte souvent un plancher en céramique et des accessoires sur lesquels il est facile de s'assommer. On y trouve aussi plusieurs produits toxiques. La salle de bain peut être l'endroit idéal pour changer les couches de vos bébés si vous avez un grand comptoir ou des électroménagers. Quand les bébés sont petits, cela va très bien. À mesure qu'ils vieillissent, ils bougent plus et il faut faire très attention de toujours garder une main sur eux. Placez également à portée de la main les débarbouillettes, les pyjamas et les couches de rechange. Une chute sur le plancher ou sur le bord de la cuvette pourrait avoir des conséquences dramatiques. Si les jumeaux bougent trop, il est préférable de les installer directement par terre, sur une serviette, dans la salle de bain ou ailleurs. N'oubliez pas que vous avez un deuxième bébé qui peut vous distraire. Un choix plus sécuritaire consiste à déposer l'un des bébés dans son parc pendant quelques minutes, le temps de changer la couche de l'autre.

L'heure du bain peut être un moment agréable pour le bébé et pour son parent. Si vous baignez un seul bébé à la fois, cela devient un moment privilégié. Avouez qu'un jumeau a rarement toute votre attention. C'est souvent le père qui donne individuellement le bain aux bébés. Il en profite pour créer des liens avec ses tout-petits. Pendant ce temps, la mère peut gâter l'autre poupon. Tout le monde en sort gagnant. Chaque parent peut aussi prendre son bain avec l'un des jumeaux. À deux, il est toujours plus facile de s'organiser.

Comment faire si vous êtes seul pour donner le bain ? Verrouillez d'abord la porte de la maison et veillez à laisser le téléphone là où il est. Il n'est pas recommandé de l'apporter dans la salle de bain. Vous avez besoin de vos deux mains et de toute votre attention pour donner le bain. Assurez-vous de réchauffer un peu la pièce pour éviter que le bébé qui prend son bain ait froid. Veillez également à approcher tout ce dont vous aurez besoin avant de faire couler l'eau du bain (serviettes, couches, vêtements de rechange). Si vous baignez un seul bébé, vous ne pourrez pas le laisser dans la baignoire pendant que vous allez vérifier que l'autre va bien. Si vous avez suffisamment d'espace, vous pouvez installer l'autre bébé dans son siège de table dans la salle de bain, par terre. Sinon, installez-le dans son siège, dans sa balançoire ou dans son parc près de la porte laissée ouverte. S'il s'impatiente, vous pourrez au moins lui jeter un coup d'œil ou lui chanter une chanson.

Même si vos bébés sont petits et qu'ils ne se retournent pas encore, il est prudent de prendre dès le début l'habitude de vider l'eau du bain dès que vous avez terminé. Cela permettra de limiter les risques lorsque les jumeaux seront plus âgés. Lorsque les bébés seront assez grands, vous pourrez les baigner ensemble et gagner ainsi un peu de temps.

Avec les petits sièges à ventouses qui tiennent bien en place dans la baignoire et dans lesquels on peut attacher les enfants, il est possible de faire du « deux en un ». Comme nous l'avons évoqué au chapitre 4, certains parents utilisent un panier à linge en plastique pour y poser leurs deux enfants dans le bain lorsque ceux-ci sont en âge de se tenir assis. Cependant, même s'ils semblent en sécurité dans leur siège, cela ne signifie pas qu'on peut les laisser sans surveillance. Habituellement, un seul siège à ventouse suffit, puisqu'on peut difficilement laver le bébé qui y est assis. On en lave un pendant que l'autre attend dans son siège et on fait ensuite l'échange.

Petits et grands maux

Tous les parents du monde doivent composer avec les maladies et les malaises des bébés. Pendant la première année, les tout-petits percent des dents et ont leurs premiers contacts avec les virus. Si ces périodes sont difficiles pour les enfants, elles le sont aussi pour les parents. Devrez-vous vivre tout cela en double ? J'ai bien peur que oui. Malheureusement, les petites maladies font partie de la vie. Si un malaise ou une percée de dents peut causer beaucoup de pleurs, il n'y a généralement pas de raison de s'alarmer. Lorsque vous aurez identifié la cause du malaise, vous pourrez mieux gérer la crise, sans vous inquiéter outre mesure. Ainsi, si les jumeaux viennent de recevoir un vaccin (un excellent « investissement »), il est normal qu'ils fassent un peu de fièvre. Si vous avez des enfants plus vieux qui sont déjà à l'école ou à la garderie, ceux-ci ramèneront sans doute virus et microbes à la maison. Vous vivrez quelques jours et quelques nuits difficiles, mais dites-vous que vos jumeaux sont en train de développer leurs anticorps et qu'ils seront immunisés contre ces mêmes virus lorsqu'ils entreront à leur tour à la garderie. Évidemment, si l'un de vos jumeaux attrape un rhume, l'autre risque de présenter à son tour des symptômes quelques jours plus tard.

> Virus voyageurs

Pour ma part, lorsqu'un petit nez commençait à couler, je tentais habituellement de protéger le jumeau non atteint en l'éloignant un peu de son frère. C'était souvent peine perdue, car les jumeaux ont un sens inné du partage. Nous finissions alors simplement par faire des réserves de papiers mouchoirs...

N'oubliez surtout pas que les antibiotiques sont tout à fait inutiles contre les infections causées par des virus (rhume, grippe, varicelle). Si votre médecin ne vous en prescrit pas, c'est qu'ils sont inutiles pour soigner le malaise dont souffre votre enfant. Le mauvais usage des antibiotiques a en effet favorisé le développement de la résistance des bactéries. Parfois, ce que l'on peut offrir de mieux à nos enfants, c'est un peu de sirop analgésique à base d'acétaminophène (Tempra[MD] ou autre) et beaucoup d'amour.

Si vous avez des jumeaux identiques, il est fort probable qu'ils perceront leurs dents à peu près en même temps. En effet, l'apparition des dents est programmée génétiquement. Si vos deux bébés deviennent un peu impatients, développent soudainement des problèmes de sommeil et font de la fièvre en même temps sans cause évidente, vous verrez probablement apparaître deux petites dents quelques jours plus tard.

Votre pharmacie contiendra probablement les mêmes médicaments que celle de votre voisine qui n'a qu'un seul bébé. Vous avez cependant avantage à acheter le plus gros format de sirop et de désinfectant ainsi que la plus grosse boîte de pansements. Assurez-vous aussi d'avoir un analgésique pour enfants à la maison en tout temps. Il faut cependant éviter de donner de l'acide acétylsalicylique (aspirine) aux moins de 16 ans.

Il est aussi agréable de voir courir des jumeaux en santé qu'il est pénible de les voir malades. Ces journées-là, vous ne ferez pas de ménage et les repas seront réduits à leur plus simple expression. Si vous avez de la chance, vous trouverez peut-être un plat cuisiné oublié au congélateur. Un enfant malade nous occupe et nous attriste ; deux enfants malades rendent les journées assez difficiles. Lorsqu'ils retrouveront la santé et recommenceront à grimper et à courir partout, rappelez-vous combien vous aviez hâte de les voir remis de leur maladie.

La frustration des parents de jumeaux...

Avec deux bébés et un seul parent présent, il est difficile, voire impossible, de recréer le scénario de bonheur tranquille que vous aviez imaginé. Il n'est pas facile de stimuler adéquatement deux bébés, de leur accorder toute son attention, de leur chanter toutes les comptines de son répertoire, de leur donner toutes les caresses qui les font sourire. C'est pourtant ce qu'on a envie de faire : prendre le temps de profiter de la douceur de leur peau et de leur odeur, leur chanter doucement des berceuses jusqu'à ce qu'ils s'endorment. Certaines situations sont très culpabilisantes pour les parents de jumeaux. Il arrive par exemple que l'on parle à l'un des bébés qui vient de nous faire un magnifique sourire et qu'on s'aperçoive tout à coup que l'autre est tout près, mais qu'on ne lui a accordé jusque-là aucune attention. Qui sait ? Il souriait peut-être lui aussi !

Comme tous les parents de jumeaux, vous devez vous contenter d'offrir le plus d'attention possible à chacun des bébés quand vous en avez l'occasion. Lorsqu'un des deux bébés prolonge sa sieste, vous pouvez en profiter pour câliner celui qui est réveillé. Vous vous habituerez à chanter vos comptines en regardant à tour de rôle les deux bébés qui vous écoutent.

Si l'un des bébés fait un peu de fièvre et que vous le bercez plus souvent que son jumeau, ne vous sentez pas coupable de lui accorder plus d'attention. Rappelez-vous que l'autre jumeau sera probablement fiévreux demain et que ce sera à son tour de se faire gâter.

Si la tâche est plus ardue que pour un parent d'enfant seul, dites-vous qu'il y a quand même certains avantages à avoir des jumeaux. Ils pourront en effet un jour s'amuser entre eux (probablement plus tôt que vous le pensez). Ce sera alors à votre tour de les regarder en souriant, alors qu'eux ne vous regarderont pas. Vos jumeaux sont conscients de la présence de l'autre, même pendant leur première année d'existence. N'oubliez pas qu'ils ont partagé un seul utérus pendant neuf mois ! Pourquoi ne pas les placer de façon à ce qu'ils puissent se voir lorsqu'ils sont dans leur chaise ? Les bébés adorent regarder d'autres bébés. Ils pourraient vous surprendre en s'amusant ensemble même s'ils sont encore tout petits.

> On s'amuse bien à deux !

Souvent, à 5 ou 6 mois, j'entendais les rires spontanés de mes fils qui s'examinaient mutuellement. À 7 ou 8 mois, il arrivait fréquemment que l'un des jumeaux parvienne à faire rire l'autre alors que je m'y appliquais depuis quelques minutes sans succès. Le lien particulier qui unit vos jumeaux peut parfois vous donner un répit !

Sortir de la maison, c'est important

Les pleurs incontrôlables des nouveau-nés appartiennent au passé et vous vous êtes habitués à la présence continuelle de vos bébés. Pendant la première année, il y aura quand même des périodes de pleurs qui mettront votre patience à rude épreuve. Vous constaterez peut-être que vous avez pris quelques « mauvais plis » et que vous devrez vous montrer plus stricts pour changer ces habitudes. Ce ne sera pas toujours facile. Vous vivrez encore des situations nouvelles : les bébés de quelques mois percent des dents et contractent des virus. Ils vous feront encore vivre des heures difficiles. Ces situations sont moins frustrantes ou inquiétantes qu'au début, car vous avez apprivoisé vos bébés et vous reconnaissez certains pleurs (douleur, fatigue, etc.), mais vous aurez encore besoin de sortir quelquefois pour retrouver un peu de silence !

Profitez de toutes les occasions

Ce sont plus souvent les mères qui passent des journées seules avec les jumeaux. Elles se sentent parfois isolées du reste du monde. S'il est valorisant et inspirant d'être une maman de jumeaux, n'oubliez pas que vous existez encore en tant que femme, conjointe et amie. Vous avez besoin de vous retrouver, de voir des adultes (pour parler de vos jumeaux ou, au contraire, pour vous permettre de les « oublier » pendant quelques heures). Votre conjoint, votre mère ou une amie vous offre de s'occuper des jumeaux pendant une heure ou deux ? Sortez ! Profitez de tous ces petits moments volés çà et là. Ne ratez jamais l'occasion d'une sortie, surtout si elle vous permet de rire. Vous reviendrez sans doute pleine d'énergie et prête à affronter de nouveau les tâches qui vous attendent à la maison. Le temps que vous prenez pour vous bénéficie à tout le monde. Une maman plus reposée et gaie rend plus facilement les autres heureux.

Quand vous n'en pouvez plus...

Aujourd'hui, il fait soleil. Il était temps : il a plu sans arrêt pendant une semaine. Habituellement, vous êtes assez patiente, mais le sentiment de confinement vous a rendue irascible. Les jumeaux sont difficiles à contenter : ils se réveillent l'un après l'autre la nuit et vous en avez assez. Que faire ?

Faites-vous plaisir : sortez de votre solitude ! Dépliez la poussette double et allez faire une promenade avec les bébés. C'est le moment tout indiqué pour habiller vos petits avec les ensembles assortis que vous avez reçus en cadeau (une fois n'est pas coutume !). Vous verrez que vous ne passerez pas inaperçue ! Imaginez quelques réponses rigolotes pour les multiples questions qu'on vous adressera :

- *Comment faites-vous pour y arriver ?* Aujourd'hui, je n'y arrive pas, justement !
- *Dorment-ils toujours en même temps ?* J'ai l'impression qu'ils ne dorment *jamais* !
- *Les habillez-vous toujours de la même façon ?* Oui, je commence toujours par la couche.
- *Combien aviez-vous pris de kilos pendant la grossesse ?* J'essaie de ne pas y penser…
- *Combien pesaient-ils à la naissance ?* Pas mal moins que ma prise de poids le laissait présager !
- *Vous ne devez pas pouvoir les allaiter ?* Bien sûr : j'ai des seins !
- *Si l'un d'eux pleure, est-ce que ça réveille l'autre ?* Parfois, surtout si je pleure moi aussi…
- *On dit que ça saute une génération… Y avait-il des jumeaux dans votre famille ?* Ces réponses-là, vous les connaissez !

Vous vous rendrez rapidement compte que vous vous posiez les mêmes questions avant d'avoir vos jumeaux. Les jumeaux sont bien mystérieux pour la plupart des gens. Vous avez appris beaucoup de choses depuis quelques mois, n'est-ce pas ?

Certaines personnes partageront avec vous leur histoire personnelle :

- *Mon arrière-grand-mère du côté de mon père a eu trois paires de jumeaux !* (Bravo pour elle !)

- *J'aurais donc voulu avoir des jumeaux, moi aussi!* (J'en profitais alors pour leur offrir les miens, mais je n'ai jamais trouvé preneur...)
- *Il y a des jumeaux dans ma famille, moi aussi...* (Ah oui? Ah bon!)

Vous aurez sans doute des questions plus farfelues:

- *Est-ce que ce sont des jumeaux?* Que vos jumeaux soient pareils en tous points ou tout à fait différents l'un de l'autre, dites « non » et voyez la réaction des gens... C'est toujours drôle. Certaines personnes vous demanderont *si ce sont de « vrais » jumeaux*, sans vraiment savoir ce que cela veut dire... Vous voulez rire? Répondez-leur: « Non, ils sont en plastique... ».
- *Lequel est le plus tannant? Ou le plus gentil?* (Ça dépend vraiment des journées.)
- *Est-il vrai que les jumeaux peuvent faire de la télépathie?* (À 14 semaines, je ne crois pas.)
- *Comment faites-vous pour les différencier?* (Question farfelue lorsque vous avez une petite blonde et un « gros » brun...)
- *Lequel aimez-vous le plus*? (Bizarre: on ne penserait pas à poser une telle question à une maman d'enfants d'âges différents!)

Et la question qui m'a fait toujours rire:

- *Tiens: un garçon et une fille. Sont-ils identiques?* (Sans commentaire!)

Profitez de l'attention et même de la sympathie que vous suscitez. Soyez fière d'être une maman de jumeaux. Vous êtes *spéciale*, vous aussi. Parfois, nous avons besoin du regard des autres et de leur admiration pour nous rappeler combien nous sommes chanceux d'avoir ces deux magnifiques bébés. Gardez précieusement dans votre cœur ces moments agréables pour vous soutenir lors des journées difficiles.

> Sortir avec des jumeaux

Il est assez facile de sortir à deux avec les enfants. Pour sortir seule, c'est une autre histoire. Les poussettes doubles côte à côte ne passent pas dans la majorité des portes. Les poussettes face à face sont difficiles à manier dans les allées. À l'épicerie, il est impossible de manier simultanément la poussette et le panier. Il faut donc mettre un enfant dans le siège et l'autre dans le panier. Ce n'est pas sans danger et, de plus, l'enfant peut s'amuser à écraser les pains ou à manger les framboises. Personnellement, j'ai fini par abandonner l'idée de faire l'épicerie seule avec les petits.

Pendant la première année, le moment le plus difficile est sans doute celui où les enfants n'entrent plus dans leur coquille, mais ne marchent pas encore. Il faut les porter, un dans chaque bras, même si ce n'est pas une manœuvre sécuritaire. Heureusement, on peut compter sur la gentillesse des gens pour nous ouvrir les portes, et même pour porter un enfant. Ils nous encouragent, nous admirent. C'est bon pour le moral !

J'ai remarqué que mon mari n'attirait pas la même sympathie. Comme si un père avec une poussette double n'avait pas besoin qu'on lui ouvre la porte...

Sortir avec les enfants, toute une organisation !

Cela peut faire du bien de sortir prendre l'air pendant que le conjoint est à la maison, mais ce n'est pas toujours suffisant. Après quelques semaines, quand le quotidien s'est installé et que les visites s'espacent, un changement de décor s'impose parfois. Il se peut que vous ressentiez le besoin de retrouver votre famille. Une mère, un père, un frère ou une sœur peut endormir un bébé et vous offrir écoute et soutien. Ces visites sont souvent énergisantes. Profitez-en !

Les premières sorties se feront probablement chez des gens que vous connaissez très bien. Préparez un fourre-tout avec quelques couches, un ou deux pyjamas, une couverture et des sucettes. Vous pourrez ainsi répondre instantanément aux invitations qu'on vous lance. Si vous prévoyez une sortie d'une journée ou plus, les préparatifs seront plus longs. Prenez quand même le temps qu'il faut et sortez : vous en avez besoin !

Afin de rendre vos visites à la famille agréables, essayez d'avoir le moins de choses à préparer et à apporter avec vous. Peut-être pouvez-vous laisser des articles là où vous vous rendez le plus souvent ? S'il y a déjà là-bas une réserve de couches, une boîte de lait en poudre, quelques bavoirs, des biberons, de la pâte d'Ihle, une bouteille de TempraMD, des cure-oreilles, etc., vos préparatifs seront moins longs. Lorsque les jumeaux seront un peu plus âgés, vous laisserez aussi des gobelets, des assiettes à succion, un siège d'appoint, quelques jouets et tout autre objet d'usage courant. Vous pouvez même laisser quelques vêtements un peu trop grands qui pourront vous dépanner en cas de dégât.

S'il vous est possible d'emprunter une couchette ou un parc et de les laisser en permanence là où vous allez souvent, les bébés seront vite installés pour la nuit ou la sieste. Si vous utilisez une couchette usagée, assurez-vous qu'elle réponde aux normes de sécurité actuelles. Les membres d'une famille de ma connaissance se sont cotisés pour acheter une couchette et l'ont laissée chez grand-maman et grand-papa. Chaque famille pouvait en profiter lors de ses visites. Vous serez heureux d'avoir su vous organiser quand vous sortirez de la maison pour rendre visite à quelqu'un ! S'il y a déjà une couchette chez les grands-parents, il ne vous restera plus qu'à apporter un parc pour que vos deux jumeaux soient en sécurité pour la sieste. N'oubliez pas que la poussette double prend beaucoup de place dans le coffre de la voiture...

Une sortie en couple, est-ce encore possible ?

Vous n'êtes pas qu'une maman et un papa : vous êtes aussi un couple, deux adultes avec d'autres champs d'intérêt que vos enfants. Une petite sortie en couple ou avec des amis vous ferait sans doute le plus grand bien. Vous n'avez pas de conjoint ? Vous avez probablement encore plus besoin de discuter avec d'autres adultes ! Il est cependant difficile pour une nouvelle maman de laisser un tout-petit aux bons soins de quelqu'un d'autre. Si l'on allaite, cela complique encore un peu plus les choses. Et même si l'on nourrit l'enfant au biberon, il n'est pas facile que de trouver quelqu'un en qui l'on a confiance.

Si des membres de votre famille habitent près de chez vous, vous pouvez leur demander de vous dépanner pendant quelques heures. Il se peut que les gens oublient de vous offrir leur aide comme ils l'ont fait au début, mais cela ne veut pas dire qu'ils ne sont pas prêts à vous rendre un petit service à l'occasion. Pour plusieurs personnes, toutefois, il est impensable de garder les deux bébés. Soyez indulgents, souvenez-vous de vos inquiétudes à l'annonce de l'arrivée des jumeaux. Rappelez-vous combien il était difficile pour vous de fonctionner avec les deux bébés, au début. Vous pouvez emmener un bébé chez sa grand-maman et l'autre chez sa tante. Quelques heures loin l'un de l'autre leur fera probablement du bien... L'enfant jouira ainsi de toute l'attention de l'adulte et s'habituera à être seul pendant quelques heures. Il est vrai que cela exige beaucoup d'organisation... *Tout* est un peu plus compliqué avec des jumeaux. C'est comme ça ! Dites-vous que vous méritez ces quelques heures d'insouciance et que vous vous réjouirez d'avoir un nouveau sujet de discussion...

Une gardienne à la maison ?

On peut simplifier les choses en ayant une gardienne à la maison. S'il est peu probable qu'on laisse les jumeaux pendant toute une journée à une jeune fille de 12 ans, on peut envisager de lui demander de garder une heure ou deux en soirée lorsque les deux bébés dorment. Informez-vous auprès de votre entourage. Vous avez peut-être des voisins qui peuvent vous recommander des jeunes responsables. Les écoles et les centres communautaires offrent souvent des cours de gardiennage : ils peuvent vous donner les coordonnées de jeunes ayant suivi ces formations.

Vous pouvez commencer en demandant à la jeune fille de venir nous donner un coup de main à l'occasion. Elle en viendra rapidement à connaître vos enfants et vos habitudes. Vous la verrez interagir avec les enfants et vous observerez les réactions de ces derniers. Vous en profiterez pour lui expliquer les consignes de sécurité essentielles. Au bout d'un certain temps, quand vous vous sentirez en confiance, vous pourrez lui demander de venir garder. Si les bébés sont couchés à 19 heures, vous avez le temps de vous offrir une sortie de deux heures au cinéma. Demandez à la gardienne d'être à la maison avant que vous couchiez les bébés afin de vous assurer qu'ils l'ont vue avant de s'endormir. Ainsi, si l'un des deux se réveille, il sera moins surpris de la voir au pied de son lit. Vous aurez peut-être de la difficulté à « oublier » les enfants et à profiter de vos premières sorties. Ne vous découragez pas : cela deviendra plus facile avec le temps. Vous connaîtrez de mieux en mieux votre gardienne et vous aurez de plus en plus confiance en elle.

Je parle ici de gardienne, mais certains jeunes hommes sont tout aussi capables de s'occuper d'enfants, même très jeunes ! Si les garçons que vous connaissez sont malhabiles ou mal à l'aise avec les tout-petits, vous pouvez envisager de les rappeler lorsque vos enfants seront plus grands…

Si vous prévoyez une activité qui a lieu le jour ou quand les deux bébés sont éveillés, vous pouvez utiliser les services de deux gardiennes. Cela coûte plus cher, mais, occasionnellement, ce genre de dépense peut être nécessaire, surtout si les deux enfants sont à l'âge où ils rampent partout. Vous pouvez demander à votre gardienne habituelle si elle a une amie qui pourrait venir garder avec elle. Faites ensuite connaissance avec cette amie, comme vous l'avez fait avec votre gardienne au début.

Vous sortez pour l'après-midi ? Expliquez bien à la gardienne la routine de l'après-midi. Les enfants prennent-ils une collation ? À quelle heure ? Précisez les heures des repas ou de la sieste s'il y a lieu. Mettez au clair ce qu'elle a le droit d'offrir aux enfants : collations, gâteries, bricolage, sortie au parc ou autre. Précisez aussi les comportements interdits, pour elle comme pour les enfants : se baigner, recevoir des amis, parler au téléphone ou texter constamment (elle doit accorder toute son attention aux enfants !), regarder un film (à moins que les enfants soient couchés et endormis), etc. Rappelez-lui que le volume du téléviseur doit quand même permettre d'entendre pleurer un bébé, surtout si vous n'avez pas de moniteur. Prévoyez une collation pour la gardienne si vous préférez qu'elle ne se serve pas dans vos réserves. Donnez-lui toutes les recommandations que vous jugez pertinentes pour que vous puissiez partir en toute tranquillité.

Que vous ayez une ou deux gardiennes à la maison, assurez-vous de laisser votre numéro de téléphone à un endroit visible. Si vous n'avez pas de téléphone portable, laissez-lui le numéro de l'endroit où vous allez. Si vous n'avez plus de téléphone fixe à la maison, assurez-vous qu'elle a son téléphone portable avec elle ou que vous pouvez lui en prêter un. S'il est impossible de vous rejoindre, dressez une liste des numéros de téléphone des personnes qui peuvent l'aider en cas de pépin. Assurez-vous à l'avance que ces personnes seront présentes pour répondre au téléphone. Donnez-lui une heure de retour et *tâchez de la respecter.*

Vous n'êtes évidemment pas obligés de faire garder vos enfants. Toutefois, comme parents de jumeaux, vous avez besoin de vous évader occasionnellement. Cela vous fera le plus grand bien. On peut décider pour toutes sortes de raisons de ne pas sortir : les considérations financières, la crainte de laisser ses enfants à des étrangers... Cependant, il est important que vous ayez en réserve les noms de quelques personnes que les enfants apprécient et à qui vous faites confiance au cas où vous deviez vous absenter. Si une situation imprévue ou hors de votre contrôle survient, vous serez heureux d'avoir déjà développé une relation avec une gardienne. Selon l'âge des enfants (ainsi que celui de la gardienne) et la régularité de leur routine, vous pourrez sortir en toute tranquillité d'esprit. Ici comme ailleurs, si vous vous organisez, vous pourrez partir en sachant que vos jumeaux sont en sécurité.

Une suggestion de sortie

Vous apprécierez particulièrement les sorties qui vous permettront de rencontrer d'autres parents, si possible des parents de jumeaux. S'il existe une association de parents de jumeaux dans votre localité, informez-vous des activités qu'elle offre et essayez d'y participer à l'occasion. Certains organismes proposent des conférences ou des ateliers sur la thématique des jumeaux. Ceux-ci sont habituellement réservés aux adultes. Des activités ou des fêtes pour toute la famille sont parfois aussi organisées. Si vous ne pouvez vous offrir qu'une sortie par mois, celle qui vous mettra en contact avec d'autres parents de jumeaux sera très utile et agréable. Les parents de jumeaux que vous rencontrerez lors de ces événements sont habituellement très amicaux, aidants et compréhensifs. Ils vivent ou ont vécu les mêmes bonheurs et les mêmes frustrations que vous. Ils comprennent vos émotions parfois contradictoires et peuvent vous offrir quelques trucs utiles. Les parents de plusieurs singletons n'ont pas vraiment idée de ce que vivent les parents de jumeaux. Cela est encore plus vrai des parents d'enfants uniques : ils peuvent vous écouter, mais ils ne peuvent pas vraiment vous comprendre, car leur réalité est trop différente de la vôtre. Discuter avec d'autres parents de jumeaux vous permettra d'explorer le monde fascinant de la gémellité. Vous verrez comment les autres parents agissent et quelles embûches ils rencontrent. Vous serez à même de prévoir ce qui vous attend dans les mois et les années à venir. Vous pourrez discuter de la psychologie des jumeaux et découvrir les différences entre les singletons et les jumeaux ou même entre les différents types de jumeaux. Certains parents susciteront votre admiration et deviendront des modèles pour vous. D'autres vous influenceront tout autant en vous fournissant des exemples de comportements que vous ne voulez *pas* adopter... Vous verrez par ailleurs qu'il est possible de s'en sortir ! Quelques mois plus tard, lorsque vous discuterez à votre tour avec de nouveaux parents de jumeaux, vous serez surpris de constater le chemin que vous avez parcouru.

> Rencontrer d'autres parents de jumeaux

Les parents de jumeaux que nous avons rencontrés étaient des gens simples dotés d'un sens de l'humour hors du commun et qui savaient prendre la vie du bon côté sans s'embêter avec des détails inutiles. Les activités avec les enfants ont permis à nos fils de rencontrer d'autres jumeaux. En côtoyant des jumelles qu'ils ne réussissaient pas à distinguer, ils ont compris que certaines personnes pouvaient avoir de la difficulté à les distinguer eux aussi. Ils ont connu des jumeaux de même sexe (pourtant très différents) ainsi que des jumeaux garçon/fille. Ils se sont fait des amis, tout comme nous. Ces rencontres ont permis à toute la famille de découvrir les nuances de la gémellité et de mieux comprendre et apprécier la relation particulière qu'entretiennent les jumeaux.

Les autres enfants de la famille

Vos bébés ont environ 4 mois et ils dorment une grande partie de la journée. Une certaine routine s'est installée. Vous prenez le temps de jouer avec l'aîné dès que les bébés font la sieste. Celui-ci semble bien accepter la présence des petits envahisseurs. Vers 9 mois, les jumeaux sont plus éveillés. Ils accaparent différemment notre attention et vous prenez de plus en plus de plaisir à interagir avec eux.

Ne soyez pas surpris si l'aîné réagit soudain négativement à leur présence. Au début, c'était différent et excitant pour lui, surtout si vous aviez de l'aide à la maison. Il y a de fortes chances qu'un adulte ait été souvent disponible pour lui. C'est lorsque la vraie routine s'installe qu'il constate que la vie dans sa maison n'est plus pareille. Les parents sont très occupés et ils semblent avoir moins d'énergie. Il n'est plus aussi facile d'habiller toute la famille pour aller jouer dehors, surtout si l'hiver est arrivé.

Des bébés qui dorment beaucoup dérangent un peu moins. La tolérance de l'aîné peut cependant atteindre un seuil lorsqu'ils commencent à prendre plus de place dans la maison et à accaparer ses jouets. Je me souviens d'avoir vu plus d'une fois ma fille tenter de protéger la tour qu'elle bâtissait lorsqu'un des garçons arrivait à quatre pattes derrière elle. La tour était immanquablement détruite par l'autre garçon qui arrivait par devant. Il n'est donc plus aussi agréable pour l'aîné d'avoir deux petits bébés dans la maison. Il doit attendre que les bébés soient couchés pour bricoler avec des ciseaux, de la colle ou des crayons parce qu'il est trop risqué que les jumeaux de 10 mois s'en emparent. Il ne peut plus jouer avec la peinture à doigts ou les petits blocs de construction en présence des bébés parce que ces derniers risquent de les porter à leur bouche. Votre aîné pourrait devenir impatient envers ces trouble-fête ! Essayez de lui réserver un coin auquel les jumeaux n'ont pas accès. Vous avez lu le chapitre 4 et vous savez que les barrières de sécurité qui ne tiennent qu'avec des ventouses ne doivent jamais être placées en haut d'un escalier lorsqu'il y a des jumeaux dans la maison. Si vous en avez une, elle peut servir à empêcher l'accès des jumeaux à la pièce où le plus vieux bricole ou fait des casse-tête. Il faut trouver une solution pour lui permettre de continuer à s'amuser tout en assurant la sécurité des petits.

> Ingénieux

Denise et François ont construit une mezzanine à environ 1,60 m du sol, dans la chambre de leur fille. Il restait tout juste assez de place en haut pour que la petite puisse s'asseoir. L'échelle de cinq marches se remontait pour que les garçons ne puissent pas y accéder. Christine pouvait donc jouer en toute tranquillité avec ses poupées sans risquer que les garçons s'emparent des petits morceaux. Christine a continué à utiliser la mezzanine jusqu'à l'adolescence, même si elle devait se pencher pour se déplacer. Ses parents y ont installé des coussins et une lampe de lecture. C'était son petit coin secret, l'endroit parfait pour les confidences entre amies. Elle se promet d'en bâtir une pour son enfant un jour, même si elle n'a pas de jumeaux.

On peut occasionnellement laisser l'aîné regarder une émission pendant le boire ou le bain des jumeaux. Si ce n'est pas une activité qui se présente trop souvent, il appréciera le divertissement. Il sera possiblement moins conscient ou choqué de voir que maman est *encore* occupée avec les bébés ! Vous vous éviterez peut-être ainsi une petite crise de jalousie. Si vous avez enregistré un film, vous pouvez l'écouter avec lui en plusieurs fois pendant les boires des bébés. Il sera moins porté à grimper sur vos genoux pour avoir de l'attention si vous partagez ces moments avec lui. S'il y a une émission de télévision qu'il aime particulièrement, enregistrez-la et gardez-la en réserve pour un boire. Les émissions disponibles en ligne peuvent aussi vous dépanner occasionnellement. Vous pouvez également profiter de la sieste de l'aîné pour donner le bain ou un boire. Vous pourrez plus facilement accorder toute votre attention aux poupons sans vous sentir coupable de faire encore attendre votre grand. Rappelez-lui — avec photos à l'appui, si possible — que vous le preniez souvent dans vos bras quand il était petit, lui aussi. Et qu'il n'avait pas besoin de partager l'attention de sa maman, lui !

Expliquez à votre aîné que ces deux petits êtres finiront par grandir et qu'il pourra s'en faire des amis. Il sera le plus grand, le plus fort, celui qui court le plus vite. Il y a de quoi être fier ! Donnez l'exemple d'autres enfants plus grands qu'il connaît et qu'il admire. Être un grand frère ou une grande sœur doit avoir des avantages aussi : manger de la crème glacée ou croquer dans une pomme parce qu'il a de bonnes dents, jouer au ballon, se baigner dans la piscine, ne pas faire de sieste l'après-midi, parler au téléphone avec grand-maman, etc. Expliquez-lui que les bébés n'ont pas tous ces plaisirs. Il sera peut-être moins jaloux de l'attention qu'ils reçoivent.

Les gens bien intentionnés offrent parfois de s'occuper de l'aîné pendant quelques heures afin de vous libérer un peu. Cela est très apprécié, surtout si celui-ci accepte difficilement la présence des envahisseurs. Il a besoin d'être le centre d'attention et de se faire gâter un peu. Profitez-en ! Vous pouvez aussi demander à la personne qui vous offre de l'aide de partir quelques minutes avec les bébés dans la poussette double ; vous aurez ainsi un moment privilégié avec vos aînés. Demandez-leur ce qu'ils ont envie de faire ; c'est enfin leur tour ! N'oubliez pas qu'ils ont perdu temporairement leur maman. Or, ils en ont encore besoin, peut-être même plus qu'avant. Profitez de l'absence des bébés pour discuter de la nouvelle situation avec votre aîné. Permettez-lui d'exprimer sa colère, sa jalousie ou sa peine. Si vous lui en donnez l'occasion, il exprimera ses besoins et vous dira ce qui lui manque le plus. Peut-être aimerait-il simplement que vous recommenciez à le chatouiller en sortant du bain comme vous le faisiez avant ? Vous pourrez ainsi tenter d'éviter le plus possible les situations qui éveillent sa jalousie. Il n'est cependant pas question d'accepter les manifestations de violence ou d'agressivité envers les jumeaux, les parents ou les amis de la garderie. Expliquez-lui que vous comprenez sa frustration et offrez-lui d'autres solutions pour canaliser ses énergies négatives : parler à son toutou, frapper ou crier dans un oreiller, dessiner les bébés sur une feuille et la déchirer en mille morceaux, etc. L'idée, c'est qu'il trouve un exutoire à sa colère et qu'il sache que vous l'aimez autant qu'avant. Même si vous tentez d'atténuer le bouleversement que vit votre aîné, il n'en demeure pas moins qu'il a perdu la place privilégiée qu'il occupait avant l'arrivée des jumeaux. Cela ne sera pas facile pour lui, quoi que vous fassiez.

> L'aîné a aussi besoin d'attention

Céline trouvait dommage de voir combien, lors de ses sorties en public, les gens n'en avaient que pour les jumeaux, alors que sa grande fille, qui avait tout juste 2 ans, passait tout à fait inaperçue. Une seule fois, une « bonne grand-maman » s'est accroupie pour parler à Myriam. Enfin ! Céline était tellement contente pour sa fille... jusqu'à ce qu'elle comprenne que la dame n'avait en fait qu'une seule question pour Myriam : « Tu les trouves beaux, toi aussi, les jumeaux ? » Décidément, il n'y a pas moyen de s'en sortir !

Le développement des jumeaux

Nous n'aborderons pas ici les étapes normales du développement de l'enfant de la naissance à 1 an. Il existe beaucoup d'ouvrages sur le sujet. Vous pouvez les consulter pour savoir ce à quoi vous pouvez vous attendre chez un bébé de 3, 6 ou 12 mois. Il est cependant possible que ces livres ne mentionnent pas les particularités que l'on retrouve chez les jumeaux. C'est ce qui est présenté ici.

La découverte de l'autre

Les jumeaux passent presque tout leur temps ensemble. Ils savent, consciemment ou non, qu'ils ne sont jamais seuls. Pensez au moment où vous les avez couchés ensemble dans le landau et qu'ils se sont calmés immédiatement. Ils sont naturellement réconfortés par la présence de l'autre.

À environ 3 mois, le singleton découvre sa main. Au début, il semble très intrigué de la voir bouger. Après quelque temps, il comprend que c'est lui qui la fait bouger. Le jumeau découvre la main de son cojumeau presque en même temps que la sienne. Il lui faut encore un certain temps pour comprendre que sur les *quatre* mains qu'il voit, il n'y en a que *deux* qui dépendent de lui ! Pendant la première année de vie, il arrive un moment où les enfants comprennent que leur maman est une autre personne et qu'elle n'est pas une extension d'eux-mêmes. Les jumeaux doivent aussi comprendre que leur cojumeau est une autre personne. Où finit l'un et où commence l'autre ? C'est tout un casse-tête pour un bébé ! À cet âge, l'enfant n'est pas tout à fait conscient de sa propre existence et, déjà, il doit se différencier de quelqu'un d'autre. Comment l'aider à comprendre qu'il est un individu à part entière ? Il vous faudra sans doute quelques années pour réussir complètement cet exploit. Nous aurons l'occasion d'en reparler plus loin, plus particulièrement au chapitre 6, qui porte sur la petite enfance.

Les développements synchronisés

Si vous remarquez des différences dans l'évolution de vos jumeaux, ne vous inquiétez pas, à plus forte raison si ce sont des jumeaux fraternels. N'oubliez pas que ce sont quand même deux enfants très différents. Vous attendez-vous à ce que tous les enfants d'une même famille se développement exactement de la même manière ? Vous ne vous rappelez probablement pas avec précision l'âge qu'avait votre aîné quand il a fait ses premiers pas. Pourquoi devrait-on accorder de l'importance au fait qu'un des jumeaux a marché deux semaines après l'autre ? Certains enfants marchent plus tôt que d'autres, c'est bien connu. Certains percent leur première dent à 4 mois, d'autres à 15 mois. Des enfants réussissent à se faire comprendre à 18 mois, tandis que d'autres commencent l'école avec un vocabulaire très restreint. Si vous constatez que vos jumeaux se développent à des rythmes différents, n'en faites pas tout un plat. On ne songe pas à « obliger » un enfant à marcher parce que le petit voisin du même âge marche déjà !

Les livres sur le développement des enfants contiennent souvent des tableaux montrant les étapes majeures du développement. Il ne s'agit évidemment que d'un aperçu général, car tous les enfants sont uniques. Le développement des jumeaux est un peu différent de celui des singletons : certaines étapes arrivent plus tôt et d'autres plus tard. Ne soyez pas surpris ! Par exemple, les jumeaux parlent en moyenne six mois plus tard que les singletons. Nous y reviendrons dans le chapitre suivant.

Le développement particulier des jumeaux

L'enfant unique est le centre d'attention des adultes. Souvent, les parents d'enfants uniques envoient leur enfant à la garderie dans le but de l'aider à socialiser. Il est important pour les enfants d'apprendre à partager leurs jouets ainsi que l'attention de l'éducatrice. Or, les jumeaux ont l'occasion de socialiser dans leur propre maison. C'est là une belle richesse !

Les jumeaux ont une dynamique qui leur est propre, tout comme les enfants membres d'une grande fratrie. Le lien qui unit les jumeaux depuis leur conception influence leur relation et leur développement.

Compétiteurs ou alliés ?

Les enfants qui apprennent simultanément à ramper ou à marcher développent une dynamique particulière. Ils risquent de se disputer plus souvent qu'un frère et une sœur qui sont à des niveaux de développement différents et ont donc des intérêts différents. Les jumeaux sont probablement attirés par les mêmes objets : le petit chien en peluche, le hochet qui chante…

Même si on parle souvent du sens inné du partage des jumeaux, pendant la première année, vous aurez fréquemment à gérer des crises lorsque les deux bébés voudront le même jouet. S'approprier des choses reste tout à fait normal pour des enfants. Rappelez-vous que les jumeaux sont d'abord des enfants, qui ont leur propre rythme de développement et qui doivent apprendre à partager. Vous aurez peut-être tendance à intervenir et à offrir un jouet à chacun des enfants. D'ailleurs, vous pouvez même offrir le même jouet aux deux, puisque vous avez beaucoup de jouets « en double ». Vous donnerez peut-être à chacun un petit chien bleu (ou le chien rouge pour un, le bleu pour l'autre). Et hop ! Le tour est joué ! Vous avez respecté vos valeurs de justice et d'équité et l'harmonie règne dans la maison. Si seulement c'était si simple…

Le jumeau qui refuse de partager un jouet cherche ainsi à se définir comme une personne différente ayant ses propres goûts. C'est un apprentissage parfois difficile, surtout pour les jumeaux identiques. Profitez de l'occasion pour les aider à comprendre qu'ils sont effectivement deux personnes différentes malgré la présence continuelle de l'autre. Pourquoi ne pas offrir le petit chien bleu à l'un et le hochet qui chante à l'autre ? Dans quelques instants, de toute façon, vous les verrez probablement échanger les jouets entre eux. Chacun aura alors un « nouveau » jouet !

Si vous encouragez ces petites différences, vos jumeaux deviendront plus rapidement et plus facilement des personnes à part entière. Il ne faut pas que le lien particulier qui les unit finisse par les étouffer.

Nous souhaitons tous avoir des enfants équilibrés, autonomes et indépendants. Pour y parvenir, une bonne communication est un élément essentiel. Les jumeaux réussissent à communiquer entre eux après quelques mois seulement. Les sourires, les expressions faciales, les sons, les regards ou le langage corporel leur permettent de communiquer. Ils n'ont pas besoin de parler pour se comprendre. Déjà, ils ont leur petit monde à eux. Dans les familles de singletons, la maman, le papa ou le grand frère réussissent habituellement à faire sourire les bébés beaucoup plus facilement que n'importe qui d'autre. Chez les jumeaux, le rire du cojumeau est plus efficace que toutes les grimaces de la maman.

Dans les livres sur le développement de l'enfant, on explique que les enfants jouent en parallèle jusqu'à l'âge d'environ 3 ans. Il n'y a que peu de véritables interactions entre les enfants plus jeunes, même à la garderie. Observez deux enfants de 2 ans qui jouent dans un carré de sable. Ils ne jouent pas vraiment ensemble : ils se contentent de partager l'espace. Votre réalité est probablement tout autre. Ne vous surprenez pas si vos jumeaux jouent ensemble dès leur première année de vie. Tous les parents de jumeaux à qui j'ai posé la question m'ont confirmé que leurs enfants avaient interagi et joué ensemble bien avant leur premier anniversaire de naissance. Les fous rires partagés et les efforts maladroits pour s'entraider surviennent bien avant l'âge de 3 ans. Les auteurs de ces ouvrages n'ont peut-être pas fait leurs recherches sur des jumeaux, comme le démontre l'histoire qui suit.

> Complices...

Dès qu'ils se sont mis à ramper, c'est-à-dire vers l'âge de 9 mois, les deux garçons de Marie-France ont commencé à jouer à la cachette ensemble. Émile partait de la cuisine pour se rendre dans une autre pièce tout près et, quelques instants plus tard, Justin partait à sa recherche. Ils étaient trop jeunes pour parler, mais ils se comprenaient très bien. Il fallait les entendre rire lorsque Justin arrivait près de son frère ! Et hop ! Justin revenait à toute vitesse se cacher dans la cuisine en attendant qu'Émile vienne l'y retrouver. C'était le comble de l'excitation pour les deux lorsque celui-ci arrivait. Et ils reprenaient le même manège encore et encore.

On peut constater dès la première année à quel point le lien gémellaire est fort, surtout chez les jumeaux identiques. Contrairement au cordon ombilical, le lien entre les jumeaux est impossible à couper. Ils seront jumeaux toute leur vie.

> Des liens forts

Linda se souvient du jour où Jérémy a été saisi (que dis-je : terrorisé) lorsqu'une porte s'est fermée soudainement à cause d'un coup de vent. Il a hurlé de surprise et de peur à cause du bruit. Son frère Liam, qui était à côté dans son petit siège, n'a eu aucune réaction sur le coup. Quelques instants plus tard, toutefois, en entendant son frère pleurer, il s'est mis à pleurer aussi fort que lui. Normalement, Liam ne démontrait pas nécessairement de sympathie quand Jérémy pleurait. Mais cette fois-là, il a clairement senti que sa détresse était différente. Il s'est senti appelé à partager et à compatir ! Linda avait soudain deux grosses peines à consoler. Les garçons avaient à peine 2 mois...

En conclusion

La première année de vie des jumeaux est une période de découvertes et d'apprentissages, tant pour les enfants que pour les parents. Vous vous sentirez parfois prisonniers : vous ne jouissez plus de la liberté que vous aviez avant l'arrivée des jumeaux. Votre patience sera aussi mise à rude épreuve par moments. Vous découvrirez que l'être humain peut fonctionner tant bien que mal en ne dormant que quelques heures par nuit. Vous rêverez occasionnellement d'une île déserte où il n'y a ni couches ni biberons et où l'on mange du chocolat entre deux massages. Vous attendrez encore plus impatiemment que d'habitude l'arrivée du printemps pour pouvoir sortir sans devoir habiller deux petits êtres qui grouillent. Il faut du temps et de l'énergie pour mettre deux ensembles de neige, deux paires de bottes, deux tuques et pour retrouver quatre mitaines ! Vous mettrez en doute la théorie de l'évolution des espèces qui dit que « le besoin crée l'organe », car si cette théorie était vraie, les parents de jumeaux auraient tous quatre bras !

> Une amie précieuse

Il y a quelques années, quand j'ai gardé mon petit-fils d'environ 8 mois, je me suis rendu compte que je n'avais aucun souvenir précis de mes garçons à cet âge. C'est comme s'ils étaient passés directement de 6 à 11 mois. Je pense que les souvenirs de ces mois d'hiver ont été oblitérés de ma mémoire. C'était tout simplement trop difficile. Mes jumeaux ne marchaient pas encore et je devais dès lors les transporter dans mes bras. Or, ils étaient de plus en plus lourds... Ils se mettaient aussi à pleurer dès que je quittais la pièce ou que je les laissais sous la surveillance d'une autre personne. Je me souviens seulement que mon amie Claudette m'appelait pour m'annoncer qu'elle était en route pour venir m'aider à habiller les enfants et sortir marcher. Sans elle, j'aurais sans doute passé tout l'hiver en pyjama. En rentrant, on dînait ensemble et Claudette riait en voyant les garçons tout salis de purée de betteraves. Elle m'a aidée à surmonter les journées difficiles. Rassurez-vous : j'ai beaucoup de souvenirs des années qui ont suivi ! En attendant, je vous souhaite à toutes d'avoir une amie comme Claudette.

....

À la fin de la première année, vous pourrez vous féliciter d'être passé à travers ces longs mois. Vous regarderez le chemin que vous avez parcouru depuis la naissance de vos jumeaux et vous serez fiers de vous. La fatigue que vous avez ressentie par moment a sans doute dépassé tout ce que vous aviez pu imaginer. Vous penserez à toutes ces fois où vous ne vous croyiez plus capables de continuer. Vous avez alors découvert des réserves d'énergie et d'amour que vous ne vous connaissiez pas. Vous aurez aussi vécu des moments de bonheur total en admirant vos deux petites tornades endormies à la fin des journées plus difficiles. Vous comprenez maintenant les parents qui parlent sans cesse de leurs enfants. Vous avez aussi appris à ne pas juger le parent qui élève la voix, car vous savez à quel point il peut être épuisant de s'occuper d'enfants.

Vous comprendrez mieux les recommandations de sécurité du présent livre lorsque vos jumeaux commenceront à communiquer. Des jumeaux qui ont un but commun (grimper sur un comptoir ou accéder à un lieu défendu, par exemple) sont capables, très jeunes, de mettre en commun leurs « compétences » afin d'atteindre leur but.

Ces deux petits êtres ont chamboulé votre vie, mais vous êtes désormais incapables d'imaginer votre vie sans eux. La première année vous prépare pour les années à venir. L'aventure ne fait que commencer... Et quelle aventure ce sera !

Notes

1. « L'alimentation autonome du bébé ». *Naître et grandir*, octobre 2013. Disponible sur le Web : http://naitreetgrandir.com/blogue/2013/10/14/lalimentation-autonome-du-bebe-baby-led-weaning/ [consulté le 17 avril 2016].
2. J. Chaumont. « L'alimentation autonome du bébé ». *Enfant Québec*, septembre 2012. Disponible sur le Web : http://enfantsquebec.com/2013/08/25/ils-disent-adieu-aux-purees/ [consulté le 17 avril 2016].

Chapitre 6

Petite enfance, grands défis

Tous sur la ligne de départ, la course va commencer !

Vous avez passé avec succès le cap de la première année. Bravo ! Maintenant, les jumeaux ont le vent dans les voiles. Entre 1 et 5 ans, les enfants évoluent très rapidement. À 18 mois, ils ne sont déjà plus des bébés et ils commencent à explorer le monde à vos côtés. Ils ont probablement commencé à se déplacer seuls. Vous pouvez désormais les laisser marcher et vous contenter de les prendre par la main pour les guider ou les retenir. Votre dos s'en porte mieux. De plus, courir après vos deux amours vous aide à garder la forme.

Pendant la petite enfance, la vie quotidienne devient plus prévisible. Les enfants ont adopté une routine et ont des heures de sommeil plus régulières. Ils mangent à peu près la même chose que vous. Vous êtes plus confiants en vos capacités de parents. Vous avez développé votre vision périphérique et votre sixième sens. Vous connaissez vos enfants mieux que quiconque et vous devinez plus facilement leurs besoins. Vous avez épuré la maison des objets superflus et développé des trucs pour vous faciliter la vie.

Si vous êtes souvent à même de deviner ou de prévoir leurs actions, vous savez cependant aussi qu'ils peuvent toujours vous surprendre. Le moment est peut-être bien choisi pour relire le chapitre 4, qui porte sur la sécurité des enfants.

Les parents de singletons sont essoufflés en vous voyant fonctionner, mais, pour vous, il s'agit simplement de la routine quotidienne.

La petite enfance passe beaucoup plus vite que la première année avec vos jumeaux. C'est maintenant qu'il faut commencer à établir plus clairement les limites de chacun, les vôtres comme celles des enfants. Prenez le temps de bien réfléchir aux valeurs qui sont importantes pour vous. Elles serviront de balises pour guider plusieurs de vos décisions. Plus vous serez à l'aise avec vos priorités, mieux vos enfants accepteront vos limites. Cela vous paraît peut-être bien loin, mais, bientôt, lorsque les enfants auront 5 ans, vous commencerez à penser à l'école et vous vous poserez de nouvelles questions. Mais commençons par traiter de la petite enfance. Ce chapitre présente quelques éléments de base pouvant être utiles à tous les parents. Nous aborderons bien entendu aussi les particularités liées à la situation gémellaire.

L'apprentissage de la propreté

De nombreux parents de jumeaux rêvent du jour où leurs enfants seront propres. L'âge de la propreté est très variable, mais il se situe généralement entre 2 et 4 ans. Surveillez d'abord les signes qui annoncent que l'enfant est prêt à collaborer. Commencez à lui parler de cet apprentissage. Montrez-lui le petit pot. Faites d'abord asseoir sur le pot un animal en peluche, puis une poupée et, enfin, l'enfant tout habillé. Il commencera ainsi à apprivoiser progressivement l'objet. Essayez ensuite de prévoir à quel moment il risque le plus d'uriner. Asseyez-le alors sur le pot et attendez avec lui. Si l'enfant est assez prévisible et que vous l'avez assis au bon moment, il fera son pipi et vous le féliciterez de sa réussite, ce qui l'encouragera à continuer. Il n'est pas absolument nécessaire d'avoir deux petits pots pour les jumeaux. Vous pouvez en effet commencer l'expérience avec le jumeau qui semble démontrer le plus d'intérêt. Si vous avez des jumeaux fille/garçon, vous débuterez probablement avec votre fille. Il se peut qu'en voyant sa jumelle recevoir des félicitations, le garçon ait envie d'essayer à son tour. Parfois, au contraire, il s'en éloigne encore plus. Il faut alors attendre patiemment qu'il soit prêt lui aussi.

Avec le singleton, il est facile d'apporter un livre lorsqu'on assoit l'enfant sur le petit pot et de lire avec lui pendant quelques minutes en attendant que le miracle se produise. Il s'agit d'avoir quelques livres à portée de la main et de prévoir quelques minutes de lecture plusieurs fois par jour avec votre enfant. Avec des jumeaux, la réalité est un peu différente. Même si vous savez détecter le moment où l'enfant doit aller sur le pot, il n'est pas certain que vous ayez la possibilité de le faire. L'autre jumeau peut bien être en train de grimper sur le comptoir... N'oubliez pas que les jumeaux de 2 ou 3 ans sont déjà très mobiles. Où sont les livres que vous aviez laissés dans la salle de bain ? Eh oui, la petite les a amenés dans sa chambre pour faire la lecture à son ourson... Pendant que vous tenez compagnie au jumeau qui est sur le pot, vous vous demandez sûrement ce que l'autre est en train de faire. L'enfant sent votre impatience ou votre inquiétude. L'expérience n'est donc pas plus agréable pour lui que pour vous. Vous ne pouvez probablement pas vous permettre de vous isoler dans la salle de bain avec l'un des enfants, puisqu'il faut toujours avoir l'autre à la vue. Vous pouvez sortir le pot de la salle de bain pour être en mesure de voir l'autre enfant, mais il n'est pas certain que celui-ci reste dans votre champ de vision. D'ailleurs, voir son jumeau s'amuser n'encouragera pas l'autre à rester tranquillement assis sur le pot.

Vos jumeaux ont le monde entier à découvrir ! S'ils sont trop occupés à jouer, ils ne prioriseront pas de sitôt la pause pipi. Si possible, attendez la saison chaude pour entreprendre cet apprentissage. Les enfants seront alors habillés plus légèrement. Vous pouvez même les vêtir d'une simple culotte d'entraînement, à l'intérieur comme à l'extérieur. Ils pourront ainsi être déshabillés plus rapidement, ce qui augmentera les chances de succès. Quelle que soit la saison, privilégiez toujours les pantalons à taille élastique ou de style « joggings ». Vous augmenterez vos chances de succès lors des urgences-pipi ! Assurez-vous que les enfants sont prêts afin que le processus se déroule harmonieusement. Si vous tentez de les inciter à utiliser le pot trop tôt alors qu'ils ont beaucoup trop de plaisir ensemble pour penser à cela, vous vivrez des frustrations inutiles. Il vaut parfois mieux se résigner à attendre quelques mois de plus que la normale. Lorsque le moment est bien choisi et que c'est l'enfant qui décide d'être propre, et non maman qui l'y pousse, tout le monde est gagnant.

Un enfant ne contrôle que peu de choses dans la vie. Décider de faire pipi ou non dans sa couche en est une. C'est une bataille impossible à gagner si l'enfant vous tient tête. Dites-vous qu'il est beaucoup plus rapide de changer une couche que d'attendre qu'un des enfants fasse pipi dans un pot. Lorsque les jumeaux seront prêts, que ce soit à 19 mois ou à 3 ans, un à la fois ou les deux ensemble, la magie opérera toute seule. Si quelqu'un vous fait des remarques à ce sujet, ne vous sentez pas mal à l'aise. Vous n'avez pas à vous justifier. La qualité d'une mère ne se mesure pas à l'âge auquel ses enfants ont été entraînés à la propreté. Les jumeaux évoluent à leur propre rythme ; ils seront plus rapides pour certaines choses et plus lents pour d'autres, c'est tout !

Il se peut que vous décidiez de laisser la porte de la salle de bain ouverte désormais en cas d'urgence-pipi. Voici un petit truc qui peut sembler anodin, mais qui peut vous être utile. Pour éviter le dégât classique du rouleau de papier de toilette totalement déroulé (et ensuite « caché » dans la toilette...), il suffit de le placer de façon à ce qu'il ne se déroule pas quand l'enfant tape dessus. Placez le bout déchiré du papier de manière à ce qu'il pende vers l'arrière du rouleau plutôt que vers l'avant. Le tout-petit, en tapant dessus, le fera s'enrouler sur lui-même au lieu de se dérouler.

L'apprentissage du langage

Chaque enfant développe son langage à un rythme qui lui est propre, souvent influencé par son rang dans la fratrie. Est-ce que le deuxième ou troisième enfant d'une famille parle plus tôt parce qu'il est stimulé par les plus grands ? Au contraire, est-ce qu'il parle plus tard parce que les aînés répondent à tous ses besoins avant qu'il ait à les exprimer ? Chaque parent répond à cette question selon ce qu'il a vécu dans sa famille.

Des études démontrent que l'enfant a besoin d'entendre au moins 17 000 mots par jour. Expliquez ce que vous faites à votre enfant à l'aide de phrases simples. « Maman met des bas bleus à Jean-Philippe. Ensuite, on met le pantalon rouge. Tiens, on se met debout maintenant pour bien monter le pantalon. Et on retourne par terre. On court jusqu'au salon ? » Décrivez la préparation du repas, parlez du ballon rond que vous frappez en jouant, etc.

En parlant, vous contribuez à l'apprentissage du langage de vos jumeaux. Nous avons déjà vu que les jumeaux accusent un retard d'en moyenne six mois par rapport aux singletons en ce qui concerne le développement du langage. Ce ne sera peut-être pas le cas de vos jumeaux, mais si ce l'est, ne vous inquiétez pas outre mesure. Ce retard potentiel peut-il être causé par un problème de croissance incontournable dû au fait d'être jumeau ? Le retard de langage souvent constaté chez les jumeaux n'est pas lié au fait qu'ils ont partagé un même utérus. En effet, aucun retard de langage n'a été détecté chez les enfants dont le cojumeau est décédé très jeune ou *in utero*. Les recherches tendent plutôt à démontrer que ce retard de langage est dû à l'effet isolant du couple. Voilà une première raison d'interagir avec chacun de vos jumeaux et de multiplier les occasions de les séparer. Cela signifie qu'il est important de parler individuellement à chaque enfant et de l'obliger ainsi à sortir de la « bulle » gémellaire. En fait, on constate que même les singletons qui naissent prématurément ou ont un faible poids à la naissance, comme beaucoup de jumeaux, présentent souvent ce même retard de développement du langage. Avec le temps, ces enfants rattrapent habituellement les autres. Si vous avez l'impression qu'un de vos jumeaux (ou les deux) accuse un retard de langage, vous pouvez bien sûr en parler avec son médecin, et même placer son nom sur la liste pour consulter une orthophoniste. Plus on intervient tôt, plus les chances de réussite sont grandes. L'attente peut cependant être longue dans le système de santé publique. Si l'enfant a rattrapé son retard au moment où vous obtenez le rendez-vous, il sera facile de simplement l'annuler.

Vous avez peut-être déjà entendu parler de jumeaux ou de jumelles ayant développé un « langage secret » incompréhensible pour l'entourage. Les tout-petits jumeaux « babillent » souvent dans un langage qu'ils semblent saisir tous les deux. Ne vous inquiétez pas. Vous pouvez leur expliquer que vous ne comprenez pas ces mots-là et les encourager à utiliser les mots que tout le monde emploie. Cela finira par passer avec le temps.

Il arrive, par ailleurs, que des jumeaux un peu plus âgés développent leur propre langage secret. C'est ce que l'on appelle « le langage cryptophasique des jumeaux ». Ce n'est pas un phénomène très fréquent, heureusement. Plus vos jumeaux sont « gémellisés », plus il est possible qu'ils s'isolent dans leur bulle et restent en marge des autres. Souvent, les jumeaux — surtout s'ils sont identiques — inventent quelques mots ou expressions qu'eux seuls comprennent. Si avoir un langage secret est un jeu occasionnel pour vos jumeaux et qu'ils réussissent à communiquer avec les autres membres de la famille, il n'y a pas lieu de vous inquiéter. S'ils font parfois bande à part avec des mots qu'ils ont inventés, ce n'est pas si différent que de dire qu'avec un simple regard, ils se sont bien compris. Jusqu'à l'âge adulte, vous vivrez ce phénomène avec vos jumeaux. Cela fait partie de la réalité des parents de jumeaux que les autres parents ne peuvent pas comprendre. Ils auront toujours leur petit monde à eux. Il serait cependant préférable de consulter un professionnel de la santé si la communication avec les autres est presque inexistante et qu'elle se résume au langage secret entre vos jumeaux.

Attendre son tour

À cette étape du développement, vous vivez des journées et des situations qui s'apparentent un peu plus à ce que vivent les parents d'enfants d'âge différents. Dans les familles où il y a un enfant de 4 ans et un autre de 2 ans, les parents doivent aussi composer avec deux enfants qui bougent et grimpent, tout comme vous. Il est alors essentiel que les enfants comprennent bien la notion du « chacun son tour ». Ce qui est différent, c'est que les jumeaux en sont à peu près au même point dans leur développement. Quoi que vous fassiez (attacher les souliers, couper la viande, bricoler, monter dans l'auto, etc.), il y en a toujours un des deux qui doit attendre, puisqu'ils ont atteint le même degré d'autonomie.

Cela implique un peu plus d'organisation, notamment lorsque vous faites du bricolage avec vos jumeaux. Si vous devez aider un enfant à plier correctement une feuille ou à la découper avec les ciseaux, il y a de fortes chances que son jumeau ait également besoin de votre aide. Pour éviter les frustrations, prévoyez quelques feuilles blanches ou un cahier à colorier de plus sur la table. L'enfant pourra ainsi dessiner seul en attendant son tour.

Lorsque vous coupez la viande en petits morceaux pour le repas de vos enfants, offrez-vous la première assiette au jumeau qui mange le plus lentement ou à celui qui semble avoir le plus faim ? De toute façon, l'un des jumeaux doit attendre son tour.

> Deux mains

Je me souviens d'une journée où l'un des garçons s'impatientait en agitant les bras devant moi pendant que j'habillais son frère pour aller jouer dans la neige. Celui-ci, voyant son frère perdre son calme, a dit : « Maman, deux mains ! » J'ai soudainement pris conscience du nombre de fois dans une journée où ces enfants m'entendaient leur offrir la même explication : « Il faut que tu attendes ton tour, mon amour. Maman a seulement deux mains. » Cela m'a un peu perturbée. Il semblait avoir retenu plus le « deux mains » que « l'amour »... En même temps, pourquoi se sentir coupable ? C'est la réalité des jumeaux et de leurs parents !

La discipline

Il est plus facile d'appliquer une discipline ferme et constante avec des limites claires à long terme. Le problème, c'est la gestion du court terme...

> Sagesse parentale

Une de mes très grandes amies a été pour moi un magnifique modèle de parent.

Plusieurs années avant que j'aie des enfants, Mariette m'a dit une phrase qui m'a été utile à d'innombrables occasions dans ma vie de parent : « Si tu dis oui à un enfant, dis oui tout de suite. Si tu dis non, dis non tout le temps. » Prenez le temps de relire cette phrase pleine de sagesse et apprenez-la même par cœur ! Le principe est simple et, s'il est bien utilisé, votre vie s'en trouvera simplifiée.

Même si vous avez toute la bonne volonté du monde, il vous arrivera de déroger à vos propres principes de constance et de qualité dans l'éducation de vos enfants.

Si l'un de vos petits vous a gardé éveillé une partie de la nuit parce qu'il faisait de la fièvre, une otite ou une poussée de dents, vous serez sans doute moins patient lendemain. L'autre enfant, qui a bien dormi, sera en pleine forme ! Il aura envie de courir avec vous dehors. Même si vous vous êtes juré de ne pas utiliser la télévision comme « gardienne » pour vos enfants, il se peut que vous décidiez, ce matin-là, de l'inciter plutôt à regarder un peu le petit écran… Pendant ce temps, vous pourrez commencer votre journée en douceur en prenant le café dont vous avez tant besoin. Soyez indulgent envers vous-même. Après tout, une fois n'est pas coutume.

La constance dans la discipline est primordiale, car elle permet aux enfants de comprendre et d'accepter les réponses que nous faisons à leurs demandes.

> Sarah

Sarah arrive au parc où se déroule le match de soccer de l'aîné de la famille. Il est 13 heures. La famille a mangé plus tôt et en vitesse pour arriver à l'heure au parc. Coralie, 3 ans, demande aussitôt à sa mère d'acheter des frites à la cantine du parc. Évidemment, Sarah refuse en lui expliquant qu'ils viennent tout juste de manger, qu'il est trop tôt et qu'on verra plus tard. Elle se dit qu'elle pourra toujours lui offrir des frites lorsque la petite commencera à trouver le temps long. Ainsi, Coralie sera contente de s'asseoir quelques instants pour manger, ce qui permettra à Sarah de mieux profiter de la partie de soccer. Coralie répète sa demande toutes les cinq minutes. Elle veut vraiment des frites, ça sent si bon ! Chaque fois, Sarah lui dit : « Non, Coralie, maman ne t'achète pas de frites. Il est trop tôt, tu ne peux pas avoir faim, on vient de manger ! » Coralie continue malgré tout de demander ses frites toutes les cinq minutes. Elle est tenace. Après quelque temps, elle demande à sa maman si elle peut aller jouer dans les balançoires. Sarah refuse encore, car elle ne veut pas s'éloigner du terrain de soccer. Lorsque Coralie lui demande de nouveau d'acheter des frites, Sarah accepte. Il est maintenant 14 h 30. Cela fait quelques heures que le repas est passé et l'heure de la collation approche. La petite accepte avec joie les frites et s'assoit calmement à côté de sa maman pour les manger.

Ce que Coralie a retenu de cet épisode, c'est qu'elle a fini par avoir les frites qu'elle désirait à force de le demander. Il est inutile d'essayer de convaincre une enfant de 3 ans qu'elle n'a pas faim. Elle ressentait probablement vraiment la faim en sentant l'odeur des frites. Les enfants — tout comme les adultes, d'ailleurs — ont habituellement une petite place pour les aliments qu'ils affectionnent particulièrement. À moins que le repas ait été particulièrement copieux, Coralie aurait sûrement été capable de manger ses frites dès 13 heures. Il est inutile de tenter de faire comprendre à un enfant de cet âge qu'il est « trop tôt » pour manger. L'enfant risque alors de revenir constamment à la charge. C'est à vous, comme parent, de décider dès la première fois d'acheter ou non des frites à votre enfant. Si vous dites oui, dites oui tout de suite. Si l'enfant en redemande, vous pourrez les lui refuser en lui disant qu'il en a déjà eu. Même un enfant de 3 ans peut comprendre cela. Si vous dites non, dites non tout le temps. Si vous avez décidé de ne pas offrir de frites à votre enfant, ne changez pas d'idée, même s'il répète sa demande. Sinon, l'enfant comprendra qu'il finira par vous avoir « à l'usure ».

> Ténacité

Une compagne de travail m'a raconté que sa fille de 4 ans lui avait un jour dit : « Maman, quand vas-tu dire : Ah, OK d'abord... ? » Elle était prête à la harceler jusqu'à ce qu'elle finisse par dire oui !

Discipliner des jumeaux exige beaucoup de patience. Combien de fois faut-il répéter les mêmes consignes ? On a parfois l'impression de réprimander ou de refuser constamment des requêtes. « Non, tu ne peux pas jouer dehors en maillot de bain : il fait trop froid. Ne touche pas au chaudron. Maman ne veut pas que tu sautes sur le lit. Viens, c'est l'heure du bain. »

S'il est parfois plus difficile d'élever des jumeaux que deux enfants d'âges différents, c'est notamment parce qu'ils ne sont pas plus « raisonnables » l'un que l'autre. L'un des deux est peut-être plus patient, moins turbulent, mais on ne peut pas s'attendre à ce qu'il soit plus « mature » ou fiable que son jumeau.

Pendant la petite enfance, le parent doit lui-même habiller les deux enfants avant de sortir. Une fois dehors, il est fort possible qu'ils se mettent à courir dans des directions opposées. Les enfants de cet âge n'ont pas conscience du danger. Ils se dirigeront probablement vers la rue dès que vous aurez le dos tourné. Vous devrez en ramener un, puis l'autre, et ainsi de suite jusqu'à ce qu'ils soient assez vieux pour être conscients des dangers… ou jusqu'à ce que vous décidiez de clôturer la cour. Il peut être épuisant de passer ses journées à surveiller deux petits trottineurs qui comprennent bien des choses, mais pas tout ce qu'on leur explique. Vous répéterez sans arrêt, en double, toutes les consignes que l'on adresse généralement aux enfants. Vous devrez vous armer de patience lorsqu'ils exploreront le salon et découvriront les télécommandes. Ce n'est pas parce que vous avez des jumeaux qu'ils ont le droit de jouer avec des objets normalement interdits. Les jumeaux doivent eux aussi comprendre ce qu'est un jouet et ce qui ne l'est pas. Afin de détourner leur attention, plusieurs parents offrent à leurs enfants un vieux téléphone ou une vieille télécommande sans piles. Cela règle peut-être le problème, mais ce n'est malheureusement pas le meilleur moyen de les aider à comprendre que ce ne sont pas des jouets. Les téléphones portables sont particulièrement attirants pour les tout-petits, surtout lorsqu'ils voient l'usage constant qu'en font les adultes qui les entourent.

Lorsqu'il est question de discipline, il faut faire attention aux messages que l'on transmet aux enfants, et notamment aux « non-dits ». Demandez-vous comment vous réagiriez dans la situation qui suit :

Vos jumelles de 3 ans et demi ont fait un dégât dans la cuisine après avoir trouvé les céréales et la farine. Elles savent pourtant très bien que le contenu de cette armoire leur est défendu.

Les réprimandez-vous sévèrement en les envoyant réfléchir dans leur chambre pendant que vous maugréez en ramassant ? Leur demandez-vous de vous aider à ramasser après avoir rigolé avec elles en voyant le dégât ? Les réprimandez-vous pour ensuite prendre une photo de la cuisine avec les deux fillettes toutes fières de montrer « leur recette » ? La réaction parentale à ce genre de situation n'est pas sans conséquence.

Vous avez réprimandé les jumelles ? D'accord. Devraient-elles vous aider à ramasser ? Devraient-elles subir une « conséquence » ? Vous vous sentiez bien ce jour-là et vous avez ri en voyant le dégât ? D'accord. Il se peut toutefois que les filles en concluent qu'il s'agissait d'un bon jeu malgré le fait qu'elles n'ont pas le droit de jouer dans la cuisine... Réussirez-vous, en riant, à leur faire comprendre que vous n'êtes pas contente du tout et qu'elles ne doivent pas recommencer ?

Nos enfants apprennent plus de nos gestes que de nos paroles. N'oubliez pas qu'ils comprennent beaucoup plus de choses que ce que vous croyez. Si vous permettez à vos jumelles de sourire pour la photo dans l'exemple que nous avons évoqué, elles risquent d'en conclure que ce qu'elles ont fait était drôle. Si elles vous entendent en parler avec un sourire en coin, vos remontrances n'auront aucune crédibilité. Réfléchissez avant d'agir. Si vous voulez prendre une photo, prenez-la pendant que les jumelles réfléchissent dans leur chambre. N'en parlez pas en riant aux gens autour de vous. Si vous affichez le cliché sur le Web, vous recevrez des commentaires de « sympathie » et des mots d'encouragement. Certains commentaires vous feront sourire. Réjouissez-vous que les filles ne sachent pas encore lire. Il peut être agréable de partager ces moments avec des adultes, mais veillez à garder ces confidences entre vous.

> Difficile journée

La journée avait été particulièrement pénible. C'était l'automne et il pleuvait. Marie-Eve et ses fils de 15 mois étaient confinés dans la maison depuis plus de quatre jours. Édouard était fasciné par les lumières et les boutons de la chaîne stéréo. Marie-Eve avait passé la journée à lui répéter qu'il ne devait pas y toucher (il semblait d'ailleurs avoir de la difficulté à comprendre : attiré comme par un aimant par l'appareil, il y retournait dès qu'elle l'en éloignait.) Elle s'était montrée douce avec lui toute la journée, certaine qu'il finirait par comprendre. Vers 17 heures, toutefois, sa patience a atteint ses limites (les fins d'après-midi sont difficiles, n'est-ce pas ? L'heure du repas arrive, les enfants ont faim, maman est fatiguée...). Pour la millième fois, l'un des petits étirait le bras pour atteindre les boutons. C'en était trop : Marie-Eve s'est approchée et lui a parlé fort. À bout de patience, elle lui a même donné une petite tape sur la main en espérant qu'il comprenne le message une fois pour toutes. Elle a à peine effleuré son fils, mais celui-ci, surpris, s'est mis à pleurer à fendre l'âme. Or, ce n'était pas Édouard, c'était son jumeau, Xavier! C'était la première fois de la journée que celui-ci s'approchait de la chaîne stéréo. Marie-Eve s'en veut encore aujourd'hui...

La leçon que l'on doit tirer de cette anecdote, c'est qu'il faut s'arrêter avant de réagir pour déterminer si le comportement est réellement inacceptable ou si l'accumulation des actions des deux enfants a eu raison de notre patience. L'intervention est-elle justifiée et s'adresse-t-elle à la bonne personne?

Comme parents de jumeaux, vous entretenez probablement le rêve que ce qui a été dit à l'un des jumeaux a été entendu et compris par l'autre. Puisque les jumeaux sont souvent ensemble, vous êtes portés à déduire qu'ils ont tous deux compris les recommandations et les interdictions que vous vous êtes évertué à répéter. Ce serait évidemment plus simple, mais, malheureusement, ce n'est pas le cas. Les jumeaux sont deux êtres distincts. Ils partagent énormément de choses, mais ils n'ont pas les mêmes oreilles, à moins d'être des siamois... Voyons ensemble la fin de l'histoire de Marie-Eve.

> Tout le mode y a eu droit...

Aujourd'hui, quand elle repense à cette journée, Marie-Eve sourit malgré tout. Au moment où Xavier s'est mis à pleurer, Danny, le mari de Marie-Eve, rentrait du travail. Édouard s'est précipité vers lui pour le frapper de toutes ses forces. Comme si cela ne suffisait pas d'arriver à la maison et d'entendre des pleurs! Édouard cherchait sans doute à venger son frère, mais il s'était lui aussi trompé de cible! Papa a donc également, cette journée-là, été une innocente victime. Déjà, les parents ont pu constater qu'il y avait un esprit de clan assez développé chez les deux garçons. Ça fait chaud au cœur, même si bien sûr, on n'acceptera pas cette agressivité. Vous comprendrez que Marie-Eve a eu à offrir quelques explications pour ce qui venait de se passer.

Les parents doivent tenter de garder leur calme en tout temps, même lorsque les enfants sont particulièrement turbulents ou destructeurs. Les parents idéaux ne perdent jamais patience et maîtrisent toutes les situations. Malheureusement, ces parents parfaits n'existent pas.

> Un bon truc

Un jour, on m'a suggéré d'asseoir mon enfant sur mes genoux pour le discipliner. J'ai trouvé l'idée intéressante et je l'ai mise en pratique à maintes reprises. Essayez-la quand vous serez à bout de patience.

Prendre un enfant qu'on aime dans ses bras est apaisant. Il est plus facile de rester calme et de discuter d'un problème lorsqu'on a un contact physique avec l'enfant. Évidemment, on ne parle pas ici d'un enfant en crise que l'on tente de contenir. Pour un ado, on peut se contenter de mettre une main sur son bras ou sur son épaule pour lui rappeler qu'on l'aime. Les interventions que l'on fait de cette façon sont généralement plus posées.

> Inspirant...

J'avais placé sur mon réfrigérateur une petite citation, une parole sage dont je ne connais pas l'auteur : « Les enfants ont le plus besoin de notre amour au moment où ils le méritent le moins. » Ce message m'a servi de rappel pendant une bonne partie de ma vie de parent ; il m'a souvent aidée à dédramatiser et à mieux intervenir auprès de mes enfants. Quand je l'ai finalement jeté (mes enfants étaient devenus des adultes), le papier était tout jauni, mais le message est resté dans mon cœur.

Les interventions réalisées auprès des enfants sont plus efficaces lorsqu'elles sont faites avec amour plutôt qu'avec colère. C'est parfois tout un défi pour les parents fatigués. Prenez une grande respiration et rappelez-vous combien vous adorez ces enfants. Lorsque vous sentez que votre patience est presque épuisée (et que vous l'êtes, vous aussi !), isolez-vous dans une pièce pendant quelques minutes au lieu d'envoyer les enfants dans leur chambre. Il est évident qu'on ne peut pas sortir faire une promenade en laissant des enfants de 3 ans seuls à la maison, mais il est parfois préférable de les laisser seuls un instant dans la salle de jeu et de s'isoler pour se calmer. Ce retrait suffit parfois à saisir et à intriguer les enfants. Ils peuvent être suffisamment déboussolés pour arrêter spontanément leur comportement dérangeant. Lorsque vous ouvrirez la porte, vous les retrouverez généralement sur le seuil, prêts à vous écouter.

Nos enfants apprennent beaucoup par imitation ; notre comportement a donc une très grande influence sur eux. Le fait de perdre patience peut nous mener à frapper un enfant. Ce n'est évidemment pas le bon moyen d'exprimer notre frustration. Il faut leur montrer une meilleure façon de réagir. En se retirant dans sa chambre pour gérer sa colère, maman donne un bon exemple. Ainsi, lorsqu'ils sont assez vieux, ils comprennent qu'il peut être utile de se retirer et de prendre une grande inspiration lorsqu'ils sont dérangés par ce qui se passe autour d'eux. Ils comprendront mieux lorsque vous leur demanderez de prendre quelques minutes dans leur chambre pour se calmer.

Il y a des parents qui restent « zen » malgré tout ce que leurs jumeaux font. D'autres sont plus dominateurs ou autoritaires. Certaines familles adoptent le principe du « vivre et laisser vivre », tandis que d'autres sont plus exigeantes en ce qui concerne les comportements sociaux, notamment rester à table pendant l'heure du repas, sauter sur les lits, etc. Nous sommes — comme nos jumeaux d'ailleurs — des individus uniques ayant des limites, des forces et des faiblesses, des qualités et des défauts. Respectez-vous et respectez les choix et les priorités que vous vous êtes donnés. Si vos enfants, jumeaux ou non, sentent que vos exigences sont claires et que les règles du jeu ne changeront pas, ils finiront par s'y plier. À vous de faire la liste des éléments non négociables et de la faire respecter.

Le « *terrible two* »

À l'âge de 2 ans, les enfants entrent dans une période de contestation. Ils veulent se défaire de l'emprise de leurs parents. Certains qualifient cette période de première adolescence : tout comme l'adolescent qui veut être reconnu comme mature et responsable — même s'il ne l'est pas tout à fait encore —, l'enfant de 2 ans veut afficher son indépendance. Voilà pourquoi il répète sans arrêt : « Je suis capable ! »

Soyons honnêtes : la période du « non » peut être pénible, surtout lorsqu'elle est vécue en double. Si l'on ne peut rien changer à cette étape normale du développement, on peut tenter d'en alléger les frustrations, celles du parent comme celles de l'enfant. Essayez tous les petits trucs dont les amis vous parlent, mais pas tous en même temps ! Tâchez d'adopter une méthode, quelle qu'elle soit, et de la mettre en application avec constance. Si votre enfant vous voit changer constamment de façon d'intervenir, il en conclura que vous n'êtes pas très convaincu de votre méthode et qu'il a des chances de gagner. Il vous tiendra tête encore plus !

Après une crise, parlez à l'enfant de ce qu'il a vécu. Aidez-le à nommer ses émotions. Est-il fâché ? Déçu ? Triste ? Blessé ? Éventuellement, il reconnaîtra lui-même ses émotions et pourra mieux les exprimer.

Il semble que les bases établies dès l'époque du « *terrible two* » soient utiles quand l'adolescence arrive. L'enfant a déjà compris que certaines décisions appartiennent au parent. Cela vaut donc doublement la peine de garder le cap lorsque vous avez pris une décision.

Il reste qu'un jour ou l'autre, deux enfants de 2 ans qui contestent jusqu'à la couleur du verre qu'on leur offre et qui répondent « non » à toutes les questions que vous leur posez finiront par vous exaspérer. Si votre enfant répond « non » à tout ce que vous lui offrez, *arrêtez d'offrir*. Vous êtes les parents, après tout : vous avez un pouvoir décisionnel ! Voici un exemple :

Votre enfant de 2 ans a passé l'après-midi dans le carré de sable et il doit prendre son bain. Si vous lui demandez s'il veut prendre son bain, il refusera sans doute. Ne lui posez pas la question. Annoncez-lui simplement que c'est l'heure du bain. Demandez-lui plutôt s'il préfère jouer avec le petit canard ou avec la baleine. Il aura l'impression de décider. Cela ne veut pas dire qu'il sera nécessairement heureux de quitter le carré de sable, mais vous aurez peut-être détourné son attention momentanément et évité une crise. Vous pouvez aussi le laisser choisir la couleur de la serviette de bain, le pyjama qu'il portera pour dormir et l'histoire que vous lui lirez avant d'éteindre la lumière. Les jumeaux peuvent faire de nombreux choix, mais certains éléments ne sont pas négociables (manger, dormir, interdiction d'aller dans la rue, etc.). Il est dès lors inutile de lui poser des questions à ce sujet. C'est votre rôle, comme parents, de décider pour lui !

Vous pouvez tenter de diminuer le nombre de crises en prenant l'habitude d'avertir l'enfant des transitions : « Dans 10 minutes… (et plus tard : dans 5 minutes), ce sera l'heure du bain. Dans 10 minutes, on fermera la télé et on ira souper. C'est le dernier morceau de fromage. Il n'y en a plus après celui-ci. » Vous ne réglerez pas tous les conflits, mais l'enfant se sentira peut-être moins « attaqué par-derrière, sans avertissement ».

Les crises des tout-petits peuvent parfois être désamorcées en détournant leur attention. Quand l'enfant pleure de frustration ou de fatigue, posez-lui quelques banales questions. Demandez-lui avec entrain : « Que fait le mouton (le chien ou le chat…) ? » Entre l'âge de 1 et 3 ans, les enfants sont souvent très fiers de ce qu'ils ont appris. Il y a de fortes chances que votre petit vous réponde fièrement et qu'il en oublie de pleurer.

À 2 ans, les jumeaux veulent être indépendants et s'affirmer. On dirait que toutes les occasions sont bonnes pour faire des crises. Parfois, ils sont presque impossibles à contenter. Avec un peu de psychologie, vous pouvez parfois vous simplifier la vie. Essayez de jouer avec vos enfants lorsqu'ils vous le demandent, même si vous n'avez que quelques minutes à leur consacrer. Encore un petit truc : les tout-petits comprennent très bien ce que veulent dire les mots « un peu » et « beaucoup ». Tous les enfants veulent beaucoup de crème glacée plutôt que juste un peu de crème glacée. Aussi, quand les jumeaux veulent jouer avec vous, dites-leur « oui ». Ne leur dites surtout pas que vous pouvez seulement jouer « un peu » avec eux. Ils contesteront cela à coup sûr ! Dites-leur toujours que vous pouvez jouer beaucoup avec eux. Si vous n'avez que 10 minutes à leur offrir, ne vous excusez pas ; vous leur offrez tout le temps dont vous disposez.

C'est généreux ! À cet âge, même s'ils savent bien qu'ils veulent beaucoup… de tout, ils n'ont pas la notion du temps ! Ils seront contents de savoir qu'ils ont eu beaucoup de temps avec vous même si, dans les faits, beaucoup n'a duré que 10 minutes cette fois-ci. Donnez-leur la même quantité de jus que d'habitude, mais en leur disant que vous leur en *donnez beaucoup*. Ils seront tout à fait heureux.

Le retour au travail

Le retour au travail des mères peut être difficile sur le plan émotif. Elles peuvent en effet être anxieuses à l'idée de confier leurs deux amours à quelqu'un d'autre.

Rappelez-vous que la culpabilité est venue combler le vide laissé par l'expulsion du placenta. Le retour au travail risque fort de réveiller cette culpabilité. Sachez cependant qu'il n'y a pas lieu de vous culpabiliser parce que vous retournez au travail, quelles que soient les raisons qui vous y poussent. Si vous n'êtes simplement pas « faite » pour être une maman à la maison, le retour au travail sera la bouffée d'air frais dont vous aviez besoin. Les mois passés auprès de vos jumeaux ont été exigeants. Il est peut-être temps de penser à vous. Si vous êtes heureuse au travail, si votre retour règle l'insécurité financière qui vous stressait, si vous ressentez le besoin d'être valorisée dans un rôle autre que celui de maman, travailler fera de vous une femme plus épanouie. Malgré la fatigue supplémentaire que cela suppose, vous serez comblée et heureuse de retrouver vos petits trésors à la fin de la journée. Ne vous sentez pas coupable : si vous êtes dans un bon état d'esprit, toute la famille en profitera ! Vous auriez aimé rester à la maison, mais vous devez absolument retourner travailler ? Encore une fois, il n'y a pas lieu de culpabiliser. Vous n'avez pas choisi entre les enfants et le travail. La vie est ainsi faite : vous devez retourner au travail. Vos enfants survivront.

Habituellement, les jumeaux s'adaptent mieux que les singletons au milieu de garde. Pourquoi ? Ils ont été habitués dès la naissance à ce que différentes personnes s'occupent d'eux pour donner un coup de main à leurs parents débordés. Ils ont compris qu'il n'y a pas que maman et papa qui peuvent leur offrir des soins, du soutien, des bras et un peu d'amour. De plus, leur condition de jumeaux fait qu'ils ont souvent une maturité sociale plus développée que les singletons du même âge. N'oubliez pas qu'ils sont habitués à partager et à attendre leur tour, et qu'ils n'affrontent pas seuls la journée sans maman, contrairement aux singletons. Malheureusement, c'est souvent à la maison que l'adaptation est la plus difficile. Les enfants réagissent à la situation et la nouvelle routine n'est pas encore établie. Pendant un certain temps, le retour à la maison n'est pas de tout repos. Les éducatrices, même si elles aiment beaucoup « leurs » tout-petits, font davantage preuve de détachement et de neutralité que les parents. Tout est habituellement plus « réglé », moins négociable. Souvent, dans ce contexte, les enfants suivent le groupe et se plient plus facilement aux consignes. Notre attachement émotif teinte parfois nos réactions. Culpabilité ? Fatigue ? Nous aussi, nous réagissons ! Les fins de journées seront possiblement chaotiques pendant un certain temps. Mais la routine reprendra, n'ayez crainte.

La routine de la garderie exige beaucoup d'organisation. Profitez des fins de semaine pour prévoir le menu de la semaine et préparer quelques repas. Faites la lessive pour éviter une pénurie de vêtements en milieu de semaine et préparez le sac à couches dès le samedi matin pour la semaine suivante. Vous pouvez aussi laisser quelques objets en permanence à la garderie pour vous faciliter la vie. Si les fins de semaine ne vous permettent pas le repos souhaité, les semaines se passeront mieux si elles sont bien planifiées.

Chaque soir, préparez vos vêtements et ceux des enfants pour le lendemain. Dressez la table pour le petit-déjeuner : il ne restera plus qu'à verser les jus et à sortir le lait du réfrigérateur. Vous pouvez aussi prendre l'habitude de prendre une douche au coucher pour récupérer quelques précieuses minutes le matin. Doit-on réveiller les jumeaux en même temps ou l'un après l'autre ? Cela dépend d'eux. Certains enfants ont besoin de plus de temps au réveil avant d'être coopératifs ou d'avoir faim. D'autres sont affamés dès qu'ils ont les yeux ouverts. Chez certains couples, chacun prend en charge l'un des enfants (celui avec qui il a le plus d'affinités, et donc de patience). De toute façon, il faut se lever suffisamment à l'avance pour permettre aux enfants de déjeuner à leur rythme ou de jouer quelques minutes si tel est leur besoin. Tous les parents disent qu'il est assez ardu de réussir à partir à l'heure, sans crise, pour la garderie. Aucun parent n'aime presser ou bousculer les enfants chaque matin.

Si cela est possible, envisagez la possibilité de faire venir une gardienne à la maison, du moins au début. Vous pourrez ainsi quitter la maison même si les jumeaux sont encore en pyjama en train de déjeuner. Évidemment, ce genre de service coûte beaucoup plus cher qu'une garderie, mais il vaut peut-être la peine d'évaluer les coûts réels après le remboursement d'impôt et de tenir compte de l'amélioration de votre qualité de vie.

Même après plusieurs semaines, le retour à la maison est parfois difficile. Les adultes et les enfants sont fatigués de leur journée. C'est une combinaison souvent explosive. Les enfants ont déjà faim dès l'arrivée à la maison. Ils veulent manger… tout de suite. Dès que maman ou papa commence à cuisiner, ils réclament à manger. Évidemment, le repas n'est pas prêt. La situation est frustrante pour le parent comme pour les enfants.

Vous pouvez faire patienter les enfants en leur offrant une collation, mais il est fort probable qu'ils vous en demandent encore et encore (ils ont vraiment faim !). Si vous devez absolument leur donner une collation, dites-leur clairement que ce ne sera qu'une légère collation et que vous n'en donnerez qu'une fois. Choisissez bien la collation : un demi-fruit ou un verre de jus vaut mieux que des biscottes. Trois ou quatre tranches de fromage en attendant le souper peuvent faire patienter les enfants, mais aussi les rassasier avant même qu'ils passent à table. Vous pourriez leur offrir leur portion de légumes en bâtonnets crus plutôt que d'attendre que tout soit cuit. La plupart des enfants préfèrent d'ailleurs les légumes crus. Vérifiez à quoi correspond une portion de légumes selon l'âge de vos enfants[1]. S'ils ont eu une trop grosse collation, il se peut que vous ayez droit à une autre crise en tentant de leur faire manger des légumes et de la viande alors qu'ils n'ont plus très faim. Après tout, l'heure du repas se déroule souvent mieux quand les enfants ont faim ! Si vous leur avez déjà offert leur portion de légumes, toutefois, l'assiette que vous leur servirez sera moins impressionnante.

Si vous avez une gardienne à la maison, demandez-lui de préparer les légumes pour que vous n'ayez qu'à les cuire à votre retour du travail. Prévoyez des viandes qui se réchauffent rapidement au fourneau pendant ce temps. Les mijoteuses sont une bénédiction pour les parents qui arrivent tard à la maison. Elles vous permettront de jouer un peu avec les enfants en attendant le repas. Il leur sera plus facile de patienter s'ils ne vous voient pas travailler dans la cuisine.

Selon les horaires de travail de chacun, un parent peut revenir directement à la maison et commencer à préparer le souper. Le deuxième parent passe chercher les enfants à la garderie à la fin de sa journée de travail. À leur arrivée à la maison, le souper est presque prêt.

Vous pouvez aussi préparer un repas à l'avance pour les enfants à même le souper que vous cuisinez chaque soir. Il s'agit d'avoir un repas tout fait qu'il vous suffit de réchauffer au retour du travail. Pendant que les enfants mangent ce repas, en sécurité dans leurs chaises hautes, vous pouvez préparer le repas des adultes. D'ailleurs, les enfants mangent souvent mieux lorsqu'ils sont un peu à l'écart et qu'ils ne sont pas surstimulés. Vous pouvez ainsi offrir chaque soir aux enfants ce que vous avez préparé la veille. Ce système comporte plusieurs avantages. Par exemple :

- Vous respectez le fait que les enfants ont faim dès leur arrivée et vous évitez les frustrations qui viennent avec l'attente.
- Vous vous facilitez la vie, surtout si l'un des conjoints arrive à la maison assez tard, après le travail. Vous avez aussi le temps de réfléchir au menu, si ce n'est pas déjà fait.
- Vous éliminez une source de stress : vous pouvez en effet respirer quelques minutes sans vous faire harceler par deux petits ogres.

- Vous êtes moins porté à offrir des céréales et une tranche de fromage aux enfants sous prétexte que c'est plus rapide et qu'ils sont particulièrement impatients. Vous pouvez être présent pendant que les enfants mangent (et probablement même vous asseoir avec eux pendant la cuisson de votre repas).
- Vous pouvez parfois manger en même temps que les enfants, même si vous ne mangez pas la même chose. Si les enfants ont fini de manger leur repas principal avant vous, ils toléreront plus facilement de rester assis avec quelques morceaux de fruits pendant que vous terminez de manger.
- Vous pouvez aussi permettre aux enfants de jouer autour de vous pendant que vous finissez de manger. À l'occasion, vous pouvez même coucher les enfants et vous offrir un petit tête-à-tête en pleine semaine.

Tous les parents qui vivent le retour au travail après la naissance d'un enfant doivent s'ajuster à une nouvelle réalité. Ces trucs s'appliquent aussi chez les parents d'un seul enfant, mais ils sont encore plus utiles pour les parents de jumeaux. Vous connaissez déjà l'importance d'une bonne organisation dans une famille avec des jumeaux. Tentez de vous simplifier la tâche afin qu'il vous reste le plus d'énergie possible pour profiter de ces enfants que vous ne voyez plus que quelques heures par jour !

Abandonner les couchettes

À partir de 18 mois, les enfants en garderie en milieu familial ou en CPE font leur sieste sur un petit matelas déposé à même le sol. Ils ne dorment plus dans des couchettes. Les parents seront souvent invités à abandonner les couchettes à la maison aussi. Parfois, les parents se voient dans l'obligation d'acheter un lit de « grand », car l'enfant réussit à sortir de sa couchette et il risque de se blesser en tombant du lit. Les jumeaux peuvent quant à eux réussir à déplacer leur couchette en se balançant très fort ou à se rejoindre dans une même couchette lorsque les deux petits lits sont assez rapprochés.

> Inséparables

Je retrouvais régulièrement mes fils de 20 mois endormis ensemble dans une seule couchette lorsque j'allais les voir avant de me mettre au lit. Même si nous remettions l'un des deux dans son lit, au petit matin, ce sont leurs rires qui nous réveillaient : ils étaient de nouveau dans la même couchette. Ils ne venaient jamais nous voir dans le salon ou dans notre chambre comme le font les autres enfants. Ensemble, ils avaient tout ce qu'il leur fallait pour être heureux.

L'âge de la transition vers le grand lit peut varier. Tant que l'enfant semble confortable dans sa couchette et qu'il y est en sécurité, il n'est pas nécessaire de se procurer un autre lit. La plupart des parents entreprennent ce passage vers l'âge de 2 ans.

Des mères de singletons m'avaient avertie que cette étape pouvait être difficile. Comment cela se passera-t-il avec vos jumeaux ? Cela dépendra un peu de vous, bien sûr, mais aussi des enfants eux-mêmes. Il se peut que vous deviez leur réapprendre le rituel du dodo. Il est épuisant pour le parent de raccompagner chaque enfant dans son lit 10 fois pendant la soirée en lui expliquant qu'il doit y rester. Encore une fois, tentez de vous préparer à l'avance et de déterminer la forme que prendront vos interventions. Souvent, on recommande de ne rien dire et de simplement raccompagner l'enfant dans son lit. Les explications sont superflues. Il sait très bien que c'est l'heure de dormir. Si vous faites preuve de fermeté et de patience, vous réglerez probablement le problème au bout de quelques jours.

Parfois, l'enfant a peur, car il est habitué d'être entouré de barreaux. Vous pouvez rajouter une barrière de sécurité, coller le lit contre un mur ou coucher les jumeaux ensemble si vous avez un lit double. S'il se sent en sécurité dans son nouvel environnement, l'enfant acceptera plus volontiers d'y rester.

Si vous avez l'impression que l'enfant ne fait que tester vos limites (et qu'il ne semble pas avoir peur), vous pouvez lui expliquer au moment du coucher qu'il aura une conséquence chaque fois qu'il se lèvera. Vous pourriez lui confisquer un de ses nombreux animaux en peluche, par exemple. Commencez par celui qu'il affectionne le moins : il se sentira plus rassuré s'il a toujours son toutou préféré. N'hésitez cependant pas à le lui enlever si vous devez vous rendre jusque-là : il comprendra bientôt que vous n'avez pas l'intention de céder. Vous pouvez aussi choisir d'appliquer une discipline « positive ». Les petits tableaux de collants de bonne conduite et une belle surprise à la fin de la semaine peuvent aussi encourager l'enfant récalcitrant à rester dans son lit.

Si vos jumeaux dorment dans la même chambre, vous ne vivrez peut-être jamais cette frustration. Ils devront quand même comprendre que le lit est un endroit pour dormir, pas pour jouer ni pour faire des pirouettes.

> Stratégie gagnante

Lorsque nous avons fait dormir les jumeaux dans un vrai lit, nous avons opté pour un lit double. Cela leur apportait un élément de sécurité, puisqu'ils pouvaient sentir la présence de l'autre. Quand nous les couchions, ils étaient habituellement assez calmes. Nous les entendions ricaner un peu, mais c'était tout à fait acceptable. Ils ne le savaient pas, mais, en fait, nous les couchions toujours plus tôt pour qu'ils aient le temps de s'amuser un peu ensemble avant de tomber dans les bras de Morphée...

Nous avons gardé la chambre le plus possible dans l'obscurité. Cela encourageait les jumeaux à rester dans leur lit. S'ils avaient trop joué un soir au lieu de dormir, nous les couchions un à la fois le lendemain soir. Au moment de coucher le deuxième, le premier dormait déjà. Comme il était plus tard et qu'on avait vu à bien calmer le deuxième jumeau, ce dernier était moins porté à déranger celui qui dormait. Les deux garçons ont vite compris qu'il était plus agréable d'aller dormir en même temps que l'un après l'autre. Le rituel bain-collation-lecture réussissait à les calmer. Il est très important d'éviter les jeux stimulants et excitants si vous voulez coucher vos jumeaux sans problème chaque soir.

Se reconnaître comme individu

Je ? Nous ? Où commence l'un et où finit l'autre ?

Les tout-petits apprennent rapidement à reconnaître leur nom. Déjà, avant l'âge de 1 an, l'enfant sait très bien comment il s'appelle. Au début, les enfants parlent d'eux-mêmes à la troisième personne : « Lalie veut jus. » Nathalie connaît son nom et elle sait qu'elle a soif. Même si son subconscient sait qu'elle existe comme individu, elle a encore un peu de difficulté à comprendre la notion du « je ». Mais cela ne saurait tarder.

> Confusion

Quand Éric appelait l'un de ses fils, c'était souvent le mauvais nom qui sortait de sa bouche. Il n'avait pourtant aucun mal à les distinguer ! Quand il voulait rappeler Loïc qui courait vers la rue, c'était le nom de Lucas qui sortait. Il se reprenait immédiatement, ce qui donnait quelque chose comme : « Loïc, euh... Lucas, reviens ici ! » À l'âge de 18 mois, lorsque les gens demandaient aux jumeaux comment ils s'appelaient, le premier répondait : « Lucas-Loïc » et l'autre disait s'appeler « Loï-cas ».

Habituellement, les jumeaux s'identifient par leurs noms respectifs plus tard que les singletons. Comme ils sont presque toujours ensemble, il y a de bonnes chances que les deux accourent lorsque vous appelez l'un des jumeaux par son nom. De plus, les gens ne les appellent pas toujours par leur nom. On dira souvent « les filles » ou, pire encore, « les jumelles ». Il n'est pas évident pour les jumeaux de se distinguer l'un de l'autre, qu'ils soient identiques ou non. Si les singletons commencent par parler d'eux-mêmes à la troisième personne, les jumeaux utilisent plutôt le « nous » avant d'en arriver au « je ».

> Éliane et Érika

Éliane et Érika sont jumelles. Éliane est partie jouer chez la voisine. Denis, un ami de la famille qu'on n'a pas vu depuis longtemps, arrive à la maison. Il demande à Érika : « Quel âge avez-vous, les filles ? » Éliane n'est même pas là ! Érika, un peu insultée, lui répond : « Nous avons 10 ans. Moi, j'en ai 5 et ma sœur aussi. »

Le miroir, un outil essentiel

Tous les petits adorent se regarder dans un miroir. Vers l'âge de 1 an, le tout-petit comprend que le bébé qu'il voit dans le miroir n'est nul autre que lui-même. C'est une étape importante dans la reconnaissance de soi comme individu.

Pour aider vos jumeaux dans leur développement, placez un miroir à leur hauteur. Regardez-vous dans le miroir avec eux. Apprenez-leur à se nommer mutuellement pour qu'ils comprennent qu'ils sont deux personnes distinctes. Faites bouger l'un en demandant à l'autre de rester immobile. Demandez à l'un de rire pendant que l'autre garde son sérieux. Vous aurez beaucoup de plaisir et cela permettra à vos jumeaux de faire de précieux apprentissages.

Le jeu du miroir prend toute son importance avec les jumeaux identiques. Pour eux, la reconnaissance de soi est encore plus difficile. Déjà, pendant la petite enfance, il y a un travail supplémentaire à faire pour favoriser leur individuation. Pendant un certain temps, le tout-petit qui se regarde dans le miroir croit vraiment y voir son jumeau. Pour lui, il tout à fait normal d'avoir cette personne devant lui. Miroir ou pas, c'est ce qu'il voit chaque jour ! Amenez les deux enfants en même temps devant le miroir et vous verrez à quel point ils seront surpris de se voir « en double ». Demandez à l'un d'eux de bouger, de rire, de sauter. Utilisez leur nom le plus possible. Faites-leur pointer le nez de Laurence et les oreilles d'Aglaé. Jouez à faire bouger Léonie puis Florence. Demandez-leur laquelle porte des pantoufles et laquelle est en chaussettes. Cela les aidera à comprendre qu'elles sont deux personnes différentes et à se distinguer l'une de l'autre. Lorsqu'elles seront un peu plus vieilles — disons vers 2 ans et demi —, elles comprendront qu'elles sont différentes ; il sera alors temps d'utiliser le miroir pour leur faire remarquer leurs points communs : la même couleur de cheveux, les mêmes yeux, etc. Montrez-leur ensuite des photos et demandez-leur de s'identifier.

Cette notion de similitude est importante pour les jumeaux. S'ils ont de la difficulté à se reconnaître en photo, ils comprendront mieux pourquoi certaines personnes les confondent. Ils accepteront plus facilement que les personnes qui les connaissent moins bien se trompent de jumeau ou les appellent « les jumeaux », plutôt que de risquer de se tromper. Ils seront plus tolérants, moins atteints dans leur désir d'être reconnus.

Les particularités de la petite enfance chez les jumeaux

Le lien gémellaire : un lien inviolable

Regardez comment vivent les enfants des familles de votre entourage et regardez ensuite comment vivent les vôtres. Vous constaterez sans doute à quel point l'univers des jumeaux est particulier. Leur relation a commencé avant leur naissance. Ils n'ont connu que cela. Leur jumeau a toujours été là. Vous êtes un témoin privilégié de la relation qui se développe entre eux. Ces tout-petits qui ne parlent à peu près pas et qui vivent supposément dans leur petit monde individuel sont en relation continuelle l'un avec l'autre. Vos enfants ont peut-être des caractères très différents, mais ils se sont déjà apprivoisés, ils se connaissent déjà bien. Dès la petite enfance, ils apprennent à vivre cette relation. Chacun fait une place à son jumeau dans son monde. Votre rôle est de vous assurer que chacun se fait une place à lui.

Les liens peuvent différer selon les couples

Peut-être verrez-vous se développer une certaine connivence entre vos jumeaux. Instinctivement, chacun sait ce qui fait plaisir à l'autre et comment s'y prendre pour aider l'autre à atteindre ses buts. Ils se savent aimés et sentent qu'ils bénéficient d'un soutien inconditionnel. Peut-être constaterez-vous plutôt qu'ils sont en concurrence l'un avec l'autre. Ils peuvent jouer très bien ensemble pendant un certain temps et se disputer ensuite. Chacun veut être le premier à réussir un projet quelconque ou à avoir votre attention. C'est une réaction naturelle chez des jumeaux, justement parce qu'ils sont plus conscients de la présence de l'autre ! Le type de gémellité influence la relation qu'entretiennent les jumeaux. Voyons les divers scénarios possibles.

Les couples fille/garçon

Des parents de jumeaux de sexes différents ont dit que les interactions entre leurs enfants étaient très limitées pendant la petite enfance et qu'ils se disputaient vraiment souvent. Il s'agit quand même d'une forme d'interaction ! Ils ne s'ignorent pas l'un l'autre...

Comment expliquer cette confrontation ? Chez les jumeaux de sexes différents, le développement ne se fait pas au même rythme. Les filles mûrissent souvent plus rapidement. Même à 2 ou 3 ans, la fille peut vouloir dominer ou materner son frère. Il est fort possible qu'elle parle plus tôt que lui. Elle peut l'aider à se faire comprendre ou tenter de répondre elle-même au besoin de son jumeau avant même qu'il l'exprime. Elle peut avoir envie de l'aider, maladroitement, à construire sa tour avec des blocs de bois. Elle lui enlèvera le bloc des mains pour ensuite le déposer sur la pile à sa place. Si certains garçons acceptent de se faire dominer par leur sœur, d'autres n'apprécient pas du tout et l'expriment clairement. La relation entre les jumeaux fille/garçon n'est pas toujours rose, mais tout n'est pas noir non plus. Certains parents ont raconté que leurs jumeaux avaient développé une belle interaction dès l'âge de 10 mois. Les jumeaux peuvent en effet se consoler mutuellement lorsque l'un des deux pleure. On peut voir l'un d'eux offrir spontanément son doudou ou sa sucette à son frère ou à sa sœur, ou se surprendre à entendre des fous rires quand ils jouent ensemble.

Si vos jumeaux fille/garçon sont continuellement en concurrence, dites-vous qu'ils sont en train de déterminer leur place dans le couple. C'est un apprentissage important à faire. Ce n'est peut-être pas ce que vous aviez imaginé lorsqu'on vous a appris que vous attendiez des jumeaux, mais la réalité est rarement conforme aux rêves. Le défi est peut-être différent de celui auquel vous vous attendiez, mais il est tout aussi stimulant.

Les couples de jumeaux fraternels

Les jumeaux de même sexe non identiques peuvent vivre et vous faire vivre les mêmes situations que les couples fille/garçon. Cependant, les différences dans le développement des deux filles ou des deux garçons seront probablement moins marquées que chez les couples fille/garçon. Les jumeaux fraternels peuvent être aussi différents que deux frères ou deux sœurs qui ne sont pas jumeaux. Physiquement, ils peuvent être complètement dissemblables. L'un des deux peut être actif, petit, nerveux et l'autre plutôt lymphatique, plus lent à réagir. On peut avoir un grand blond tout en rondeurs et un petit noir mince ; une intellectuelle et une sportive ; un artiste rêveur et un manuel qui veut dévisser toutes les vis qu'il trouve dans la maison.

Il est possible qu'ils s'entendent à merveille. Après tout, il peut être fantastique d'avoir toujours un ami avec qui jouer. Comment ne pas être heureux quand on peut jouer chaque jour à la poupée ou au camion avec sa sœur ou son frère ? Chaque enfant demeure cependant un être unique ayant son propre rythme de croissance et son propre tempérament. Souvent, l'un tentera d'influencer l'autre, de l'amener à jouer au jeu qu'il a choisi. Cela ne se fera pas toujours sans heurts.

Ne vous surprenez pas de voir vos jumeaux s'affronter, même si cela est difficile pour vous. Si l'on peut comprendre que cet apprentissage est important pour les jumeaux, le parent ne retire cependant pas beaucoup de plaisir à entendre discuter, crier et pleurer deux enfants. On se convainc parfois que notre rôle de parent nous oblige à intervenir pour ramener la bonne entente.

> Solidaires malgré tout

Je ne compte plus les fois où l'un des garçons venait me voir en pleurant pour se plaindre du comportement de son frère. Lorsque je trouvais qu'il y avait effectivement de l'abus, j'intervenais pour discipliner le fautif, convaincue que c'était là mon rôle. Je croyais aider mes enfants à régler le problème et, ainsi, éviter l'abus d'un jumeau envers l'autre. Erreur ! Habituellement, dès que je disputais l'un des jumeaux, l'autre (celui qui se plaignait deux secondes auparavant) revenait me voir en pleurant, cette fois en prenant la défense de son frère.

Les parents ont souvent le réflexe de séparer les enfants de la fratrie qui se disputent — jumeaux ou non. Ils espèrent ainsi diminuer l'intensité des confrontations et les obligations d'interventions parentales qui s'ensuivent. Or, il est préférable d'encourager les enfants à jouer ensemble. La participation du parent peut être nécessaire pour animer le jeu ou guider les enfants dans les négociations concernant le choix ou les règlements de ces jeux. En vivant occasionnellement de beaux moments ensemble, les enfants se bâtiront de beaux souvenirs. Ils commenceront progressivement à croire qu'ils peuvent être amis. Plus tard, vous pourrez leur rappeler combien ils ont eu du plaisir ensemble, la dernière fois. Ces moments de plaisir ou de rires partagés serviront de base pour construire une relation plus harmonieuse.

Il est souvent plus aidant pour eux (et beaucoup plus simple pour le parent) de les laisser régler eux-mêmes leurs différends. Tant qu'il n'y a pas de vrai perdant, de violence physique ou verbale inacceptable, il vaut mieux intervenir le moins possible.

Les jumeaux identiques

Certaines recherches ont démontré que le lien le plus fort qui puisse exister chez l'homme est le lien mère-enfant. Des recherches plus récentes sur les jumeaux ont fait valoir que le lien entre les jumeaux identiques est encore plus fort. Une chose est certaine : ce lien existe depuis le premier instant de la conception, avant même que la mère sache qu'elle est enceinte. Après tout, ces jumeaux ont déjà été une seule personne avant que l'œuf se scinde en deux.

Le développement des jumeaux identiques est presque synchronisé. Comme nous l'avons vu, ils risquent de marcher, de parler et de percer des dents à peu près en même temps. Imaginez combien il est rassurant pour un enfant de sentir qu'il y a toujours quelqu'un à ses côtés pour l'épauler !

Le lien singulier qu'entretiennent les jumeaux est souvent visible dès la naissance. La complicité dont on entend tellement parler – et qu'on idéalise, même – est particulièrement évidente chez les jumeaux identiques. Les exemples pleuvent : parlez-en aux parents de jumeaux. On a vu comment ces jumeaux, même tout bébé, sont conscients de la présence et des états d'âme de l'autre.

> Clément et Arthur

Les garçons, qui avaient environ 20 mois, étaient avec papa dans l'atelier. Ouf ! Karine avait enfin quelques minutes seule avec Alexandra, 4 ans. Tout à coup, elle entend un gros bruit, suivi presque instantanément de cris et de pleurs. Elle continue de jouer avec sa fille un peu distraitement en se disant que papa s'occupera du problème. Mais Clément arrive près d'elle en larmes. Il sanglote tellement fort qu'il est incapable de dire ce qui s'est passé. Karine n'est pas très contente de voir que c'est elle qui doit régler le problème. Après tout, l'accident est arrivé pendant que les garçons étaient avec papa. Elle se résigne à consoler Clément. Elle lui demande de lui montrer à quel endroit il a mal pour que les bisous magiques de maman puissent le guérir. Rien n'y fait. Elle doit attendre que les pleurs cessent. Elle commence à en vouloir un peu à papa, qui reste toujours dans l'atelier... Finalement, Clément réussit à dire que le bobo, c'est son frère qui l'a ! L'étau est tombé sur le pied d'Arthur et lui a fait très mal. Papa est dans l'atelier avec lui. Clément avait simplement de la peine pour son frère...

Dans tous les couples : un dominant et un dominé ?

Plusieurs personnes vous demanderont lequel de vos jumeaux est le « dominant » dans le couple. La notion de « dominant-dominé » existe depuis toujours dans les couples de jumeaux. Qu'en est-il au juste ?

Lors de l'accouchement, c'est généralement le plus gros bébé qui naît en premier. Le deuxième semble souvent plus fragile. Chez les couples de jumeaux en bas âge, c'est souvent le plus gros qui domine l'autre. En cas de dispute, le plus gros aura effectivement l'avantage. Déjà, à 6, 8 ou 10 mois, il réussit souvent à s'approprier les choses qu'il veut et à imposer sa loi. Voyant cela, les parents ont tendance à protéger le plus petit, ce qui ne fait qu'accentuer la différence. Il se fiera plus naturellement à ses parents pour le défendre. Il jouera malgré lui le rôle de « dominé ». Et le stéréotype finira ainsi par prendre racine. Pendant la petite enfance, et même plus tard, la taille continue d'être un critère important dans les couples de jumeaux garçons, pour qui la force physique est un atout important. Celui qui est le plus gros est aussi le plus fort. Il dominera sans doute dans le couple, que les jumeaux soient identiques ou non. Nous retrouvons un peu le même phénomène chez les couples de jumelles en bas âge. La plus grande ou celle qui parle la première devient automatiquement la leader du couple. En vieillissant, la force intellectuelle puis les résultats scolaires deviendront les critères importants pour déterminer la dominance entre les jumelles.

Dans les couples mixtes, c'est souvent la fille qui domine, comme nous l'avons déjà évoqué. Bébé, elle résiste mieux aux maladies. Elle parle plus tôt, elle est probablement entraînée à la propreté avant son frère. Elle a tendance à le materner, donc à le diriger. Elle réussit mieux à l'école primaire et a une plus haute estime d'elle-même. Ainsi, elle est moins impressionnée par la force physique de son frère. Elle peut aussi être, pendant un certain temps, la plus grande des deux.

Le phénomène de la dominance dans les couples de jumeaux est cependant beaucoup plus complexe que l'aperçu que nous en donnons ici. En effet, les parents ne voient pas les jumeaux de la même manière que les voisins ou le reste de la famille. Voici quelques exemples :

› Dominant-dominé

La plupart des gens qui les connaissent disent spontanément que Jérémy, le plus grand des jumeaux, est le jumeau dominant. On voyait déjà, à 4 ans, qu'il était plus dégourdi, moins gêné. Son frère Raphaël semble plus docile, plus timide. Depuis toujours, Jérémy se montre plus sûr de lui : il parle plus fort et se présente aux gens en premier pendant que Raphaël attend derrière lui.

Leurs parents, Marie-Claude et Yannick, ne sont pas du même avis. À la maison, Raphaël n'est pas gêné du tout. Au contraire, c'est souvent lui qui dicte la conduite à son frère. Si Raphaël semble moins fonceur, il dirige pourtant son frère d'une main de fer dans l'intimité ; c'est habituellement lui qui décide de tout. En fait, c'est lui qui pousse Jérémy à aller voir « la madame ». Jérémy y va, car il est moins gêné et il sent qu'il a le soutien de son frère. Celui qui semble le plus sûr de lui aux yeux de la société est le plus dépendant de son jumeau sur le plan affectif. Il a besoin de savoir que ce qu'il fait plaît à l'autre.

Pour Marie-Claude et Yannick, il est loin d'être évident de savoir qui est le « dominant » et qui est le « dominé ».

Le phénomène de la dominance a été bien décrit par le psychologue allemand Von Bracken[2]. Il a proposé l'image du « ministre de l'Intérieur » et du « ministre des Affaires étrangères ». L'exemple de Jérémy et de Raphaël l'illustre bien. Vous verrez la « dominance » alterner constamment entre vos jumeaux. Si vous êtes attentif, vous devinerez probablement de quel « ministère » chacun s'occupe.

Parfois, les disputes permettent aux jumeaux de se découvrir mutuellement, d'identifier leurs différences ainsi que les forces et les faiblesses de chacun et de déterminer leur place dans le couple. Ils établissent ainsi eux-mêmes la relation de dominance.

> Victime ?

Frédérique semble dominer Blanche. C'est Frédérique qui décide, qui s'approprie le jouet qu'elle veut. Chaque jour, Frédérique vient chercher son déjeuner la première et exige que papa l'aide à mettre son manteau avant d'aider Blanche. Frédérique préfère le ballon rouge ? C'est toujours elle qui l'a ! Blanche est-elle une victime pour autant ? Pas nécessairement. Peut-être que Blanche « achète la paix » et préfère accepter le deuxième choix plutôt que de s'affirmer avec force. Ce n'est peut-être tout simplement pas dans son caractère de s'imposer. Elle peut très bien se plaire dans le rôle de « dominée ».

Que faire lorsqu'on est témoin de tels comportements ? Si Frédérique frappe Blanche, il est certain qu'il faut intervenir, car cela n'est pas acceptable. Mais, si Frédérique « négocie » et gagne toujours son point, il vaut probablement mieux ne pas s'en mêler. Les parents ont tendance à se projeter dans le futur un peu trop facilement. Ils imaginent déjà Blanche triste, vivant une frustration continuelle, car tout le monde abusera d'elle pendant toute sa vie. Eh bien non ! Si Blanche décide un jour — et cela viendra sans doute — que cela suffit et que c'est à son tour d'avoir le ballon rouge, Frédérique le saura bien assez vite. Ce jour-là, la dispute sera encore plus vive, car Frédérique n'aimera pas perdre le contrôle, mais vous serez d'autant plus fier de voir que Blanche a finalement pris sa place. Mieux vaut laisser vos jumeaux être différents l'un de l'autre. Chaque enfant prendra sa place au moment où il sera prêt à le faire.

Dans un couple de jumeaux, « équilibre » ne veut pas dire « égalité ». Dans la vie, il y a des meneurs et des suiveurs. Il en est probablement aussi ainsi au sein du couple de jumeaux. Les enfants, tout comme les adultes, ont chacun leurs forces et leurs faiblesses. S'il se peut que l'un des jumeaux domine sur le plan physique, il est fort probable que l'autre soit plus fort sur le plan intellectuel. Ils atteindront éventuellement un équilibre permettant à chacun d'être à l'aise dans le couple.

Avec le temps, le rapport de force entre les jumeaux peut aussi changer. Laissez à chacun de vos enfants l'occasion de vivre des expériences lui permettant de développer son caractère et sa personnalité. Il se peut qu'à la rentrée scolaire, le dominant devienne tout à coup plus timide. À l'adolescence, on peut voir la situation basculer, le « dominé » devenant le « dominant ». Tout peut changer en fonction des expériences que chacun vit. En fait, tout va changer. N'oubliez pas que vous avez peut-être une perception erronée de ce qui se passe dans l'intimité des jumeaux.

Votre rôle de parents

Dans son livre sur les jumeaux, Frédéric Lepage écrit : « Il y a, avec les grandes joies, aussi des inconvénients dans la situation gémellaire. Il ne faudrait pas aggraver la situation en accentuant la similitude des jumeaux. Ne les habillez pas pareillement. Saisissez toutes les occasions de séparation, fussent-elles brèves. Favorisez pour chacun des jumeaux des camaraderies personnelles.[3] » « Évitez de les séparer, la situation gémellaire existe — elle a sa propre cohérence et la nier ne revient qu'à refuser de l'affronter[4] », écrit quant à lui Jean-Marc Alby, un autre auteur, au sujet des jumeaux. Comme dans toute autre situation, il faut accepter que deux personnes aient des opinions tout à fait contraires. Ma grand-mère avait bien raison quand elle me disait qu'une médaille n'est jamais si mince qu'elle n'a pas deux faces…

Alors… différencier ou pas ?

Dans le passé, les parents de jumeaux avaient tendance à accentuer les ressemblances entre eux. Ils leur donnaient des noms semblables et les habillaient de la même façon, parfois jusqu'à l'âge adulte. Aujourd'hui encore, certains parents habillent leurs jumeaux de la même façon. Il est après tout attendrissant de voir deux bébés dans des pyjamas assortis enveloppés dans des petites couvertures semblables. Les gens s'exclament d'admiration en voyant ces deux petites copies conformes. Les jumeaux identiques exercent en effet une grande fascination sur une partie de la population. Les recherches ont cependant démontré que ce genre de comportement — la gémellisation à outrance — n'est pas souhaitable pour le bon développement psychologique et social des enfants. Les parents souhaitent tous que leurs enfants deviennent des adolescents et des adultes autonomes. Assurez-vous d'offrir à vos enfants le cadeau de la confiance et de l'estime de soi dès leur plus jeune âge, surtout si vous avez des jumeaux.

En famille et en société... différencier encore et toujours !

Tous les parents de jumeaux — identiques ou non — ont reçu en cadeau des petits ensembles similaires ou assortis : un ensemble avec le haut rouge et le bas bleu et un autre avec le haut bleu et le bas rouge. Les gens aiment encore accentuer les ressemblances des jumeaux et ils vont parfois jusqu'à en créer là où il n'y en a pas. Or, comme nous l'avons évoqué, les jumeaux peuvent être très différents. Il est parfois difficile pour le parent de jumeaux de faire comprendre gentiment à la famille et aux amis que ses deux enfants ont le droit et même l'obligation d'être différents. Donnez à vos jumeaux l'occasion d'exprimer leur individualité. Évitez que ces derniers s'isolent du monde qui les entoure sous prétexte qu'ils ne ressentent pas le besoin d'avoir d'autres personnes dans leur vie. Adressez-vous individuellement à chaque enfant le plus souvent possible et ne laissez pas l'entourage insister sur leur gémellité au détriment de leur individualité.

Pour faire plaisir à grand-maman, rien ne vous empêche d'habiller les tout-petits « en jumeaux » à une ou deux occasions, comme pour la traditionnelle photo de famille de Noël, par exemple. Leur développement psychologique n'en sera pas perturbé. Si vous faites porter les petits ensembles assortis à vos jumeaux lors d'une sortie, il vous sera peut-être plus facile de les repérer dans la foule. Il se peut aussi que cela vous fasse du bien d'entendre les gens s'exclamer en voyant les deux jumeaux habillés de la même manière et que vous soyez tenté de le faire lors d'une journée plus difficile. Dans ce cas, allez-y !

Cependant, le rôle du parent de jumeaux est de tout mettre en œuvre pour favoriser le développement individuel, harmonieux et sain de deux enfants qui vivent une situation particulière. Évitez de parler constamment « des jumeaux » lorsque vous faites référence à vos enfants. Vous risquez, sinon d'avoir de la difficulté à faire comprendre à l'entourage que ce sont deux petits êtres distincts que l'on doit à tout prix différencier. Soyez conséquent !

> Lily et Marisol

Les filles ont 4 ans. Elles savent bien qu'elles sont jumelles, mais leurs parents, Marie-Andrée et Martin, les encouragent depuis toujours à se différencier l'une de l'autre. Ils ont eu la confirmation que leurs efforts avaient porté leurs fruits lors d'une visite à l'oncle Daniel. Tout innocemment, celui-ci les a accueillis en disant : « Bonjour, les jumelles ! » La petite Lily n'a pas tardé à réagir. « Oncle Daniel, j'aime pas ça quand tu nous parles comme ça. On est des jumelles, mais on ne s'appelle pas " les jumelles ". Moi, c'est Lily, et ma sœur, c'est Marisol ! » Daniel est resté bouche bée. Malgré un malaise passager, Marie-Andrée et Martin étaient très fiers de leur fille. Maintenant que les jumelles savent bien se différencier, elles doivent apprendre à mieux s'y prendre pour le faire comprendre aux autres.

On comprend le besoin de différencier les jumeaux identiques...

Le lien qui unit les jumeaux identiques est particulièrement solide. Pour eux, il est plus complexe — mais d'autant plus important — de se différencier et de développer leur indépendance. Ils sont déjà tellement semblables qu'ils doivent faire des efforts pour se définir comme individus à l'extérieur de la relation gémellaire. De plus, les gens de l'entourage s'attendent vraiment à ce qu'ils soient identiques en tous points. Pour permettre à ces jumeaux de se différencier entre eux et aux yeux des autres, évitez de les habiller de la même façon. L'image qu'ils projettent teinte en effet la manière dont les gens les abordent.

Lors d'événements spéciaux, on aime parfois accentuer les similitudes des jumeaux. Il suffit de penser à la parade des jumeaux que l'on présente chaque année au Festival Juste pour rire de Montréal. Est-ce simplement le hasard qui fait qu'une telle démonstration a lieu dans ce cadre précis ? Peut-on conclure que si l'on « s'habille pareil », on doit effectivement le faire *juste pour rire* ? Dans le quotidien, avouons qu'il serait plutôt triste de voir chaque jour de jeunes adultes identiques en tous points. Les enfants ne se rendent pas compte de l'impact que cela peut avoir sur les gens qui les entourent. Ils peuvent même ne pas être conscients qu'ils sont habillés de la même façon. Chacun sait très bien quel chandail est le sien, même s'ils semblent identiques. Si le parent s'est trompé en le choisissant, ils feront simplement l'échange. Le jeu du miroir que vous avez fait avec eux les a peut-être aidés à comprendre qu'ils sont à la fois très semblables et très différents ! Et même s'ils sont très différents l'un de l'autre, ils peuvent s'oublier dans le couple gémellaire. Les enfants de 3 ou 4 ans trouvent parfois amusant de s'habiller de la même façon. À cet âge, ils ne comprennent pas encore à quel point ils se ressemblent et ils ne se rendent pas toujours compte que les gens les confondent. Être habillé pareillement est un jeu agréable, mais il faut faire en sorte que cela reste un jeu occasionnel.

Le sens du partage est inné chez ces jumeaux. Il se peut même que vous deviez parfois les encourager à s'approprier les choses et à accepter d'avoir occasionnellement droit à un privilège. Il faut parfois négocier pour que l'un des deux accepte d'être le seul à être « un peu gâté » sans se sentir coupable.

> Partage

Je me souviens que ma mère offrait parfois discrètement une gomme à mâcher à l'un des garçons. Ni un ni l'autre n'acceptait sans d'abord demander s'il y en avait aussi pour l'autre. Mamie, qui ne vivait pas le quotidien avec les garçons, trouvait cela plutôt « spécial ».

Malgré l'harmonie qui règne habituellement entre les jumeaux identiques, il arrive que ceux-ci se disputent. Tant mieux ! C'est en s'opposant l'un à l'autre que chacun prend la place qui lui revient, qu'ils établissent des limites entre eux et qu'ils réussissent à se différencier. Permettez que vos jumeaux s'affrontent, sans nécessairement les encourager à le faire. Si « Bertrand et Bernard » veulent tous les deux le ballon rouge, c'est que chacun pense pour soi. S'ils se disputent pour se l'approprier, c'est que chacun reconnaît ses propres goûts et envies.

> Solidarité

Les deux garçons s'étaient obstinés une bonne partie de la journée. Chacun arrachait le camion des mains de l'autre ; ils criaient et venaient chacun leur tour voir Audrey en pleurant. À bout de patience, Audrey a pris le camion et l'a placé sur le dessus du réfrigérateur. Elle leur a dit que puisqu'ils ne réussissaient pas à s'entendre, elle réglerait le problème pour eux. Elle avait espoir que, de cette manière, l'incident serait clos. Erreur ! Les deux enfants se sont unis contre l'ennemi commun (c'est-à-dire maman) pour protester contre la confiscation du camion. Audrey a fini par se résigner à le leur redonner en leur recommandant fortement de s'entendre entre eux. L'harmonie est revenue instantanément et ils ont joué à deux, tout heureux.

En s'appropriant le jouet, l'adulte ne fait que prouver sa supériorité. Or, cette « supériorité » devrait aller de soi ! Le jumeau lésé, celui qui aurait dû avoir le droit de conserver le jouet, en voudra quand même à l'autre (et à l'adulte), car il se sent incompris. Mieux vaut apprendre aux jumeaux à négocier et les féliciter lorsqu'ils font des efforts en ce sens.

Si vos jumeaux, à 4 ans, ont besoin d'aide pour exprimer en mots ce qu'ils ressentent, au fond d'eux-mêmes, ils savent qu'ils s'aiment. Ils seront toujours des alliés, envers et contre tous. Avec des mots simples, expliquez-leur le plus souvent possible qu'ils ont le droit de souhaiter parfois être différents. Ils doivent comprendre que cela est acceptable, qu'ils n'ont pas à se sentir déchirés lorsqu'ils choisissent de se faire plaisir individuellement. N'oubliez pas que les gens qui les entourent sont toujours portés à les « gémelliser » avec leurs cadeaux identiques ou leurs gâteries offertes en double !

Est-il vraiment nécessaire de différencier les jumeaux non identiques ?

Les jumeaux non identiques sont parfois très différents physiquement. Est-il vraiment nécessaire de faire des efforts pour différencier les jumeaux fille/garçon, par exemple ? Les jumeaux sont toujours ensemble et partagent leur quotidien. Identiques ou non, ils peuvent très bien avoir l'impression de ne former qu'un seul individu. Même les couples de jumeaux garçon/fille et les jumeaux non identiques de même sexe jouent plus facilement ensemble et plus tôt que les autres enfants du même âge. Comme tous les enfants, ils ressentent le besoin de s'affirmer, notamment à l'âge du « *terrible two* ». Dans le cas des jumeaux, c'est à deux qu'ils tentent de se détacher des parents. Lorsque leur besoin de s'affirmer comme individu se développe, cela donne lieu à des interactions un peu plus houleuses que chez les jumeaux identiques.

Les gens de l'entourage tentent à l'occasion de rendre les jumeaux beaucoup plus semblables qu'ils ne le sont en réalité en leur achetant les mêmes cadeaux ou des vêtements qui accentuent la gémellité. Ces enfants, parfois très différents, se voient contraints de tout partager. Or, ce qui plaît à l'un ne plaît pas nécessairement à l'autre. Il arrive que ces enfants éprouvent encore plus l'envie et le besoin de se différencier l'un de l'autre. Ils veulent que leurs différences soient clairement reconnues par tout le monde. Cela est tout à fait positif, mais ils manquent parfois de délicatesse pour le faire comprendre à l'entourage.

Les parents qui accentuent plutôt les différences chez leurs jumeaux leur rendent service. Comment permettre à chaque enfant d'être ce qu'il a besoin d'être sans rien enlever à l'autre ? Cela exige un certain tact de la part des parents. Discutez avec vos enfants et retournez devant le miroir avec eux. Rassurez-les en leur répétant qu'ils sont vraiment différents. Acceptez leurs émotions tout en leur imposant des limites. Ils doivent établir leurs propres règles et définir eux-mêmes leur relation. Si les parents encouragent la différenciation des jumeaux, l'entourage finira bien par comprendre. Si les enfants sentent que leurs parents reconnaissent leurs différences, ils accepteront mieux certaines contraintes sociales qui vont de pair avec la condition de jumeau. Il sera ensuite facile de les laisser s'organiser entre eux.

Les suggestions de cadeaux

Le désir de justice ou la crainte d'être accusé de favoritisme ne doit pas vous pousser à offrir des cadeaux identiques à vos jumeaux. Pourquoi ne pas proposer des articles différents lorsque des membres de la famille vous demandent des suggestions de cadeaux ? Les goûts des enfants de 2 à 4 ans ne sont pas toujours clairement développés et différenciés. Vous constaterez cependant des différences si vous regardez jouer chacun des enfants. Profitez de la demande de suggestions des grands-parents pour expliquer les préférences que vous avez observées chez vos jumeaux afin de trouver des cadeaux qui correspondent vraiment aux goûts de chacun. Un des enfants peut adorer un livre sur les animaux et l'autre préférer un casse-tête ?

> Astuce

Une mère m'a expliqué comment elle avait réglé le dilemme des cadeaux pour ses deux filles. Pour éviter qu'elles s'attendent à toujours recevoir la même chose, elle leur offrait des cadeaux « personnalisés ». Immanquablement, chacune voulait le cadeau de l'autre. Finalement, elles échangeaient simplement leurs cadeaux et elles étaient toutes les deux comblées.

Il faut quand même veiller à ne pas créer de jalousie en choisissant un objet vraiment plus attirant que l'autre. Ce n'est pas une question de coût (les jeunes enfants ne sont pas conscients de la valeur des objets), mais il est évident qu'une petite cuisinette équipée qui occupe tout un coin du séjour semble plus intéressante pour une fillette que la plus belle des poupées. Certains objets doivent être achetés en double : les vélos, par exemple. On n'imagine pas qu'un seul jumeau ait un vélo ! Des objets peuvent aussi être achetés en double afin de permettre aux deux enfants de partager un même jeu. Rien ne vous empêche, par exemple, d'acheter une poupée à chacune de vos jumelles pour qu'elles puissent jouer ensemble. Ne cherchez pas non plus à acheter à tout prix des cadeaux différents. Sachez simplement que les suggestions de cadeaux que vous faites sont révélatrices. Si vous tenez à ce que les gens voient vos enfants autrement que comme des jumeaux, c'est aussi à vous de les encourager à le faire !

À l'occasion de leur anniversaire, offrez à chacun un gâteau avec des chandelles qu'il peut souffler. Les jumeaux qui vivent facilement leur gémellité ne seront peut-être pas offusqués de partager un gâteau de fête, mais ils seront sûrement encore plus contents d'en avoir chacun un ! Les jumeaux qui vivent plus difficilement leur gémellité seront quant à eux très heureux d'avoir leur propre gâteau. Quand on est petit, un gâteau de fête, c'est important !

Aucun danger...

Le lien gémellaire demeurera, que vous habilliez vos jumeaux de la même façon ou non. L'apparence importe peu, car le lien qui unit les jumeaux ou les jumelles identiques est invisible. Il est dans leur cœur, dans leurs tripes. Ne vous inquiétez pas : ce lien est suffisamment fort pour résister à des séparations occasionnelles.

Ensuite... séparer ?

Dès la petite enfance, donnez à vos jumeaux l'occasion d'apprivoiser la solitude pendant de courts moments pour les aider à se développer en tant qu'individus à part entière. Les jumeaux qui doivent toujours être ensemble pour se sentir bien n'ont pas suffisamment développé leur indépendance. Il n'est sûrement pas très agréable de se sentir démuni lorsque le cojumeau est absent... Votre rôle consiste à faire en sorte que chaque enfant puisse se tenir debout seul sans devoir s'appuyer sur l'autre. Dites-vous que vos jumeaux devront bientôt quitter la maison pour commencer l'école et qu'il est important de les préparer à cette transition dès la petite enfance.

Il n'est pas toujours facile de séparer des jumeaux. Comment faire ? Vous n'enverrez sûrement pas vos jumeaux dans deux garderies différentes : ce n'est pas nécessaire et cela compliquerait inutilement votre vie de parents. Vous pouvez cependant provoquer des séparations d'une heure ou deux chaque semaine. Invitez les enfants à tour de rôle à faire l'épicerie ou à se balader à vélo avec vous. L'autre parent peut profiter de ce moment pour jouer avec le cojumeau ou l'amener au parc. L'enfant sera heureux d'être le seul centre d'attention du parent pendant un court moment et le parent aura le plaisir de partager un moment privilégié avec un seul de ses enfants.

Si vos moyens financiers le permettent, vous pouvez inscrire les jumeaux à des activités différentes en respectant les goûts de chacun.

Grâce à ces activités, l'enfant aura l'occasion de se faire d'autres amis et de découvrir d'autres façons de faire et d'autres habitudes familiales. Interagir avec un nouvel ami ou dans un groupe sans être épaulé par son complice constitue un beau défi pour le jumeau. Le jumeau dominant découvrira qu'il n'exerce pas nécessairement le même pouvoir sur ses amis que sur son jumeau. Le jumeau dominé apprendra à forger son opinion et à la défendre. Les jumeaux auront ainsi l'occasion de bâtir de nouvelles relations. Il est en effet essentiel d'apprendre à faire sa place dans un groupe pour bien vivre en société.

Si vous avez de la difficulté à intégrer des activités hebdomadaires dans votre horaire chargé, vous pouvez simplement profiter des occasions qui se présentent naturellement dans votre routine pour séparer vos jumeaux.

Vous pouvez, par exemple, amener un seul enfant à la fois au magasin. Dès l'âge de 3 ou 4 ans, permettez-lui de choisir ses espadrilles sans être influencé par l'opinion du jumeau ou de la jumelle. De retour à la maison, il sera sûrement très fier de les lui montrer. Il aura aussi compris qu'il a le droit de décider seul de certaines choses. Lorsque vous retournerez au magasin avec le deuxième enfant, ne lui offrez pas le même modèle. Vous vous assurerez ainsi que chacun trouve chaussure à son pied ! Il sera aussi plus facile pour tout le monde d'identifier les espadrilles de chacun…

Rares sont les gens qui vous offriront de s'occuper des deux enfants pour vous permettre une petite sortie. L'idée de s'occuper de deux enfants de 3 ans qui courent partout peut faire très peur ! Encouragez vos proches à inviter un seul enfant pour une promenade ou une visite. Les gens ne seront pas portés à vous l'offrir, car ils craignent de faire de la peine à l'un ou à l'autre en ne choisissant qu'un seul enfant. Expliquez-leur qu'il est important de séparer les jumeaux à l'occasion, ne serait-ce que pendant quelques minutes, et promettez-leur que vous accorderez une attention particulière à celui qui restera avec vous. Ce sera pour celui-ci l'occasion d'avoir toute l'attention de papa ou de maman. Vos proches seront sans doute plus portés à vous offrir cette aide en sachant cela.

Quand on propose une sortie à un jumeau, il a généralement le réflexe de demander si son cojumeau peut l'accompagner. Il sait que cela fera aussi plaisir à l'autre. Les premières fois que vous amènerez un seul enfant à l'épicerie, celui ou celle qui restera à la maison ne sera pas content. Il ne faut pas vous laisser attendrir par les pleurs. Certaines mamans hésitent à imposer une séparation aux jumeaux, ne serait-ce que de quelques heures. Il faut parfois se faire violence… et faire confiance. Vous ne leur rendez pas service en laissant votre peur de leur faire de la peine vous empêcher de les séparer occasionnellement. Les enfants ne sont pas pénalisés par ces séparations. Au contraire, ils en bénéficient ! Si vous sentez que l'un ou l'autre des enfants semble perturbé de ne pas avoir son jumeau près de lui, dites-vous que c'est signe qu'il était temps pour lui d'être séparé ! Trouvez quelque chose de spécial à faire à la maison (un jeu nouveau, une recette, etc.). Cela aidera celui qui reste à accepter de voir partir le jumeau. Rassurez-le en lui disant que la prochaine fois, ce sera à son tour d'aller faire les courses avec papa ou d'aller dîner chez mamie. Développez un système qui permet d'assurer une alternance ; le sens de la justice est très développé chez les enfants.

> Code de couleurs

Chez les Leblanc, il y a une petite roulette sur laquelle figurent trois couleurs. Bien avant d'avoir appris à lire, Ophélie savait que la couleur rose était la sienne, le vert était celle d'Hubert et le bleu, celle de Robin. Lorsque l'un des enfants profite d'une sortie particulière, celui qui reste à la maison se dépêche d'aller tourner la roulette. La couleur qui est en haut désigne l'enfant qui profitera de la prochaine sortie seul avec papa, maman ou quelqu'un d'autre. L'enfant a alors une preuve tangible qu'il aura son tour. Cela règle bien des différends.

Vous attendez un autre enfant ?

Il se peut que vous décidiez d'avoir un autre enfant alors que les jumeaux n'ont pas encore 5 ans. (Il semble finalement que vous n'ayez pas été si traumatisés par votre expérience avec les jumeaux…) Il faut dire que les parents de jumeaux qui ont eu d'autres enfants par la suite ont adoré n'avoir à s'occuper que d'un seul bébé. Ils avaient l'impression d'être « en vacances » tellement c'était plus facile qu'avec les jumeaux.

Vous annoncez donc aux jumeaux que maman et papa auront bientôt un nouveau petit bébé (en évitant, peut-être inconsciemment, d'envisager la possibilité qu'il y en ait deux…). Vous leur expliquez qu'un nouveau-né a besoin de beaucoup de soins et d'attention. Les jumeaux vous écoutent, mais ils ne comprennent pas vraiment ce que cela signifie pour eux. Ne vous en faites pas.

On dit que les jumeaux souffrent moins de l'arrivée d'un nouveau bébé et qu'ils se sentent beaucoup moins menacés par sa présence. Contrairement aux singletons, les jumeaux ne se sentent pas « abandonnés » si maman ou papa est moins disponible pour eux. Ils sont autosuffisants : chacun a déjà un ami qui est toujours prêt à jouer avec lui. De plus, ils savent qu'ils ne passent pas inaperçus dans la famille et dans la société en général ; ils sont donc moins enclins aux manifestations de jalousie.

Accordez-leur quand même du temps de qualité dès que vous le pouvez : lisez-leur des histoires, jouez avec eux... Ce n'est pas parce qu'ils l'exigent un peu moins qu'ils n'en ont pas besoin !

La petite enfance : quelques réflexions...

Vous aurez un jour l'occasion de regarder en arrière et de voir le long chemin que vous avez parcouru. Si ce chemin a parfois été semé d'embûches, de doutes, de moments difficiles et de découragements, il a fort probablement aussi été rempli de bons moments et de joies, petites et grandes. Quand vous sortiez avec vos jumeaux de quelques mois dans la poussette double, vous deviez parfois répondre à des questions un peu bizarres. Il valait mieux vous y préparer.

De même, pendant la petite enfance, vous avez probablement entendu des commentaires désobligeants à propos de vos jumeaux de 2 ans qui sont en crise. Occasionnellement, des gens vous offriront des conseils sur l'éducation de vos enfants. Soyez prêts à répondre : « Quelle bonne idée ! Et vous, quel âge ont vos jumeaux ? » Lorsque les gens diront qu'ils n'en ont pas, un simple regard de votre part dira tout...

Qu'aurez-vous retenu de la transition de vos jumeaux vers l'indépendance ? Voici en quelques mots l'image que j'en ai gardée et les conclusions que j'en ai tirées.

Lorsque les journées sont difficiles, il faut tenter de garder le sens de l'humour

Des exemples :

- Lorsque l'eau du bain déborde, que les jumeaux courent dans la maison, nus et dégoulinants, et que le canard de plastique se vide de son eau sur le plancher, que faire ? Votre premier réflexe sera peut-être de pleurer ou de hurler. Ce serait tout à fait humain, d'ailleurs. Mais essayez de faire autrement : regardez comme ces enfants ont l'air heureux ! Ils sont dans la maison : ils n'attraperont pas froid. Jusqu'à maintenant, personne n'est tombé. De plus, le plancher est probablement sale. C'est l'occasion de le laver !
- Au souper, votre tout-petit s'efforce de ramasser le pauvre petit pois qui est tombé de son assiette. Ce faisant, il accroche sa cuillère pleine de sauce qui tombe par terre. En tentant de la ramasser, l'enfant perd l'équilibre sur sa chaise. En reprenant son équilibre, il accroche son verre de lait qui se vide sur lui. Premier réflexe : pleurer ? Il vaut mieux en rire ! Pauvre petit ! Il était plein de bonnes intentions et il tentait simplement de faire plaisir à maman en ramassant le petit pois. (Je vous jure que c'est possible : c'est du vécu…) Et voilà une autre bonne occasion de nettoyer le plancher !
- Une mère m'a déjà raconté qu'après être tombée sur la glace dans la cour, son premier réflexe avait été de se dépêcher à se relever (en vérifiant si quelqu'un l'avait vue tomber…). Après quelques secondes, toutefois, elle a éclaté de rire en se disant que c'était probablement le seul moment de la journée où elle ne courait pas. Elle en a profité pour prendre une petite pause. Quelle sagesse, n'est-ce pas ?

Ma conclusion :

- Dans les moments difficiles, essayez de vous projeter dans le futur. Verrez-vous des amis ou des membres de votre famille en fin de semaine ? Il y a fort à parier qu'ils riront lorsque vous leur raconterez ces anecdotes — et vous aussi. Pourquoi ne pas en rire tout de suite ? Avouez que l'image d'une maman qui court après ses jumeaux nus dans la maison pourrait vous faire sourire vous aussi ! Constater l'effet domino qu'a eu le roulement d'un simple petit pois sur la table a quand même un côté comique, vaudevillesque ! Lorsque ce genre de situation nous arrive, on dirait qu'on a moins envie d'en rire, et pourtant…

  Voir le côté ridicule d'une situation est une belle façon de dédramatiser les choses. Entendons-nous : il est possible que vous n'ayez aucune envie de laver le plancher ce jour-là, mais, en revivant la scène, vous nettoierez quand même avec un petit sourire en coin.

Les jumeaux amènent leur lot de complications, mais aussi de sourires !

Encore des exemples :

- Vos journées sont chargées ; les jumelles vous demandent une quantité incroyable d'énergie. Aujourd'hui, elles se sont disputé une bonne partie de la journée. À 2 h 30 du matin, vous entendez des voix dans leur chambre et vous vous levez pour aller voir ce qui se passe. Vous découvrez les filles collées l'une contre l'autre dans le petit lit. Myriam a fait un cauchemar et elle s'est réfugiée auprès de sa sœur. Vous leur dites qu'il est préférable d'aller voir maman dans ces cas-là pour ne pas déranger l'autre. Léa répond, avec sa petite voix :

« Ça ne me dérange pas qu'elle me réveille, maman… » Vous laissez les filles se consoler entre elles et vous retournez vous coucher avec une belle chaleur dans votre cœur de mère.

- Ce n'est pas de tout repos d'aider deux enfants de 3 ans à s'habiller pour aller jouer dehors l'hiver. (À 18 mois, chacun enlevait la tuque et les mitaines de l'autre avant que vous ayez eu le temps de les attacher. Au moins, cette époque est révolue…) Vous êtes en sueur, car vous vous êtes probablement habillée avant d'habiller les enfants pour qu'ils n'aient pas à attendre trop longtemps avant de sortir. Pendant qu'une des jumelles est prête à partir, l'autre piétine d'impatience en attendant son tour (rappelez-vous, « maman a seulement deux mains ! »). Finalement, tout le monde est habillé et vous sortez jouer dehors. Pour montrer aux enfants à faire des anges dans la neige, vous vous laissez tomber dans la belle neige toute fraîche. Impossible de compléter la démonstration : les deux enfants vous tombent dessus en riant et vous donnent deux bisous mouillés, en même temps, un sur chaque joue. Finalement, votre ange, vous l'avez, et en double ! Quel bonheur !
- Une maman de jumelles de 2 ans m'a raconté qu'un jour, lorsque sa fille Élodie était malade, elle avait trouvé Violette, sa sœur jumelle, en train de lui flatter doucement le dos : « Elle est malade, 'Lodi, maman ? 'Lette aide… » Comment ne pas s'attendrir en voyant cela ?
- Une amie mère de jumeaux avait trouvé une excellente façon d'inciter ses enfants à jouer seuls quelques minutes pendant qu'elle feuilletait une revue : elle gardait à portée de la main une lingette et un bol d'eau. Si les enfants s'approchaient pour lui demander de jouer avec eux, elle en profitait pour les débarbouiller.

Ma conclusion :

- Vous vivrez des moments particuliers avec vos jumeaux. Gardez précieusement le souvenir de tous ces moments tendres dans votre cœur et pensez-y lors des journées plus difficiles. Vous vous rappelez quand, à 1 mois, chacun suçait le pouce de l'autre ? Où quand les deux se sont habillés avec le grand chandail de leur père pour devenir un « monstre à deux têtes » ? Ils se trouvaient si drôles ! Deux petits êtres amis, deux petits sourires semblables, deux enfants qui rient dans un monde qui n'appartient qu'à eux... Vous êtes choyé de pouvoir vivre une si belle expérience. En être conscient aide à faire passer les moments plus pénibles.

> Différents, mais unis

Nous avons eu l'immense plaisir d'avoir une preuve tangible que nous avions réussi à bien développer l'individualité de nos garçons. Richard, 4 ans, semblait avoir compris qu'il était vraiment différent de son frère. Il acceptait en outre d'en être occasionnellement séparé. Il semblait toutefois y avoir un écart entre ce que sa tête comprenait et ce que son cœur ressentait. Pour se rassurer, un jour, il a voulu vérifier si sa perception de la vie était bonne : « Même quand on va être des papas, dans deux maisons différentes, on va encore être des jumeaux, hein, maman ? »

Si votre vie de parents de jumeaux est un tourbillon et que vous êtes parfois déçus de ne pas accomplir tout ce que vous voulez dans une journée, consolez-vous. Une autre citation, placée sur mon frigo, m'a aidée à accepter cette situation : « Les enfants ne se souviendront pas si la maison était propre, mais ils se souviendront sûrement que vous leur avez lu des histoires. »

Vous avez réussi à faire cheminer ces deux petits êtres vers une certaine indépendance. Ils sont prêts (enfin… presque) à faire leur entrée à l'école. C'est tout un événement ! Vous avez survécu : vous méritez des félicitations !

Sylvain et Richard, habillés pareillement juste pour rire !

Notes

1. Pour établir le nombre de portions selon l'âge, on peut consulter le *Guide alimentaire canadien* sur le site Internet de Santé Canada : www.hc-sc.gc.ca/fn-an/food-guide-aliment/track-suivi/index-fra.php [consulté le 17 avril 2016].
2. É. Papiernik, R. Zazzo, J.-C. Pons et M. Robin. *Jumeaux, triplés et plus*. Paris : Éditions Nathan, 1995.
3. F. Lepage. *Les jumeaux : enquête*. Paris : Laffont, 1991. p. 207.
4. J.-M. Alby. *Jumeau, jumelle, enfants multiples*. Paris : Éditions Casterman/École des parents, 1983.

Chapitre 7

À vos marques, prêts, partez... pour l'école !

Préparer l'entrée dans le monde des « grands »

À certains égards, l'entrée à l'école s'apparente à l'entrée à la garderie. Pour certains d'entre vous, cette première séparation est déjà faite. Vos jumeaux ont commencé à fréquenter la garderie lorsque vous êtes retournés au travail ? Ils ont dès lors déjà apprivoisé la vie en groupe et se sont habitués à être séparés de vous pendant plusieurs heures chaque jour. Il y a quand même des différences entre la garderie et l'école. Les jumeaux ne seront pas nécessairement dans la même classe à l'école, par exemple. Pour certains jumeaux, l'entrée à la maternelle est la première vraie séparation d'avec les parents.

L'entrée à l'école est une étape importante pour les enfants, qu'ils soient jumeaux ou non. Soyons honnêtes : cela peut être un peu inquiétant pour tous les enfants, et parfois aussi pour les parents, et la gémellité ne change pas grand-chose à cela. En fait, la transition peut même être facilitée par le fait qu'ils partent « à deux ». Le développement normal fait que les enfants sont prêts à entreprendre cette belle aventure. Au début, certains s'ennuient beaucoup de leurs parents, mais ils finissent par découvrir autre chose et par devenir plus autonomes. D'autres adultes deviennent importants pour eux. Quelqu'un d'autre règle les petites peines et fait la discipline. Les parents doivent aussi se préparer à cette réalité. Vous ne serez plus les seules personnes importantes dans leur vie.

En fait, la préparation pour l'école a commencé bien avant leur entrée. Depuis leur naissance, vos enfants n'ont sûrement pas toujours été avec vous. Espérons qu'ils ont aussi eu l'occasion d'être sans leur jumeau pendant quelques heures… C'est maintenant que vous découvrez si vous avez réussi, grâce aux petites séparations occasionnelles, à leur donner la confiance nécessaire pour fonctionner seuls. Sont-ils fiers de raconter ce qu'ils ont fait lorsqu'ils reviennent d'une sortie sans leur cojumeau ? Sont-ils capables de reconnaître qu'ils ont parfois des goûts différents ?

Même si vous avez occasionnellement séparé vos enfants et que vous leur avez offert des activités individuelles, il est possible qu'ils soient un peu inquiets à l'idée de partir pour l'école et d'être potentiellement placés dans des classes séparées. Sachez doser votre enthousiasme quand vous parlez de cette belle étape. Les enfants ne sont pas dupes : si vous embellissez exagérément la réalité, ils sentiront bien que vous tentez de les tromper. Si possible, amenez les enfants avec vous pour l'inscription. Abordez avec eux la possibilité qu'ils soient dans des classes séparées et voyez leurs réactions. N'en faites pas tout un plat : cela risquerait de leur donner l'impression que vous tentez de leur faire accepter une situation dramatique. Assurez-vous de ne pas projeter vos insécurités sur eux. N'oubliez pas non plus que les deux enfants ne réagiront pas nécessairement de la même façon. Si vous sentez qu'ils ne sont pas tout à fait prêts à être séparés, et qu'un des deux — ou les deux ! — se sent plutôt désemparé lorsqu'il est seul, profitez de l'été qui précède la rentrée pour les préparer.

S'ils sont inquiets, parlez-leur du nouveau monde qui les attend. Parlez-leur du chemin qu'ils prendront pour se rendre à l'école, du fait qu'il y aura beaucoup de « grands amis ». Rappelez-leur que le voisin, qu'ils connaissent bien, va à la même école qu'eux. Expliquez-leur le déroulement approximatif d'une journée. Bientôt, ils s'imagineront en train d'évoluer dans ce monde.

Avertissez les jumeaux identiques qu'ils ne passeront probablement pas inaperçus à l'école. Certains trouveront amusant de les voir et il se peut même que les plus grands passent des commentaires. Tentez de trouver, avec eux, des réponses originales ou comiques qui surprendront les jeunes autour d'eux. « On était tellement beaux que nos parents en voulaient absolument deux ! » Cela leur donnera un sentiment de confiance.

> Réponse originale !

Lorsqu'on s'étonnait de leur apparence identique, mes fils répondaient : « Bien sûr, ma mère est une photocopieuse ! » Lorsque je l'ai su, j'ai trouvé ça très imaginatif de leur part, à défaut de trouver cela flatteur.

Vous aurez des achats à faire pour l'école : espadrilles, boîtes à lunch, tabliers protecteurs pour les ateliers de peinture, sacs d'école... Si les deux conjoints sont disponibles, pourquoi ne pas faire ces courses avec chaque enfant, individuellement ? Papa pourrait y aller avec l'un des jumeaux et maman avec l'autre. Ainsi, chacun choisira vraiment selon son goût sans subir l'influence de l'autre. Vous aurez théoriquement moins de chances de revenir avec deux sacs d'école identiques. Pensez-y : le matin, quand l'autobus scolaire arrive, ce n'est pas le moment de se demander à qui appartient le sac qu'on ne retrouve plus. Malgré tout, ne soyez pas surpris si vos deux jumeaux choisissent séparément le même sac d'école. Il y a parfois de ces « hasards » difficiles à expliquer ! Il faudra peut-être se résigner à identifier chaque sac avec une petite particularité individuelle...

Les jumeaux à l'école

Le jour « J » est arrivé : vos jumeaux commencent l'école demain. Ils sont excités et inquiets. Ils ont hâte et ils ont peur. Ils ne seront pas faciles à calmer et à coucher ce soir... Vous vivez probablement les mêmes émotions qu'eux, version adulte.

Si l'un des deux parents restait à la maison pour s'occuper des enfants, il est possible qu'il ressente un grand vide à la suite de la rentrée des jumeaux à l'école. Il est même possible qu'il se sente temporairement dépossédé de ses enfants. Souvenez-vous de vos journées quand ils avaient 18 mois et qu'ils couraient partout. Rappelez-vous les jeux tumultueux qu'ils avaient à 3 ans. Vous rêviez parfois de quelques heures de tranquillité. Et bien, ce moment est enfin arrivé ! Profitez-en ! Ne vous inquiétez pas : vous les retrouverez à la fin de la journée. Soyez prêts à les voir très excités, voire turbulents, en fin de journée.

Rencontrer les professeurs ?

La participation des parents à la vie scolaire — que ce soit par leur présence aux activités ou par leur engagement dans différents comités — est bénéfique pour les enfants. Ces derniers constatent que l'école est vraiment importante, puisque leur papa ou leur maman y consacre aussi de son temps. Pour le parent, il est également intéressant et sécurisant de connaître le milieu dans lequel son enfant évolue pendant une partie de sa vie. Cela dit, loin de nous l'idée de culpabiliser le parent qui n'a pas le temps, l'énergie, la disponibilité ou simplement l'intérêt pour s'engager dans la vie scolaire.

Il pourrait être intéressant de rencontrer les enseignants de vos enfants pour discuter rapidement de la situation gémellaire. Il y a quand même quelques petits éléments à considérer lorsqu'on interagit avec des jumeaux. Qui est mieux placé pour en parler qu'un parent bien renseigné ?

Des classes séparées ou non ?

Les plus petites écoles ne comptent souvent qu'une seule classe par niveau. Vos jumeaux seront donc nécessairement ensemble. Dans les plus grandes écoles, il peut y avoir deux ou trois classes par niveau. Dans certaines de ces écoles, on sépare automatiquement les jumeaux, dans l'intérêt supérieur des enfants. Des parents acceptent cette réalité alors que d'autres la contestent. Certains auteurs préconisent toutefois de placer les jumeaux dans la même classe, sous prétexte que la séparation d'avec les parents est une adaptation suffisamment difficile sans qu'on leur impose en plus de se séparer du jumeau. Or, si les jumeaux ont fréquenté la garderie, cette adaptation est déjà faite.

Bien sûr, toutes les situations comportent des avantages et des inconvénients. Il ne peut pas avoir de réponse parfaite pour toutes les situations. Il faut trouver la réponse la plus parfaite possible pour votre famille. Prenez le temps de discuter de la rentrée scolaire des jumeaux à la lumière de vos valeurs. Essayez de penser à long terme. En tant que parents, vous connaissez mieux que quiconque vos enfants. Si vous avez vraiment l'impression qu'il sera trop difficile pour vos jumeaux d'être séparés, placez-les ensemble. Mais gardez en tête qu'il faudra bien qu'ils se séparent un jour. Est-ce que ce sera vraiment plus facile plus tard ? Assurez-vous que vous ne prenez pas cette décision par crainte de leur déplaire. Il s'agit d'une décision d'adulte. Après tout, on déplaît bien à nos enfants chaque fois qu'on leur interdit quelque chose.

Si vos jumeaux, identiques ou non, sont dans des classes différentes

Votre décision est prise : vous aimeriez que vos enfants soient dans des classes différentes. Vous pouvez téléphoner à l'école dans les semaines qui précèdent la rentrée pour en faire la demande. Si la direction de l'école n'a pas reçu de recommandations particulières de votre part, le responsable appellera peut-être à la maison pour savoir si vous avez une préférence. Si vous avez mûrement réfléchi, ne remettez pas votre décision en question, même si vous trouvez la situation difficile et qu'il vous reste quelques inquiétudes. D'une façon ou d'une autre, les jumeaux n'ont pas à savoir que c'est vous qui avez demandé ou accepté qu'ils soient séparés. Rien ne vous empêche de leur dire que c'est « le hasard » qui a décidé : ils ne pourront pas vous en vouloir à vous.

Quand vous saurez officiellement que vos jumeaux seront dans des classes différentes, parlez-leur tout naturellement de la possibilité qu'ils soient séparés à l'école.

Ils se feront tranquillement à l'idée. Ne présentez pas cette éventualité comme s'il s'agissait d'un problème. Ce n'est pas une tragédie. Les enfants d'une même famille, mais d'âges différents ne sont pas dans la même classe. C'est comme ça, tout simplement. Si vous sentez quand même qu'ils sont anxieux, identifiez avec eux les avantages qu'ils peuvent tirer de cette situation :

- Chacun aura beaucoup de nouveaux amis.
- Ils apprendront peut-être des comptines ou des jeux différents qu'ils pourront ensuite partager à la maison. Ils auront ainsi beaucoup plus d'idées de jeux pour les soirs, les jours de congé, les samedis et les dimanches (vous leur rappelez ainsi qu'ils pourront encore passer beaucoup de temps ensemble).
- Ils auront des choses nouvelles à raconter au cojumeau et au reste de la famille lors du repas du soir.
- Si vos jumeaux sont identiques, vous pouvez exploiter avec humour le fait que les gens autour d'eux seront un peu confus de voir le « même » enfant dans deux classes différentes.

S'ils ont tendance à s'envahir mutuellement ou si l'un des jumeaux est franchement dominé par l'autre, le fait d'être dans deux classes leur donnera quelques heures de répit. Chacun pourra plus facilement choisir ce qu'il veut faire comme activité ou atelier sans prendre en considération l'opinion de l'autre. Chez certains couples de jumeaux qui ont des goûts sensiblement différents, cela représente un net avantage. L'important est de présenter la situation sans la dramatiser. Profitez de l'été pour leur offrir le plus souvent possible des occasions de séparation. Les enfants s'adaptent généralement très bien à la séparation. Si ce n'est pas le cas de vos jumeaux, dites-vous que c'est le moment d'intervenir, pendant qu'ils sont encore jeunes, pour réduire la dépendance qu'ils semblent avoir développée. Soyez prêts, au début, à les consoler après des journées difficiles. Le psychologue de l'école pourra sûrement vous conseiller ou vous recommander une aide extérieure en cas de besoin.

Si vos jumeaux sont dans une grande école, ils sont dans des classes différentes et leur présence passe peut-être inaperçue. Si votre enfant n'en a pas encore parlé, son enseignant ne sait peut-être même pas que l'élève devant lui a un jumeau dans la classe voisine. Chacun des enfants est considéré par son professeur comme un être individuel, au même titre que les autres enfants de la classe. Que dire alors à ces deux enseignants ?

Informez-les simplement de la situation dès le début de l'année scolaire. N'attendez pas nécessairement la rencontre traditionnelle prévue au moment où sort le premier bulletin de l'année. Si vous craignez que les enfants vivent mal la séparation, parlez-en aux enseignants : ils sont vos alliés pour faciliter leur adaptation à l'école. Les jumeaux qui sont dans des classes séparées pour la première fois peuvent sembler un peu « absents » ou déboussolés au début. L'enseignant peut avoir l'impression que l'élève « tourne en rond ». S'il sait que c'est un jumeau, il comprendra mieux sa réaction et pourra l'amener doucement à participer aux discussions ou aux ateliers et à s'intégrer aux équipes. Avec le temps, chacun des jumeaux se fera une place dans sa classe. Il est important de ne pas accentuer la gémellité de vos jumeaux identiques, même s'ils sont dans des classes distinctes. S'ils sont habillés différemment, ils seront moins souvent confondus l'un avec l'autre par les enseignants, les surveillants et les autres enfants. Même s'il est plus facile de différencier les filles que les garçons, il vaut la peine de faire l'effort. On peut par exemple leur faire couper les cheveux à plusieurs semaines d'intervalle.

Les enseignants doivent aussi savoir qu'il est normal pour les jumeaux de vouloir jouer ensemble lors des récréations. Il ne faut pas qu'ils se surprennent si les deux enfants ont tendance à se retrouver, surtout en début d'année scolaire. Les enseignants ou les surveillants doivent se montrer compréhensifs tout en les encourageant à jouer avec les amis de leur classe afin que chacun puisse créer des liens d'amitié.

Les enseignants doivent également comprendre que dans certains couples, un jumeau se portera spontanément et automatiquement à la défense de son frère ou de sa sœur si celui-ci se fait malmener. C'est comme s'il était lui-même victime de l'agression. Il « se » défend, tout simplement ! Les comportements violents sont évidemment inacceptables, mais il est important d'interpréter la situation à la lumière de la relation gémellaire. Il ne faut pas condamner bêtement le geste et punir l'enfant. Il faut prendre le temps d'expliquer à l'enfant que certains actes ou paroles sont répréhensibles et qu'il doit apprendre à se détacher de ce que vit son jumeau.

Une rencontre annuelle avec les professeurs peut être bénéfique même lorsque les jumeaux sont plus vieux et qu'ils gèrent bien la séparation. Au cours des dernières années du primaire, il est particulièrement utile pour les enseignants de savoir qu'ils ont un jumeau dans leur classe et dans quelle classe se trouve l'autre jumeau. Si les élèves de la classe voisine reçoivent à peu près le même enseignement et qu'ils font les mêmes activités et les mêmes devoirs, il y a de fortes chances que les jumeaux se « consultent » à la maison. Il n'est pas impossible, en particulier au dernier cycle de l'école primaire, que l'un d'eux bénéficie de l'aide de l'autre. On a déjà vu une jumelle faire systématiquement les devoirs de français de sa sœur tandis que l'autre s'occupait des mathématiques… Le parent doit être au courant de ce qui se passe dans la maison, mais il vaut mieux que l'enseignant vérifie lui aussi si l'enfant qui se trouve dans sa classe a bien compris les notions et si les résultats des travaux faits en classe se reflètent dans les examens et les travaux qu'il rapporte de la maison.

Si vos jumeaux identiques sont dans la même classe

Si vos jumeaux identiques sont dans la même classe, vous devez absolument aider l'enseignant à les différencier. Avec le temps, vous avez appris à voir les petites différences qui vous permettent de les distinguer, mais, pour le professeur qui les connaît à peine, ces petites différences sont loin d'être évidentes. Même si vous prenez garde de ne jamais habiller vos enfants de la même façon, l'enseignant aura sans doute besoin de votre aide pour voir que Mathis a un grain de beauté ou que Thomas présente un léger défaut de langage. Vous vous souvenez du code de couleurs que vous avez utilisé lorsqu'ils étaient bébés ? Il peut être utile de le ressortir et de l'adapter. Dites au professeur que Mathis ne portera jamais de bleu, ou encore que si l'un des deux porte du rouge, ce sera sûrement Thomas. Il se peut qu'il soit nécessaire, au début, que les enfants se présentent chaque matin en se nommant. L'enseignant pourra ainsi les reconnaître, du moins pendant la journée. Mais si vos jumeaux sont des petits joueurs de tours, ils échangeront peut-être leurs vêtements à la récréation…

> Une enseignante un peu confuse...

Suzanne, une enseignante, m'a un jour avoué qu'elle pensait avoir toujours affaire au même enfant lorsqu'elle voyait l'un de mes garçons dans les corridors de l'école. Elle avait l'impression qu'il était partout à la fois... Elle s'est rendu compte qu'il ne s'agissait pas de la même personne lorsqu'ils se sont tous deux retrouvés dans sa classe en troisième année. Elle avait beaucoup de difficulté à les différencier malgré tous les trucs que je lui avais donnés. Je me souviens qu'elle était contente lorsque Sylvain a perdu son incisive gauche. « Je peux enfin le reconnaître, m'a-t-elle dit, même de loin ! » Ce soir-là, Richard a perdu son incisive droite... Le lendemain, j'ai joué un tour à Suzanne en habillant les garçons de la même façon. Pauvre elle... son bonheur n'a duré que quelques heures ! (Voir la photo au chapitre 6)

Les capacités intellectuelles des jumeaux identiques sont généralement assez semblables. Des études ont démontré l'existence de différentes formes d'intelligence (intellectuelle, sociale, émotionnelle, artistique, etc.). Selon certaines recherches, l'intelligence est innée (génétique, donc héréditaire) plutôt qu'acquise (qui se développe selon l'environnement, stimulant ou pas, dans lequel l'enfant baigne). Ce sujet, bien que fascinant, est beaucoup trop complexe pour être résumé en un paragraphe. Ce n'est par ailleurs pas le but du présent ouvrage.

Une chose est certaine, c'est que les résultats des tests de QI général que l'on fait passer aux jumeaux identiques varient peu. On peut donc supposer qu'il y a une part d'hérédité dans l'intelligence. À moins qu'il y ait eu un accident quelconque à la naissance, il serait surprenant de voir un couple de jumeaux identiques avec des niveaux d'intelligence très différents. Les jumeaux seront donc tous les deux faibles, moyens ou forts à l'école. Cela simplifie en quelque sorte la vie du parent ou de l'enseignant et protège un peu l'estime de soi de chaque enfant. Les comparaisons qui désavantagent toujours le même jumeau sont en effet moins probables. Par ailleurs, l'enseignant qui a des jumeaux identiques dans sa classe aura l'impression de répéter ses explications deux fois à la même personne. Dites-lui que cela est tout à fait normal. Certains enseignants ont admis avoir parfois le réflexe de penser que si l'un des deux a compris une notion, l'autre l'a lui aussi comprise. Tous les parents de jumeaux ont déjà eu cette impression. Pourquoi sommes-nous si surpris de devoir répéter les consignes au deuxième enfant ? Comme lorsqu'ils étaient tout petits, nous entretenons parfois l'espoir que les deux enfants comprennent même si nous ne parlons qu'à l'un d'eux !

Abordez aussi avec le professeur la question de « l'entraide scolaire ». Il se peut que vos jumeaux n'aient pas vraiment la fibre compétitive et qu'ils aient plutôt tendance à se partager le travail en fonction de leurs intérêts et de leurs talents. Rappelez-vous les jumelles identiques au sens du partage très développé ! C'est inné chez elles. Si Violette n'a pas envie de faire un travail et que Sharlie y prend plaisir, celle-ci offrira spontanément « d'aider » sa sœur. Les enfants ne comprennent pas pourquoi chacun doit faire lui-même ses devoirs, sans aide. Le parent doit leur expliquer que chacun doit mener à terme ses projets par lui-même. À 10 ou 11 ans, ils verront sûrement les « avantages du travail partagé ». Il faudra alors que le parent ait une bonne discussion avec les jumeaux et que le professeur vérifie bien que chacun a bien compris les leçons. Les jumeaux identiques n'obtiennent pas nécessairement les mêmes résultats à l'école. Leurs capacités intellectuelles sont assez semblables, mais ils ont des préférences qui leur sont propres. Le temps qu'ils consacrent à l'étude et à la rédaction des travaux dans chaque matière peut faire varier l'évaluation et les notes. Vous devez considérer les résultats scolaires de chaque enfant sans les comparer à ceux de son jumeau. (De toute façon, ils le feront eux-mêmes, ne vous inquiétez pas !) Les enfants comprendront ainsi plus facilement que vous souhaitez voir leur cheminement individuel et qu'ils sont tous deux importants à vos yeux. Chacun recevra des félicitations ou des conseils qui lui sont personnellement destinés, selon ses résultats.

Si vos jumeaux non identiques sont dans la même classe

Si vos enfants portent un nom de famille assez commun et qu'ils fréquentent une grande école, l'enseignant ne déduira peut-être pas qu'ils sont jumeaux. Ils peuvent être tellement différents l'un de l'autre ! Il vaut mieux l'informer de la situation. Les jumeaux ou jumelles non identiques ont plus souvent tendance à se mesurer l'un à l'autre. Ils sont probablement plus compétitifs. Ils peuvent même être en compétition pour obtenir l'attention des amis. Il se peut qu'ils aient un potentiel semblable, comme les jumeaux identiques, mais on constate parfois aussi des différences majeures chez ces jumeaux durant leur scolarité. Dans les couples fille/garçon, les filles sont habituellement plus performantes à l'école ; elles prennent plus de plaisir à lire et à écrire, du moins au primaire. Les garçons s'adaptent généralement moins facilement aux exigences scolaires ; ils préfèrent bouger et construire. Ce n'est pas toujours le cas, évidemment. Vos jumeaux ne correspondent peut-être pas du tout à cette image, mais ils peuvent être très différents l'un de l'autre à leur façon.

Des potentiels très différents ?

Le taux de troubles d'apprentissage est plus élevé chez les jumeaux. Cela s'explique notamment par le fait que les risques de prématurité et de complications sont plus élevés dans les cas de grossesses gémellaires.

Tout comme deux enfants d'une même fratrie, il est possible que les jumeaux non identiques aient des capacités différentes, et donc des rendements scolaires très différents, même s'il n'y a pas eu de problèmes pendant la grossesse ou à la naissance. L'un des enfants peut être plutôt doué alors que l'autre a beaucoup de difficultés. Il faut que l'enseignant et les parents acceptent ces différences sans comparer les deux enfants. Il ne faut pas que l'enfant qui a souvent besoin d'aide se sente dévalorisé à cause des problèmes qu'il vit à l'école. Il n'a vraiment pas besoin qu'on lui dise que son jumeau a bien compris, qu'il a bien réussi, etc. Il le sait très bien. Le parent devra s'efforcer de le convaincre qu'il a de belles qualités et qu'il connaît des réussites ailleurs qu'à l'école. Il est important qu'il comprenne que la valeur d'une personne ne dépend pas seulement de ses résultats scolaires. Être gentil avec les amis, aidant, débrouillard, comique, sportif, tout cela peut faire de lui une personne appréciée qui a une valeur tout aussi grande aux yeux de la société. Il n'y a pas que l'école qui nous définit, même quand on est à l'âge scolaire !

Si vos jumeaux ont des capacités scolaires très différentes, il est d'autant plus important de prendre le temps de regarder les bulletins seul avec chaque enfant. Une note de 75 % en mathématiques mérite d'être récompensée lorsqu'elle est obtenue par un enfant qui a généralement des difficultés, alors qu'elle peut être presque inacceptable pour un autre qui a une grande facilité dans cette matière. Prenez le temps d'évaluer les résultats du bulletin selon les capacités de chaque enfant. Reconnaissez les efforts du jeune qui est devant vous et discutez de ses réussites et de ses difficultés. Déterminez ensemble des défis à relever selon ses propres capacités et voyez avec lui comment vous pouvez l'aider.

Vous pouvez offrir une récompense au jumeau qui le mérite sans vous sentir obligé d'en offrir une à l'autre, même s'il a la même note. Il faut veiller à ce que la récompense demeure une petite marque de reconnaissance pour un travail bien fait, un effort honnête, sans créer de jalousie entre les deux enfants. On ne parle pas ici d'acheter un vélo ou un ordinateur. Une petite sortie au restaurant ou au cinéma avec maman ou papa peut très bien souligner l'atteinte d'un objectif. Le jumeau qui reste à la maison réagira certainement. Il faut lui faire comprendre que ce n'est pas une punition, mais simplement une petite gâterie que son frère ou sa sœur mérite. Son tour viendra sûrement pour autre chose plus tard.

Si vos jumeaux sont très compétitifs, il se peut que vous deviez opter pour une récompense plus discrète afin de ne pas jeter de l'huile sur le feu. Vous avez prévu d'aller chercher un film et de le regarder tous ensemble ? Expliquez discrètement à celui qui mérite une petite gâterie qu'il peut choisir le film. Il saura ainsi que vous appréciez ses efforts.

Les comparaisons font toujours mal

Il est important d'aborder avec l'enseignant la question des comparaisons entre les enfants. Expliquez-lui l'importance de l'individualisation chez les jumeaux et les risques d'être constamment comparé à l'autre. Il n'est pas toujours facile de présenter les enfants sans les comparer. Toute personne qui rencontre vos jumeaux — surtout s'ils sont identiques — est naturellement portée à le faire. Les enseignants ne font pas exception. Portez attention à votre façon de parler de vos enfants. Évitez de les présenter en disant, par exemple : « Alain est vraiment plus turbulent que Pierre ! » L'enseignant risque alors de catégoriser les enfants sans même les avoir rencontrés : Alain dans le groupe des turbulents, Pierre dans le groupe des sages. L'enfant en ressort « étiqueté ».

« Tiens, Jade est la plus rapide des deux. » Les enfants qui subissent constamment ce genre de comparaisons ont probablement plus de difficulté à se forger une personnalité propre. Jade n'est pas seulement *rapide*, elle est *plus rapide que quelqu'un d'autre*...

« Pourquoi n'écris-tu pas aussi bien que ta sœur ? » Il n'est pas suffisant que Mélissa n'ait pas une très belle écriture, mais, en plus, Cassandra écrit vraiment mieux qu'elle !

« Lequel finira ses mathématiques en premier ? » Il est important que les enfants soient fiers de ce qu'ils réussissent, car ils développent ainsi leur estime de soi. Ici, cependant, cela devient une compétition. Et qui dit compétition dit *gagnant et perdant.*

Il est plus positif de faire remarquer simplement que chacun a ses forces. « Nayla adore les livres. Yasmina est une petite boule d'énergie. Isabelle a tendance à vouloir diriger les autres. Elle a peut-être une nature de chef ! Édouard passe des heures à faire des constructions à la maison. Mylène a un talent naturel avec les animaux. »

Une fois que vos jumeaux se sont adaptés à la vie scolaire, chaque année du primaire devient un peu semblable à celle qui l'a précédée. Vos jumeaux grandissent et se développent, tant sur le plan physique que social et intellectuel. Votre capacité d'adaptation est moins souvent mise à l'épreuve que pendant les premières années. Rappelez-vous la première année que vous avez vécue avec eux ! Quand ils ont commencé à marcher et à parler, vous avez dû vous habituer à du nouveau presque chaque mois. À l'école, vos jumeaux ont fini par s'habituer à être séparés. Ils ont des amis communs et d'autres amis avec qui ils font des activités qui leur sont propres. Car il n'y a pas que l'école dans la vie !

Les jumeaux à la maison et en société

À la maison

Les exigences de la vie de famille pour les parents de jumeaux de 5 à 11 ans ressemblent davantage à celles des parents d'enfants d'âges différents. Tous les parents doivent s'assurer que le développement de chacun de leurs enfants, jumeaux ou non, se fait de la façon la plus harmonieuse et équilibrée possible. La présence de jumeaux dans une famille crée tout de même une dynamique particulière.

Comment les jumeaux agissent-ils à la maison avec les autres membres de la fratrie ? Il y a autant de réponses à cette question qu'il y a de couples de jumeaux. Certains jumeaux font bande à part et excluent les autres enfants de la famille. Parfois, selon le sexe de chacun des enfants, il est plus facile pour eux de créer des liens en dehors du couple gémellaire. N'oubliez surtout pas vos singletons, qui se sentent parfois invisibles. Ils peuvent avoir besoin d'encore plus d'attention puisqu'ils peuvent souffrir un peu de la présence des jumeaux. Ces derniers prennent beaucoup de place ou, du moins, attirent les regards par leur ressemblance. Les membres de la fratrie sont souvent définis socialement comme la sœur ou le frère des jumeaux. Il serait intéressant de faire une étude sur l'impact de la présence de jumeaux sur les singletons qui partagent leur vie. Ces derniers en ont habituellement long à raconter... Sans dramatiser, il faut reconnaître que la plupart d'entre eux ne gardent pas que de bons souvenirs de leur enfance avec des jumeaux.

À l'extérieur de la famille

Lorsqu'on a deux enfants d'âges différents, on apprécie les différences, on s'en étonne ou on s'en réjouit. Pourquoi faudrait-il que nos jumeaux soient pareils ? Si vous avez un couple fille/garçon ou des jumeaux non identiques, les gens seront surpris lorsque vous leur direz que ces enfants si différents sont des jumeaux. Il se peut qu'ils fassent des comparaisons blessantes lorsque les différences sont très apparentes. « Voyons, ils ne peuvent pas être des jumeaux, regardez, celui-ci est beaucoup plus grand ! »

Dans les familles avec des enfants d'âges différents, les cadets sont souvent comparés aux aînés. « Ton frère était si bon en maths, pourquoi tu ne comprends pas, toi ? Ta sœur était sportive et rapide... Tu ne veux pas jouer au soccer comme elle ? » Le cadet doit composer avec les souvenirs que les gens ont conservés des prouesses de l'aîné. Ces comparaisons peuvent être difficiles à subir pour lui. « Ma sœur était bonne au soccer ? Oui, mais il y a déjà trois ans de ça. On peut peut-être passer à autre chose ! » C'est à vous de voir à ce que les talents de la cadette soient aussi valorisés. Dans le cas des jumeaux, il n'est pas question de lointains souvenirs ou de perceptions. C'est maintenant que l'on constate les différences entre les deux. Tout le monde peut les voir, les commenter. Le jumeau visé peut être blessé que l'on souligne ses manquements ou ses incompétences. Les enfants sont capables de voir par eux-mêmes les talents et les succès des autres. Nul besoin d'en rajouter et de risquer d'affaiblir une estime de soi déjà fragile.

Ne permettez pas qu'on fasse des comparaisons devant vos enfants. Parfois, certaines remarques vous surprendront. Les gens ne sont pas toujours délicats... Des mamans de jumelles s'offusquent parfois — avec raison — lorsqu'elles entendent des remarques blessantes sur le poids de leurs filles. Soyez toujours prêts à vous porter à la défense du jumeau ou de la jumelle « victime ». Si l'on vous fait la remarque que Nathan court moins vite qu'Alexis, répliquez gentiment que Nathan aime beaucoup les jeux de construction ou d'ordinateurs et qu'il est très habile ! Ne tombez pas dans le panneau vous aussi en disant que Nathan est vraiment plus fort qu'Alexis en bricolage. Expliquez simplement que Nathan a des talents en bricolage qui sont tout à fait notables.

À l'école comme à la maison, nous voyons des aptitudes particulières chez chacun de nos enfants. C'est ce qui nous permet de les individualiser. Nous les aidons à développer les qualités que nous voyons en eux. Nous sommes naturellement portés à qualifier chaque enfant d'intellectuel, de sportif, de petit comique, d'acteur, d'espiègle, de tourbillon, de curieux, de tendre, de scientifique et quoi encore... Or, l'enfant peut avoir plusieurs de ces caractéristiques. Si l'on dit qu'Alexanne est « la petite comique », est-ce que cela sous-entend que sa sœur Mégane ne peut pas nous faire rire ? L'enfant que l'on qualifie constamment de turbulent le sera sûrement de plus en plus. Il lui semblera normal de l'être, puisque maman a toujours dit qu'il l'était ! Il le sera sans doute toujours… Lorsque les jumeaux entendent régulièrement le même qualificatif utilisé pour les décrire en les comparant, ils finissent par croire que c'est tout ce qu'ils sont.

> Élodie la sportive

Toute sa vie, Élodie a entendu ses parents parler de son jumeau Loïc comme étant « l'artiste » et d'elle comme étant la « sportive ». Elle n'en est pas vexée. Dans sa tête, c'est ainsi, tout simplement. Un jour, à l'école, elle doit faire une sculpture en pâte de sel. Pauvre Élodie, elle n'a jamais été poussée à jouer beaucoup avec le matériel d'artiste. On lui offre plus souvent d'aller patiner et de faire des roulades dans la pelouse. Elle souffre donc d'insécurité face à la tâche à accomplir. Elle refuse même de tenter l'expérience, malgré les encouragements du professeur d'arts plastiques. Tout le monde sait qu'elle n'est pas bonne en arts ! C'est seulement Loïc qui est bon ! Et voilà, c'est le refus, la crise... tout ça pour une sculpture en pâte de sel.

L'été suivant, Élodie, 9 ans, a eu énormément de peine lorsque Loïc l'a battue au badminton pendant les vacances... C'est supposément elle, la sportive des deux ! Elle n'était donc plus rien du tout... ni artiste ni sportive ? Elle a pleuré et refusé de rejouer pendant les trois semaines des vacances. Ses parents n'ont pas compris sa réaction.

Les descriptions que nous donnons de nos enfants façonnent la perception qu'ils ont d'eux-mêmes. Inconsciemment, l'enfant ferme parfois des portes. Dans son esprit, son rôle et ses qualités sont déjà décidés. Même si elle semble avoir moins de talent naturel que Loïc, Élodie peut quand même avoir beaucoup de plaisir à sculpter.

Un jour, si Élodie se casse une jambe en ski et qu'elle doit abandonner la compétition, elle aura peur d'avoir moins de valeur aux yeux de ses parents. Après tout, ils l'ont toujours appelée leur sportive ! Doit-elle absolument réussir dans tout ce qu'elle entreprend ? Peut-être qu'Élodie se débrouille très bien en arts elle aussi... Qui sait ? Peut-être commencera-t-elle à s'adonner à la peinture ou à la photographie pendant sa convalescence ? Elle a peut-être un côté artiste qui ne demande qu'à être découvert et développé !

Les jumeaux entre eux

Vos enfants commencent maintenant à réfléchir un peu plus avant d'agir et à être plus conscients des gens qui les entourent. Ils atteignent ce que l'on appelait autrefois « l'âge de raison ». Avant cet âge, les interactions entre vos jumeaux étaient surtout régies par les besoins de base et les envies soudaines.

Les enfants prennent habituellement conscience du fait qu'ils sont jumeaux vers 4, 5 ou 6 ans. Les jumeaux de cet âge ne saisissent pas l'effet réel de cette situation particulière, car ils n'ont jamais connu autre chose. Si vous leur faites remarquer que leur amie Sophie n'a pas de sœur ou de frère jumeau, les jumeaux, qui ont toujours été « deux », ne saisiront pas nécessairement ce que cela représente pour Sophie. Vous pouvez tenter de leur faire comprendre que Sophie joue souvent seule le samedi matin et qu'elle doit toujours aller seule au cours de ballet, même la première fois. Discutez occasionnellement avec eux des inconvénients et des avantages d'être jumeaux. Cela leur permettra, à la longue, de mieux comprendre ce qu'ils vivent, ce qu'ils ressentent. Ce n'est que plus tard qu'ils comprendront véritablement en quoi leur situation est particulière et à quel point leur lien peut être précieux.

Votre rôle comme parents de jumeaux

Avec des enfants d'âges différents, il est plus facile de justifier des permissions différentes (heure du coucher, choix de films ou autre activité). Il est ainsi normal que Nicholas, étant plus vieux, puisse bénéficier d'une permission différente de celle de Tristan. Lorsque les enfants ont le même âge, les choses se compliquent. Peut-être aurez-vous à expliquer longuement certaines de vos décisions. Sachez toutefois que vous n'avez pas à vous justifier constamment auprès de vos enfants. Établissez quelques grandes lignes en ce qui concerne les comportements que vous voulez adopter avec vos jumeaux, comme vous l'avez fait lorsqu'ils étaient petits. Tentez ensuite de mettre en application ces théories de la façon la plus constante possible, tout en demeurant flexibles. Certains parents diront par exemple : « Nous ne comparons pas les jumeaux ; nous les traitons de façon équitable, mais le plus souvent différemment. Nous ne leur imposons pas d'être toujours ensemble et amis ; nous encourageons les différences dans le plus de sphères d'activité possible. »

D'autres parents diront plutôt : « Être jumeaux, c'est précieux : nous habillons toujours les filles de la même façon afin d'encourager ce lien particulier ; nous exigeons que nos jumelles soient dans la même classe afin d'encourager chacune à dépasser l'autre pour que les deux réussissent mieux… Nous leur achetons toujours les mêmes cadeaux pour qu'elles sachent qu'elles sont également aimées. »

Chacun a droit à son opinion, mais sachez que l'attitude des parents influence beaucoup la vie des enfants.

Prenez le temps de réfléchir aux conséquences à long terme de vos décisions. Évaluez chaque situation afin de déterminer l'intervention la plus appropriée. Au fil du temps, vous adapterez vos interventions à la lumière des expériences passées. Accordez-vous le droit à l'erreur occasionnellement : personne n'est infaillible !

Voici quelques comportements qui sont habituellement recommandés.

Continuez de les séparer

Si cela est possible, continuez d'offrir des activités différentes à vos jumeaux. Peut-être choisiront-ils de pratiquer les mêmes sports et de suivre les mêmes cours, mais il est important qu'ils sachent qu'ils ont le droit de choisir des activités différentes. Vérifiez les vraies raisons des choix que font vos jumeaux. Ni l'un ni l'autre ne devrait choisir de faire une activité simplement pour faire « comme l'autre ». Il est évidemment plus simple de faire une seule sortie, mais dites-vous que vous devriez probablement en faire deux si vos enfants n'avaient pas le même âge. N'obligez pas les enfants à faire les mêmes activités parce que cela est plus simple pour vous.

Continuez de les différencier

Prenez le temps de découvrir chacun de vos jumeaux. Vous constaterez sans doute des différences majeures entre eux, même s'ils sont identiques.

> Réactions différentes

Les gens de mon entourage se disaient surpris de voir à quel point mes jumeaux étaient différents. Je me suis rendu compte que, souvent, ce qui semblait être différent était en fait un même trait de caractère exprimé différemment. Même tout petit, l'un de mes fils avait tendance à pleurer lorsqu'une situation l'inquiétait. L'autre réagissait plutôt en fanfaron ou même avec une certaine agressivité. Il tentait en fait de déguiser son angoisse face à la même situation.

Permettez à vos jumeaux d'être différents. Ne leur imposez pas les mêmes amis. Encouragez-les à côtoyer des enfants qui ont des intérêts similaires aux leurs et à développer les talents qui leur sont propres. L'un des deux est peut-être plus manuel ; il aime sans doute jouer avec des jeux de construction ou suivre des ateliers scientifiques. L'autre s'ennuie à mourir s'il doit jouer seul avec des blocs tout l'après-midi. Il est peut-être plus intéressé par la vie en groupe. Il sera probablement plus heureux dans une équipe sportive. À tout âge, aidez-les à accepter que le jumeau prenne plaisir à côtoyer d'autres amis.

> Laurent et Hubert

Les années où Laurent et Hubert étaient dans la même classe, les garçons avaient seulement le droit de parler de leur journée lors du repas du soir. La « loi familiale » stipulait qu'aucun n'avait le droit de commencer une phrase avec le nom de l'autre. « Aujourd'hui, je suis allé..., j'ai fait..., j'ai eu... » était accepté, mais Laurent n'avait pas le droit de dire « Hubert est allé..., Hubert a fait..., Hubert a eu... » et inversement. On préférait que Hubert en parle lui-même s'il en avait envie. C'était le moyen qu'Élaine et Jean-Sébastien avaient trouvé pour s'assurer que chacun de leurs fils raconte seulement ce qu'il avait envie de raconter. (Ils ont su plus tard que les garçons s'entendaient entre eux en revenant de l'école pour savoir qui raconterait quoi : ils distribuaient équitablement entre eux les événements majeurs et les petites nouvelles). Les deux garçons, qui étaient pourtant dans la même classe à l'école, donnaient souvent des réponses contradictoires à une même question. « Comment a été le cours de mathématiques aujourd'hui ? As-tu aimé l'expérience que vous avez faite en sciences de la nature ? As-tu aimé la rencontre avec le pompier ? » Pourquoi ce pompier pourrait-il intéresser l'un et pas l'autre ? En discutant ouvertement de leurs réactions, Élaine et Jean-Sébastien ont aidé leurs fils à reconnaître et à accepter leurs différences. Quelles belles discussions ils ont eues ! Ils ont constaté à quel point une même situation peut être vécue et interprétée différemment par deux personnes. Ces discussions ont sûrement aidé chacun des jumeaux à développer sa tolérance aux différences. Ils comprennent peut-être mieux aujourd'hui les divergences parfois majeures qu'il y a entre des gens ayant reçu une éducation différente ou appartenant à des cultures distinctes. C'est là une valeur importante pour Élaine et Jean-Sébastien.

Aidez-les à gérer leur lien

Nous avons parlé des relations entre les jumeaux. Ces relations varient selon le type de jumeaux (identiques, non identiques, de même sexe ou de sexes différents), mais aussi selon la personnalité des jumeaux. Pendant l'école primaire, les liens entre vos jumeaux évolueront en fonction des situations et des expériences qu'ils vivent. Vous constaterez des fluctuations dans l'intensité des liens qui les unissent. Cela est tout à fait normal : vos jumeaux découvrent un monde nouveau, en dehors du cercle familial. Les liens seront constamment en mutation pendant les années de l'enfance, parfois de façon visible, parfois moins.

Entre 5 et 11 ans, chaque jumeau se fait une place dans le couple gémellaire. Vous pouvez continuer à permettre que l'un des deux « domine » l'autre, tant qu'il ne semble pas y avoir d'abus. Ce que l'on voit de l'extérieur comme une domination franche d'un jumeau sur l'autre n'est parfois qu'une perception. À l'intérieur du couple, loin des yeux des autres, la réalité est parfois bien différente. Laissez-les établir eux-mêmes leur propre équilibre.

S'ils sont dans des classes différentes, il se peut qu'ils fassent bande à part une fois de retour à la maison, surtout s'ils sont identiques. Il faut comprendre qu'ils ont besoin de se retrouver. Offrez-leur cette intimité qui leur est nécessaire sans les laisser s'isoler.

Il se peut aussi qu'ils s'affrontent pour tout et rien. Vous savez que l'entente entre jumeaux n'est ni automatique ni garantie. Au contraire, ils peuvent avoir encore plus besoin de se mesurer l'un à l'autre. Avec leurs nouveaux amis, ils découvrent des valeurs familiales qui peuvent être différentes de celles qui sont véhiculées à la maison. Ils commencent à voir qu'il existe de nombreuses autres façons d'être. Ils en profitent pour se différencier et trouver leur propre valeur et leur propre place, à leurs yeux ainsi qu'aux yeux de la société.

Parfois, l'un des deux ressent le besoin d'avoir un peu plus d'espace personnel. Rappelez-vous : les jumeaux non identiques ne se développent pas nécessairement au même rythme, surtout s'ils sont de sexes différents. Au moment où l'un des deux se sent assez fort pour « affronter seul le monde », il est possible que l'autre développe justement certaines peurs et qu'il ait besoin du soutien de son jumeau. Laissez partir celui qui en a besoin. Si l'autre se sent rejeté, offrez-lui un petit moment privilégié en tête à tête avec vous. Rappelez-vous que vous tentiez d'avoir des moments avec un seul jumeau à la fois quand ils étaient petits. Il est tout aussi important d'accorder occasionnellement toute votre attention à un seul enfant à la fois maintenant qu'ils sont plus grands. « Pendant que ton frère Martin joue avec son copain Louis-Philippe, on peut aller jouer au tennis, toi et moi. » Une crème glacée sur le chemin du retour rendra la journée tellement agréable que Pascale sera heureuse que Martin soit allé chez Louis-Philippe! Il est très important de vous montrer équitables envers vos jumeaux. Les enfants ont un sens de la justice très développé. De plus, c'est pendant l'enfance que vous établissez les bases qui vous seront utiles lorsque les enfants atteindront l'adolescence. Tentez dès aujourd'hui de leur faire comprendre qu'*équitable* ne veut pas toujours dire *pareil.* Les jumeaux doivent comprendre qu'il peut être équitable que vous ayez parfois des exigences différentes envers eux. Assurez-vous cependant de pouvoir expliquer les raisons de ces différences. En ce qui concerne la réussite scolaire, par exemple, vous devez les aider à comprendre que celui des deux qui doit travailler très fort pour réussir mérite qu'on le félicite chaleureusement. Il est important d'éviter jusqu'à l'*apparence* de favoritisme pour ne pas aggraver la concurrence ou la jalousie entre vos jumeaux. Voici un petit truc que vous pouvez adapter à diverses situations: demandez à l'un des jumeaux de couper les morceaux de gâteau en lui disant à l'avance que l'autre choisira en premier le morceau qu'il veut... Je vous garantis que les morceaux auront la même taille. Voilà une bonne façon de ne pas se faire accuser de favoritisme!

Ne permettez pas à vos jumeaux de se comparer entre eux. Lorsqu'un des jumeaux crie à l'injustice, prenez-le à part et demandez-lui pourquoi il se sent lésé. Orientez la discussion vers ce qu'il ressent ou désire sans vous préoccuper de ce que l'autre a fait ou reçu. Il est possible qu'il ait le sentiment d'être la victime. C'est à vous de l'inciter à voir la réalité d'une autre façon ou de lui rappeler d'autres situations où il a eu, à son tour, quelque chose que l'autre n'a pas eu. Souvent, les crises de jalousie démesurées cachent autre chose qui n'a rien à voir avec la situation ayant déclenché la crise. Gaël s'est peut-être fait harceler dans la cour d'école. Il a toléré la situation sans rien dire. De retour à la maison, William a été plus rapide que lui pour allumer le téléviseur et choisir l'émission. Gaël explose ! Il n'avait pas osé riposter dans la cour de l'école, mais, à la maison, il se permet d'exprimer sa colère. « C'est toujours toi qui décides tout ! » crie-t-il. Il faut parfois savoir lire entre les lignes et aider les enfants à nommer les vrais problèmes pour pouvoir les régler.

Les parents doivent parfois jouer le rôle d'arbitre ou de médiateur pour éviter que la situation s'envenime. Pour ce faire, déterminez un endroit neutre, disons la cuisine. Amenez les jumeaux à s'asseoir à la « table des négociations ». Aidez-les à se parler sans s'interrompre et à trouver ensemble une solution à leur problème. À leur âge, ils ont encore besoin d'aide pour apprendre à discuter calmement et dans le respect de l'autre.

Les difficultés particulières pour les parents de jumeaux

Respecter leur complicité... jusqu'à quel point ?

Aider les enfants à se faire confiance et à prendre leurs propres décisions est un défi que tous les parents doivent relever. Or, il est particulièrement délicat d'amener un jumeau à réfléchir par lui-même en faisant fi de la présence et de l'influence de l'autre. C'est l'une des difficultés que rencontrent les parents de jumeaux : ils doivent encourager leurs enfants à se développer comme individus tout en les laissant vivre leur gémellité sans intervenir, les laisser être ce qu'ils sont tout en les aidant à prendre leur place individuellement... Par exemple, comment faire comprendre à l'enfant qu'il doit avertir maman ou papa quand son jumeau fait quelque chose de dangereux ? Le jumeau se sentira-t-il trahi si l'autre le dénonce ? Probablement. Vous devez tenter de leur faire comprendre que vous leur interdisez certaines choses parce qu'elles comportent des risques. Pour assurer la sécurité du jumeau, il faut parfois être assez fort pour oser le dénoncer. Les enfants d'une même famille, même ceux d'âges différents, développent une certaine solidarité et une sorte de code de vie. L'important est de permettre à l'enfant d'exprimer le malaise qu'il vit dans certaines situations. S'il y a vraiment un danger, il ne faut pas que la solidarité gémellaire ou la domination de l'un empêche l'autre de le dire. Le parent doit, par exemple, être averti si le jumeau veut se baigner dans la piscine sans surveillance. Il faut par ailleurs prendre garde de ne pas encourager l'enfant à rapporter chaque petite action de l'autre, surtout si le lien entre les jumeaux n'est pas particulièrement harmonieux. Il ne faut pas non plus que l'un d'eux (souvent la fille, si vos jumeaux sont de sexes différents) se donne pour mission d'être le gardien de son frère. Il est bon de leur rappeler que ce sont les parents qui ont la responsabilité d'établir les limites et de les faire respecter.

Accepter certains changements dans leur relation

Chaque enfant a son propre rythme de développement. Vous constaterez ainsi des différences entre vos deux jumeaux, surtout s'ils ne sont pas identiques. Il est possible qu'ils prennent temporairement leurs distances l'un envers l'autre. Encore une fois, si vous avez permis à chaque enfant de se séparer occasionnellement de l'autre, cette étape sera plus facile à vivre pour eux. Si l'un des jumeaux est plus dépendant de l'autre, il se peut qu'il réagisse mal en voyant l'autre « s'éloigner ». Même chez les jumeaux identiques, il est sain que chaque enfant cherche à faire sa place dans la classe, par exemple. Il a probablement envie d'être reconnu comme un individu à part entière, même s'il n'en a pas conscience. Il est important que chacun accepte que l'autre ait son jardin secret.

Les membres d'une même famille se connaissent suffisamment bien pour discerner les points faibles des autres et savoir où « frapper » et quoi dire pour les blesser. Si les jumeaux ont toujours été très proches, chacun connaît les moindres pensées de l'autre. Ils ont sûrement beaucoup de petits secrets qu'ils ne vous dévoileront jamais. Il faut tenter de leur faire comprendre que l'on doit respecter les secrets qu'on nous confie, sauf en cas de réel danger. Même si l'un des jumeaux accepte difficilement que l'autre le néglige, il n'a pas le droit de dévoiler, sous le coup de la colère, des confidences qui lui ont été faites. Il pourrait blesser sérieusement son jumeau et envenimer leur relation. N'acceptez pas que l'un des jumeaux se serve des secrets qu'on lui a confiés pour dominer ou faire subir du chantage à l'autre. Passez du temps avec l'enfant qui se sent rejeté par son frère ou sa sœur. Profitez-en pour l'aider à bâtir son estime de soi et pour faire des choses qu'il apprécie particulièrement et que son jumeau aime moins. Il sera ainsi moins déçu de voir la relation changer.

Une compétition saine, mais difficile à gérer...

Il est particulièrement difficile pour les parents de jumeaux de gérer les situations dans lesquelles ces derniers sont en concurrence directe. Il semble que nous devrions profiter de toutes les occasions valables pour dire à nos enfants que nous sommes fiers d'eux et développer leur estime d'eux-mêmes. Mais comment encourager les jumeaux sans prendre parti lorsqu'ils sont en concurrence ? Lors d'un concours oratoire à l'école, c'est facile : vous pouvez très bien applaudir aussi fort pour l'un que pour l'autre. Si vos jumeaux s'affrontent dans un sport, insistez sur le fait que vous applaudissez tous les beaux jeux. Évitez de choisir ou de favoriser un jumeau plutôt que l'autre.

> Baseball

Les garçons adorent le baseball. Cette année, ils ont tous deux choisi de s'y inscrire. Le mois de juillet est arrivé et la saison est entamée depuis un certain temps déjà. L'entraîneur est en train de former l'équipe régionale qui participera aux championnats provinciaux. Chaque semaine, il élimine des candidats. Jacob et Jérémy sont toujours dans la course. Au retour de la séance d'entraînement décisive, Jacob sort de l'auto en riant et en courant. Jérémy entre dans la maison, l'air triste. Christiane, le cœur serré, se prépare à le consoler... Elle apprend toutefois que c'est Jérémy qui a été retenu pour faire partie de l'équipe...

En fait, Jérémy était heureux d'avoir été choisi dans l'équipe régionale, mais sa joie était assombrie par la peine que devait ressentir son frère et il n'osait pas montrer sa fierté.

De son côté, Jacob était déçu d'être éliminé de l'équipe, mais il comprenait la joie de son frère et il avait hâte d'annoncer la nouvelle. Il a voulu cacher sa déception pour ne pas gâcher la joie de son frère. Aucun des deux enfants n'a montré ce qu'il ressentait vraiment. Christiane a constaté encore une fois à quel point le lien gémellaire était fort et cela lui a fait chaud au cœur. Elle a cependant dû démêler toutes ces émotions avec les garçons et les encourager à les exprimer.

Les jumeaux semblent toujours un peu pénalisés lorsque des situations de la vie les amènent à se concurrencer, que ce soit par rapport aux résultats scolaires, aux sports ou à toute autre activité qu'ils peuvent (ou doivent) partager. Parfois, le parent se sent obligé de « couper la poire en deux », ce qui peut sembler plus simple et équitable. Les parents hésitent aussi parfois à montrer leurs vraies émotions et à parler des belles réalisations de l'un, de peur de blesser l'autre. Ils se sentent obligés de féliciter discrètement l'enfant, parfois en privé. Les parents d'enfants d'âges différents soulignent plus librement les belles victoires de leur progéniture. Ils peuvent féliciter leur enfant sans remords ou retenue et lui dire à quel point ils sont fiers de lui. Ils appellent grand-maman pour lui annoncer les bonnes nouvelles, les belles réussites.

Les parents de jumeaux peuvent parfois même avoir l'impression de pénaliser les deux enfants. Ils trouvent dommage de ne pas pouvoir montrer leur fierté lorsque leur enfant le mérite, mais ils savent aussi que l'autre vit une déception et ils ont peur d'en rajouter. Tentez de faire comprendre au jumeau qui est triste qu'il n'a pas moins de valeur à nos yeux et que la fierté que l'on ressent pour l'autre ne lui enlève rien. Voilà une situation qui demande du doigté de la part du parent si les enfants sont proches... Et qui peut devenir explosive si les jumeaux sont en compétition l'un envers l'autre ! Je me souviens d'avoir déjà exprimé ce malaise à des parents de singletons. On ne me comprenait pas du tout. « Voyons, tu félicites l'enfant qui le mérite, c'est tout ! » Le jour où j'en ai parlé à des parents de jumeaux, la réaction a été très différente.

> Jumeaux et singletons, des réalités différentes

Nous avions formé un groupe de parents de jumeaux pour suivre une formation. Pour compléter le groupe, un couple d'amis (qui n'avait qu'un seul enfant) s'est joint à nous. Dans nos ateliers et discussions, il était évident qu'on ne vivait pas la même réalité. Ils se faisaient toujours dire que ce n'était pas pareil avec un seul enfant. Ils souffraient de notre manque d'empathie. « Ce n'est pas toujours facile pour nous non plus », disaient-ils. « C'est vrai, pauvre vous, deux parents, un enfant, hum... » Quelques années plus tard, lorsqu'ils ont eu un deuxième enfant, ils nous ont avoué qu'ils comprenaient un peu mieux maintenant les problèmes dont on discutait dans les ateliers. Ils ont même ajouté que ce qu'ils vivaient avec leurs deux enfants n'était probablement pas comparable avec ce que l'on avait vécu avec nos jumeaux.

Des réactions parfois inattendues

Le lien entre les jumeaux demeure, même si on les encourage à développer leur individualité. Ils ne peuvent pas oublier que l'autre existe...

> Émilie et son papa

Julie et Éric tentent fréquemment d'offrir à leurs filles des petits moments d'exclusivité. Un jour, au retour d'une sortie avec son père, la petite Émilie a dit s'être sentie un peu mal à l'aise au resto. Elle n'avait que 9 ans à l'époque. Elle a expliqué qu'elle savait que lorsqu'on voit un enfant seul avec son père au restaurant, on pense souvent que c'est un « papa de fin de semaine ». On en déduit que les parents sont séparés. Elle trouvait bizarre que les gens autour d'eux puissent penser cela en la voyant avec son père. « J'aurais eu envie de porter un gilet sur lequel on aurait pu lire que mes parents sont encore ensemble et que j'ai aussi une sœur jumelle à la maison, en passant », a-t-elle dit. Il n'était pas suffisant de mettre les choses au clair à propos de la situation parentale : elle ressentait le besoin de dire qu'elle avait une jumelle. Voilà de quoi alimenter une autre belle discussion !

Se respecter aussi en tant que parents...

Si vos jumeaux fréquentent l'école du quartier, vous vivez peut-être entourés de leurs amis. Les jumeaux ne passent habituellement pas inaperçus et ils sont souvent populaires auprès des autres enfants. Il se peut, dès lors, que votre cour devienne le lieu de rendez-vous des enfants du voisinage. Il est peut-être agréable de voir des enfants monter une pièce de théâtre ou jouer dans les balançoires du jardin, mais la présence de cinq ou six enfants, même dans une cour très sécuritaire, exige une surveillance de tous les instants. Les autres parents vous sont sans doute reconnaissants lorsque vous accueillez leurs enfants chez vous et que vous assurez leur sécurité. Cela ne signifie pas nécessairement que vous devez toujours voir au bonheur des autres ! Vous avez aussi le droit d'avoir quelques heures de temps à autre pour lire ou travailler dans la maison en sachant que vos enfants sont en sécurité chez la voisine.

Si vous n'êtes pas à l'aise avec les groupes d'enfants, ne vous sentez pas obligés d'accueillir tout le voisinage. Votre terrain n'est pas un parc public ouvert en tout temps. Si tous les enfants du quartier passent l'été dans votre cour, vous n'aurez pas le temps de faire autre chose que de veiller à la bonne marche des jeux, au partage des jouets et à la sécurité de chacun.

Il faut savoir se respecter et se faire respecter. Pourquoi ne pas discuter avec les autres parents du voisinage dès le début des vacances d'été ? Prenez quelques minutes pour mettre certains règlements au clair, d'abord avec les parents et ensuite avec les enfants :

- Décider ensemble d'alterner les lieux de jeu : si les enfants ont joué à un endroit le matin, ils joueront ailleurs l'après-midi.

- Établir que chaque parent peut déterminer ses propres consignes lorsqu'il accepte de recevoir les amis chez lui. Ne pas tenir pour acquis que les parents sont toujours disponibles pour recevoir les enfants et demander chaque jour s'ils acceptent que les enfants jouent dans leur cour.
- Limiter à trois le nombre d'amis que chaque enfant peut inviter. Préciser que l'enfant qui ne suit pas les règlements de jeux de la maison devra retourner chez lui. Rappeler que les enfants doivent participer au rangement des jouets à la fin de la période de jeu. Déterminer l'heure à partir de laquelle les amis peuvent se présenter dans chaque cour ainsi que les heures réservées (les heures de repas, par exemple) pendant lesquelles ils ne peuvent pas se présenter.
- Rappeler que les amis peuvent jouer dans les cours seulement si les propriétaires et leurs enfants sont présents. Établir que les enfants qui veulent une collation doivent aller la prendre à la maison. Le parent qui reçoit les enfants dans sa cour ne doit pas se sentir obligé d'offrir des fruits ou des jus à tout le monde.
- Pour les parents qui possèdent une piscine, fixer quelques règles de base supplémentaires. Un seul parent ne peut pas être responsable de plusieurs enfants qui jouent dans la piscine. On peut exiger, par exemple, que les parents des enfants qui veulent se baigner dans la grande piscine soient présents pour assurer leur sécurité, aux heures qui conviennent aux propriétaires de la piscine. Personne ne veut surveiller en même temps quatre enfants dans la piscine et trois autres dans les balançoires !

L'enfance s'achève déjà...

Entre 5 et 11 ans, vos jumeaux apprennent beaucoup de choses sur la vie. Ils vivent des expériences qui façonnent leur personnalité individuelle et collective, à l'école et en société.

Les années passées à l'école primaire sont souvent agréables. Après l'étourdissant tourbillon de la petite enfance, ils deviennent assez autonomes pour vous permettre de respirer un peu. Votre vie ressemble un peu plus à une vie de famille dite « normale ». Vous prenez plaisir à partager des activités avec vos enfants. Ils acceptent habituellement ce que vous leur proposez. Ils sont contents de passer du temps avec leurs parents, avec ou sans leur jumeau. Vous serez fiers de constater qu'ils sont devenus des petites personnes avec des qualités et des goûts qui leur sont propres et qui se définissent de plus en plus.

Vous avez rendu un grand service à vos jumeaux en admettant leur unicité et en leur permettant de se développer individuellement. Ils resteront quand même toujours jumeaux ! La gémellité ne réside pas dans la façon de s'habiller ni simplement dans la ressemblance physique. C'est beaucoup plus que cela. Ne vous inquiétez pas : la relation qu'ils entretiennent sera toujours unique, même s'ils font des activités différentes et ont des amis différents.

Profitez de ces belles années, car bientôt vous vivrez avec deux adolescents. Et comme pour tout le reste, le fait d'avoir des jumeaux risque de compliquer un peu les choses...

À l'adolescence, les jumeaux préfèrent souvent se différencier : Sylvain et Richard n'ont pas échappé à cette règle !

CHAPITRE 8

Jumeaux ados : un sport extrême ?

Vos enfants ont maintenant terminé le primaire. Vous les avez accompagnés pendant tout ce temps. Vous les avez aidés à se développer individuellement et, somme toute, vous avez l'impression d'avoir assez bien réussi. Ils sont maintenant prêts à affronter un autre grand changement : l'entrée à l'école secondaire. Ces enfants gentils et innocents sont devenus des adolescents. Malgré toutes les lectures que vous avez faites, l'adolescence vous surprendra peut-être. C'est une période de grands changements, tant physiques que psychologiques. Vos jumeaux ne sont plus des enfants, mais ils ne sont pas encore des adultes. Un peu à l'image de la période du « *terrible two* », ils veulent être indépendants et autonomes, mais ils ont encore besoin de leurs parents et cela ne les réjouit pas. Vous avez devant vous deux êtres que vous ne reconnaissez plus. Parfois, ils ne se reconnaissent plus eux-mêmes !

Pour les jumeaux, l'adolescence peut être encore plus complexe. En effet, il est parfois plus difficile de se définir dans la société quand il faut d'abord se définir dans un couple gémellaire.

L'adolescence chez le singleton

Rappelez-vous ce que vivent les jeunes à l'adolescence. Tous les ados veulent se détacher de leurs parents. Ils s'identifient désormais davantage à leur groupe d'appartenance. Faire partie d'un groupe permet à l'adolescent de se sentir unique tout en étant entouré. L'ado choisit le groupe qui lui ressemble le plus et adhère à ses valeurs. Avec ses amis, il se sent soutenu, ce qui lui donne confiance. Le sentiment d'appartenance au groupe est important. À l'école, il y a les sportifs, les cracks d'informatique, les rebelles, les adeptes de jeux vidéo, les intellos, etc. Certains ados se sentent obligés de choisir un seul groupe, pouvant difficilement faire partie de deux groupes qui semblent trop différents l'un par rapport à l'autre. D'autres jeunes choisissent un groupe plutôt qu'un autre simplement en réaction aux valeurs de leurs parents. Par exemple, si les parents soulignent toujours l'arrivée de l'été avec des hamburgers sur le barbecue, l'adolescent peut subitement déclarer qu'il est devenu végétarien.

Chaque bande d'amis a un style vestimentaire qui lui est propre. Et comme ces jeunes veulent être « différents », ils s'habillent tous de la même façon. Quel beau paradoxe, n'est-ce pas ? Voilà bien le propre de l'adolescence. L'adolescent définit ses propres valeurs en vieillissant. Parfois, il s'éloigne des valeurs familiales pendant un certain temps pour y revenir ensuite, quelques années plus tard. D'autres fois, il adopte des valeurs vraiment différentes de celles de ses parents. Il rêve d'être reconnu et, grâce à ses choix, son entourage peut pressentir le type d'adulte qu'il deviendra.

L'adolescence chez les jumeaux

Comme tous les autres ados, le jumeau doit d'abord se dissocier de ses parents. Tout est normal jusque-là. Les choses se compliquent lorsque le jeune doit aussi se dissocier de son jumeau. Les liens qui unissent les jumeaux peuvent tout à coup devenir étouffants, tant dans l'intimité qu'aux yeux de la société. Les jumeaux ressentent souvent l'urgence de se distinguer l'un de l'autre, ce qui les oblige à faire une double coupure. Les jumeaux ados veulent être « comme tout le monde », alors qu'ils ne l'ont jamais vraiment été.

Il est parfois compliqué d'être jumeau, surtout à l'adolescence. Les groupes d'adolescents sont généralement homogènes et parfois assez fermés. Or, l'uniformité et la hiérarchie du groupe sont primordiales. Les jumeaux qui tentent de se faire une place dans un groupe arrivent déjà à deux. Y a-t-il de la place pour eux dans le groupe ? Ces deux nouvelles personnes sont-elles acceptables ou sont-elles un peu trop différentes de la norme ? Prendront-elles trop de place à cause de cette particularité ? Les jumeaux sont cependant souvent plus à l'aise socialement, puisqu'ils sont habitués à vivre à plusieurs. Il arrive même qu'ils entrent plus facilement dans les groupes d'ados, car le fait d'être jumeaux les rend particulièrement intéressants.

Nous avons déjà exploré le phénomène de dominance chez les jumeaux. Nous avons vu que celui ou celle qui, de l'extérieur, semble être le « jumeau dominant » peut très bien être en fait le « jumeau dominé » dans l'intimité. À l'adolescence, il arrive souvent que ce rapport dominant-dominé change. Ce changement peut s'effectuer tout doucement, mais ce n'est pas toujours le cas. Il se peut que l'un des deux jumeaux ait plus de facilité à se tailler une place dans un groupe d'amis, « abandonnant » ainsi son jumeau. L'un des jumeaux peut aussi réagir très fortement à l'adolescence et décider qu'il en a assez de ce couple qui lui pèse soudainement, ce qui surprend à la fois son jumeau et ses parents. Parfois, les jumeaux se séparent d'un commun accord, chacun délaissant le couple gémellaire pour adopter un groupe. Il arrive aussi qu'ils se rapprochent encore plus et fassent équipe pour entreprendre cette étape. Les jumeaux qui se sont toujours fait appeler « les jumeaux » et qui ont toujours été habillés de la même façon ont souvent beaucoup de difficulté à se définir comme individus. S'ils se ressemblent comme deux gouttes d'eau, le problème est encore plus marqué. Se définir est d'autant plus difficile lorsqu'on a l'impression de n'avoir jamais été autre chose que la moitié d'un tout. Il est quasi impossible de se dissocier tout à fait de quelqu'un qui est toujours là et qui le sera toujours, quoi qu'on fasse. Cela peut rendre encore plus difficile l'intégration dans un nouveau groupe. S'ils ont été « les jumeaux » toute leur vie, il est normal qu'ils en aient assez ! Ils rêvent chacun d'être indépendant, une personne « presque adulte », une personne à part entière. Or cette transition ne se fait pas sans heurts. Même les jumeaux qui n'ont pas vraiment été « gémellisés » peuvent avoir de la difficulté à faire comprendre aux autres qu'ils sont des individus libres et indépendants.

Jumeaux fraternels, différents scénarios

> Jérémy et Arthur

Jérémy et Arthur, des jumeaux non identiques, ont des personnalités assez différentes. Jérémy est doué pour les sports alors qu'Arthur est plus maladroit. Jusqu'à maintenant, cela ne les a jamais empêchés de pratiquer des sports ensemble : tennis, natation, escalade. L'école secondaire qu'ils fréquentent se vante d'avoir une excellente équipe de football. Le sport y est très valorisé. Naturellement, Jérémy s'inscrit dans l'équipe et s'y démarque. Il est populaire auprès des deux sexes et il développe une bonne estime de soi. Arthur est jaloux du succès de son frère. Il lui en veut d'être instantanément si populaire, entre autres auprès de la gent féminine. Arthur sait bien qu'il ne peut pas rivaliser avec Jérémy dans les sports. Lorsqu'ils étaient enfants, Arthur et Jérémy étaient aussi différents qu'aujourd'hui. Cela ne créait pourtant pas de conflits. Ils avaient chacun leurs forces et leurs faiblesses et ils vivaient très bien ensemble, dans le respect des différences. Jérémy a toujours mieux réussi dans les sports et personne n'en faisait de cas. Bien sûr, les parents félicitaient Jérémy pour ses succès sportifs, mais ils étaient tout aussi fiers quand Arthur remportait un concours scientifique, par exemple. À l'adolescence, toutefois, le regard des autres compte beaucoup. Les jumeaux veulent démontrer qu'ils deviennent adultes et qu'ils sont indépendants l'un de l'autre et ils peuvent avoir tendance à le faire en rejetant l'autre.

À l'école secondaire, il est souvent moins bien vu d'être toujours avec son jumeau. Par ailleurs, les jumeaux qui sont physiquement très différents l'un de l'autre ne suscitent pas le même intérêt que les jumeaux identiques. Ils ressentent donc le besoin de se séparer, de faire une coupure entre eux, mais ils ne savent pas trop comment s'y prendre. Ils aiment encore regarder des films d'horreur ensemble le vendredi soir. Ils ont toujours autant de plaisir à aller au cinéma et à partager leur sac maïs soufflé. Que faire alors ? De nombreux jumeaux sont déchirés : ils ne veulent plus être copains comme quand ils étaient petits, mais ils accordent encore beaucoup d'importance à leur relation.

La compétition et la colère peuvent donner du courage à un jeune qui doit affronter le monde seul pour la première fois. L'agressivité et l'impatience que les jumeaux manifestent l'un envers l'autre font alors partie du quotidien. Les deux jeunes s'affrontent pour se définir. C'est ce qui se produit dans le cas d'Arthur et de Jérémy. Leurs parents sont peinés de constater que leurs fils sont constamment à couteaux tirés.

> Christelle et Sandrine

Christelle rêve d'être admise dans la troupe de théâtre de l'école. C'est un groupe qui lui semble *cool*. Sa sœur Sandrine la suit constamment comme une ombre. Quelle crédibilité a Christelle lorsqu'elle tente de se présenter comme une « adulte autonome » auprès du groupe ? Elle a beau l'ignorer, sa sœur ne la lâche pas d'une semelle. Christelle a vraiment peur qu'elles aient l'air de « vrais bébés », et il n'y a pas pire insulte à ses yeux d'adolescente de 14 ans ! Sandrine, quant à elle, rêve de faire partie du même groupe, car elle aimerait bien participer à la création des décors de scène, mais aussi parce que la présence de Christelle dans sa vie à l'école la rassure. Les deux filles s'affrontent continuellement, de façon assez intense. « Arrête de me suivre comme un chien de poche, je veux vivre ma vie ! » crie Christelle. « Pourquoi tu ne veux plus me parler et même pas marcher avec moi jusqu'à l'école ? Depuis qu'on est au secondaire, on dirait que je n'existe plus ! » répond Sandrine. C'est ainsi depuis le début de l'année scolaire...

Même si les parents ont toujours aidé leurs enfants à se différencier, il reste difficile pour un jumeau de s'approprier une place et de permettre que l'autre en fasse autant. Tout en étant reconnus comme deux êtres différents par la famille et les gens qui les entourent, les jumeaux ont toujours senti la présence et le soutien de l'autre, frère ou sœur. Tous les changements de l'adolescence font vivre un peu d'insécurité au jeune. C'est évidemment ce que ressent Sandrine, ce qui fait qu'elle s'accroche encore plus à sa sœur. D'un autre côté, pour augmenter les chances de trouver sa place dans le groupe auquel il rêve d'adhérer, le jumeau repousse souvent l'autre, considérant celui-ci comme un handicap à son acceptation. C'est le cas de Christelle. Il va sans dire que l'autre n'est pas nécessairement d'accord. Les deux ados peuvent se livrer une concurrence féroce s'ils veulent faire partie du même groupe. Il arrive qu'ils rêvent tous deux de voir l'autre disparaître pour être perçus par le groupe comme des adultes indépendants.

> Valérie et Ariane

Valérie et Ariane ne se ressemblent pas du tout. Elles sont aussi différentes que deux sœurs peuvent l'être. Elles ont toujours accepté d'être différentes et elles se respectent. À la maison, quand elles étaient petites, elles réussissaient toujours à trouver des jeux pour s'amuser seules. Elles ont toujours eu d'autres amies aussi, ce qui leur a permis de développer leurs goûts personnels. Lorsqu'elles sont arrivées au secondaire, chacune a rejoint un groupe de jeunes qui lui ressemble. Valérie est volubile, toujours entourée d'amies ; elle organise des spectacles et des fêtes comme elle l'a toujours fait. Ariane est plus calme, plus studieuse. Elle réussit très bien à l'école, elle adore garder des enfants et, malgré sa discrétion, elle a confiance en elle. Cette année, les deux filles se sont mises à s'intéresser aux garçons. Valérie attire naturellement l'attention des garçons, car elle est toujours au premier plan et qu'elle est très jolie. Elle les impressionne beaucoup, mais ils sont habituellement trop gênés pour s'en approcher. Elle semble si sûre d'elle qu'elle leur fait un peu peur. Ariane, elle, s'est fait un copain dès le mois d'octobre. C'est un jeune homme assez grand et de belle apparence qui, tout comme Ariane, passe souvent inaperçu dans un groupe. Ariane et lui se sont liés d'amitié et ils vivent une belle relation. Valérie participe à l'organisation des discothèques à l'école ; elle danse et s'amuse avec tous les garçons, mais elle revient toujours à la maison avec la « gang » de filles. Les jumelles, qui se sont toujours bien entendues jusqu'à présent, ont commencé à se disputer il y a quelques mois. C'est curieux...

....

Tout comme les garçons, les jumelles adolescentes doivent se tailler une place dans le groupe, mais les critères de réussite sont très différents. L'apparence physique est souvent très importante pour les adolescentes. Avoir un copain est aussi un signe de réussite. Lorsqu'Ariane s'est fait un copain, Valérie a voulu se réjouir pour sa sœur, mais elle a rapidement ressenti une petite pointe de jalousie. Au début, Ariane lui parlait de Simon et lui racontait toutes sortes d'anecdotes sur leur relation. Elle partageait librement ses états d'âme, ses questionnements. Cependant, à un moment, Valérie n'a plus voulu en entendre parler. Elle a dit qu'elle trouvait Simon tout à fait inintéressant et elle s'est mise à parler contre lui à Ariane, et parfois même aux autres amies de l'école. Ariane a évidemment arrêté de se confier à sa sœur. Elle a dit qu'elle trouvait que les amis de Valérie étaient tous « idiots » et qu'elle ne se ferait jamais de copain à cause de son grand nez. Valérie rêve elle aussi de trouver le prince charmant. Elle a été profondément blessée par le commentaire d'Ariane sur son nez, car elle l'a toujours détesté. Les jumeaux se connaissent mieux que quiconque et savent ce qui peut blesser l'autre.

Les parents voient bien que quelque chose ne va pas entre leurs jumelles. Celles-ci refusent maintenant d'échanger leurs vêtements comme elles le faisaient auparavant. Elles ne s'enferment plus dans une chambre pour discuter pendant des heures. Pendant les repas, elles ne parlent plus jamais d'activités qu'elles ont faites ensemble à l'école. Leurs parents ne savent pas comment réagir à cette situation et les filles refusent de leur en parler.

> Claudine et Marco

Claudine et Marco ont toujours été dans la même classe au primaire. Claudine est une bonne élève, tandis que Marco n'attache pas beaucoup d'importance à ses études. Il préfère lire des bandes dessinées et dessiner dans les marges de ses cahiers. Claudine est sociable, alors que Marco est plutôt timide. L'école secondaire leur permet de respirer plus librement. Enfin, chacun peut profiter d'une vie plus « normale » sans que son jumeau soit constamment à ses côtés. Mais Marco continue de côtoyer sa sœur. Les jeunes du secondaire sont surpris d'apprendre que Marco et Claudine sont des jumeaux. Leur gémellité suscite l'intérêt des autres élèves. Lorsque Marco gravite autour de sa sœur, il est entouré de jolies demoiselles (les amies de sa sœur) qui cherchent à le connaître, une position assez enviable aux yeux des autres garçons. Claudine en a assez d'endurer la présence continuelle de son frère. Elle le trouve « bébé ». Comme ils ne se ressemblent pas du tout, elle a peur que les autres garçons de l'école concluent que c'est son copain. Elle tente de l'éloigner, l'accuse de vouloir lui voler ses amis. Leur relation en souffre aussi à la maison.

Les couples de jumeaux garçon/fille vivent une dynamique particulière. Chaque couple est unique. Parfois, c'est la fille qui « domine », puisqu'elle atteint la maturité quelques années avant son frère. Peut-être l'a-t-elle materné un peu lorsqu'ils étaient enfants, jouant à la mère avec sa poupée vivante, décidant pour lui, le dirigeant dans les jeux, le disputant et le surveillant à l'école. Il est possible qu'à l'adolescence, le garçon cherche à s'en dissocier avec véhémence. Il peut se sentir enfin libéré de son emprise ou, au contraire, souffrir d'insécurité lorsqu'il constate qu'il est seul pour la première fois de sa vie. Il arrive aussi que le garçon devienne tout à coup le protecteur de sa sœur. Gare à celui qui s'en approche ou qui lui fait de la peine ! Parfois, le garçon la protège tellement que celle-ci se retrouve isolée du « vrai monde ». Elle peut alors en vouloir à son frère de l'empêcher de vivre sa vie. D'une façon ou d'une autre, les parents devront composer avec les disputes entre les deux jeunes. Il est ainsi fort probable que ces derniers s'adressent des reproches et qu'ils passent la majeure partie de la soirée dans leur chambre respective. Mais n'est-ce pas le cas de la plupart des adolescents ?

Jumeaux identiques, difficultés identiques ?

> Félix et Antoine

Marie-Pierre est maman de jumeaux identiques, Félix et Antoine, qui sont entrés à l'école secondaire il y a quelques semaines. Ils ont toujours eu sensiblement les mêmes amis à l'école primaire du quartier. Maintenant, ils sont dans une plus grande école et le choix d'amis est beaucoup plus vaste. Marie-Pierre constate que Félix semble tout à fait heureux. Il continue de fréquenter les amis de l'école primaire qu'elle a vus grandir et dont elle connaît les parents. Antoine, lui, est devenu taciturne. Quand sa mère lui pose des questions, il lui parle vaguement d'amis qu'elle ne connaît pas. Dans les semaines qui suivent, elle se rend compte que ces derniers ne sont pas le genre d'adolescents qu'elle espérait que ses enfants fréquentent. Lorsque l'occasion se présente, elle se risque à parler à son fils. Elle lui dit qu'elle est un peu inquiète de l'influence que ses nouvelles fréquentations semblent avoir sur son comportement. Elle lui demande pourquoi il a abandonné les amis qu'il avait eus tout au long du primaire en entrant au secondaire. À sa grande surprise, Antoine lui explique qu'il ne veut plus être avec Félix, qu'il en a ras le bol d'être la copie de son frère et qu'il veut avoir son propre groupe d'amis, ses propres activités et son propre environnement, et qu'il ne veut pas avoir constamment à partager l'espace avec son frère... Ouf !

Ce genre de réaction n'est pas rare chez les jumeaux identiques. Le comportement d'Antoine à la maison ne semble pourtant pas avoir changé. Après plusieurs discussions, Marie-Pierre conclut que ses fils sont toujours aussi proches l'un de l'autre et cela la rassure. Elle ne peut qu'accepter la colère d'Antoine. Quelques jours plus tard, toutefois, sentant qu'Antoine est réceptif, elle décide de reprendre la conversation avec lui.

> Félix et Antoine (suite)

Elle lui pose quelques questions en lui précisant qu'il n'est pas obligé de lui répondre de vive voix, mais qu'elle aimerait qu'il y réfléchisse (en fait, elle connaît déjà les réponses !).

— « T'ennuies-tu parfois des anciens amis et des activités que vous partagiez ?
— Oui.
— N'y a-t-il pas, dans le groupe, certains amis avec qui Félix s'entendait mieux et d'autres qui étaient plus proches de toi ?
— Effectivement.
— Ces amis du primaire savaient donc bien faire la différence entre vous deux ?
— Ça, c'est certain ! »

Marie-Pierre présente alors une hypothèse à son fils : si les gens de la nouvelle école voient toujours un seul jumeau à la fois, se peut-il qu'ils ne comprennent pas qu'ils sont deux ? Il est plus probable qu'ils les prennent pour une seule et même personne. Pourtant, ce n'est pas le but ! Si les gens connaissent un seul jumeau, ils peuvent simplement penser que « l'autre est pareil », puisque, physiquement, ils se ressemblent beaucoup.

Elle sème ainsi l'idée selon laquelle la meilleure façon de différencier deux personnes qui se ressemblent beaucoup est d'apprendre à les connaître tous les deux. Lorsque les gens ont l'occasion de le faire, ils peuvent constater les différences, tant sur le plan physique que sur celui de la personnalité, des goûts et des aptitudes.

La discussion prend fin, laissant Antoine perplexe et songeur. Quelques semaines plus tard, il téléphone à Gabriel, son ami d'enfance. Celui-ci est très content de le retrouver. Ils recommencent à faire des projets de pêche et à rêver d'un grand voyage à vélo. Marie-Pierre retrouve Antoine tel qu'elle le connaît, souriant et détendu, heureux de passer du temps avec Gabriel, un jeune homme sain. Antoine se distancie tranquillement du groupe moins intéressant auquel il s'était joint en début d'année. Il recommence à passer du temps avec Félix et leurs amis communs. Les deux garçons s'inscrivent dans la même équipe sportive. Comme par le passé, ils forment un duo redoutable, chacun sachant instinctivement où est l'autre sur le terrain. Antoine s'engage dans le comité de classe et le conseil des élèves de l'école, sans son frère cette fois, mais il le fait par intérêt personnel, et non pour se révolter.

Cette histoire démontre bien les difficultés particulières que peuvent vivre les jumeaux identiques à l'adolescence. Il est particulièrement difficile pour eux de développer leur individualité : comment différencier deux personnes qui se ressemblent autant ? Antoine voulait simplement développer son « autonomie d'adulte ». Il avait besoin de se démarquer, d'être autre chose que « le jumeau de Félix ». Malheureusement, il s'y est pris plutôt maladroitement. Il se refusait à passer du bon temps avec les anciens copains et n'osait pas s'inscrire dans un sport qui l'attirait si Félix le pratiquait déjà. En fait, en adoptant un tel comportement, Antoine se montrait encore moins autonome. Il réagissait simplement aux décisions de son frère et subissait encore plus les inconvénients de sa gémellité, d'où l'intensité de sa frustration.

> Félix et Antoine (suite et fin)

Quelques mois plus tard, Antoine est venu remercier sa mère de lui avoir ouvert les yeux. Il a dit que les professeurs et les élèves le connaissaient, maintenant, tout comme ils connaissaient Félix, et qu'ils avaient effectivement plus de facilité à les différencier. Il a même dit qu'il était content de s'être éloigné des amis qu'il avait d'abord choisis en arrivant au secondaire. Il a reconnu que certains d'entre eux avaient des comportements qui ne correspondaient pas à ses valeurs... mais ça, c'est une autre histoire. Antoine avait beaucoup de plaisir avec les jeunes qu'il connaissait depuis plusieurs années, mais il s'était aussi fait de nouveaux amis. Il ne se sentait plus menacé par la présence occasionnelle de son frère.

Marie-Pierre a dit à Antoine qu'elle était fière de lui et qu'il s'était montré très mature en acceptant les idées d'une autre personne, en prenant le temps de bien cerner ses émotions, en cherchant à mieux comprendre ses réactions et, surtout, en en reparlant à sa mère. Marie-Pierre a félicité son fils. Il rêvait d'être un adulte respecté ? Il était sur la bonne voie !

Les jumeaux identiques tout à fait équilibrés et à l'aise dans leur gémellité peuvent eux aussi avoir de la difficulté avec certains aspects de l'adolescence. Malgré leurs ressemblances physiques, ils se savent uniques. Toutefois, durant cette période, il ne suffit pas de se savoir unique : les jeunes ont besoin de faire reconnaître ce fait par les autres. Ils se sentent en quelque sorte obligés d'en mettre plein la vue à ceux qui ne s'attardent qu'à l'apparence. Il arrive qu'ils exagèrent leurs réactions pour passer le message le plus clairement possible.

En réalité, Antoine avait une solide identité. Son frère et lui, tout en ayant des amis communs, avaient toujours également eu des amis individuels, car ils étaient différents à plusieurs points de vue. À l'école primaire, ils étaient connus et reconnus comme jumeaux. En arrivant à leur nouvelle école, ils ont compris qu'ils ne passeraient pas inaperçus. Plusieurs personnes, les voyant pour la première fois, passaient des commentaires. Il leur fallait donc recommencer le processus de différenciation, si important à cet âge. Antoine a vraiment voulu que ces nouvelles personnes sachent le plus rapidement possible qu'il était unique et non « le miroir de l'autre » et c'est dans ce but qu'il a créé une distance entre Félix et lui.

Or, cela lui donnait l'impression de mener une double vie : le jour, il rejetait la personne à qui il tenait le plus au monde et, le soir, il faisait comme si rien n'avait changé. À la maison, loin du regard des autres, les garçons se retrouvaient toujours avec autant de plaisir. Au fond, Antoine adorait son frère et c'est ce qui rendait sa démarche si déchirante et le rendait agressif.

Félix, de son côté, n'a pas questionné son frère quand celui-ci s'est éloigné de leur ancien groupe d'amis. Il a senti son malaise, mais il l'a accepté, tout simplement. Il savait qu'Antoine ne le rejetait pas. Il était clair qu'Antoine lui en parlerait s'il avait envie de le faire. Les garçons ont souvent une certaine réticence à mettre en mots les émotions qu'ils ressentent. Antoine et Félix se comprenaient autant qu'avant et ils étaient toujours aussi proches l'un de l'autre. La tempête n'a pas réussi à les éloigner.

Jumeaux identiques, réactions différentes

Les jumeaux identiques se ressemblent aussi davantage que les autres jumeaux sur le plan de la personnalité. Certains traits de caractère sont en effet programmés génétiquement, notamment la sociabilité, l'anxiété, la générosité et même la prédisposition au bonheur.

Le paradoxe des jumeaux

Une étude[1] sur les jumeaux identiques a déterminé leur indice de similitude en comparant des jumeaux élevés ensemble et des jumeaux élevés séparément. Les conclusions de cette étude, effectuée sur un grand nombre de couples de jumeaux, en ont surpris plusieurs : en effet, les jumeaux identiques élevés séparément semblaient avoir plus de similitudes que ceux élevés ensemble ! Cette étude a aussi démontré que certains traits de caractère sont d'origine génétique, puisque l'indice de similitude était élevé même lorsque les jumeaux avaient été élevés séparément. En ce qui concerne la sociabilité, l'indice de similitude était de 0,91 chez les jumeaux élevés séparément, contre 0,51 chez les jumeaux élevés ensemble (1 étant l'indice le plus élevé). L'étude a permis de constater le même phénomène pour plusieurs traits de personnalité. On en a donc conclu que les jumeaux élevés ensemble avaient tendance à créer un équilibre entre eux, chacun étant influencé par l'autre. Les jumeaux élevés séparément sont entièrement eux-mêmes et, par conséquent, ils se ressemblent beaucoup plus !

Si vos jumeaux sont plutôt anxieux, peut-être leur sera-t-il difficile de se faire assez confiance pour que chacun s'approprie une place dans le groupe sans que l'autre y soit. Ils resteront peut-être ensemble, un peu à l'écart du grand groupe, se contentant de leur cojumeau. Si les deux jeunes ont hérité du gène qui les rend sociables, ils seront vraisemblablement tous deux plus à l'aise dans un groupe et auront moins besoin du soutien de leur *alter ego*.

Certains jumeaux identiques vivent très bien leur adolescence. S'ils sont plus dociles ou moins extrêmes dans leurs émotions, leurs réactions seront plus modérées. Chacun acceptera que l'autre s'éloigne temporairement.

Si le lien qui les unit est solide, ils savent instinctivement qu'il ne sera aucunement atteint par l'apparente séparation qui survient en public et que, dans l'intimité, rien ne changera. Si les jumelles ont un caractère doux, les crises seront probablement moins présentes. Les filles ont souvent plus de facilité à se dire les choses, à partager leurs sentiments. Elles se parlent, se confient et réussissent ainsi à mieux gérer cette étape. En revanche, si les deux filles sont plutôt émotives, les crises peuvent être épouvantables. Les parents doivent garder confiance et se dire que cela passera avec le temps.

À l'inverse, certains jumeaux identiques ressentent le besoin urgent de briser ce lien qui les étouffe. S'ils ont été « gémellisés » toute leur vie (habillés de la même façon jusqu'à l'âge de 12 ans, identifiés avec de petits noms qui riment, etc.), ils peuvent très bien avoir envie de « casser la baraque ». Certains jumeaux n'ont jamais été encouragés à développer leur individualité. Cette étape passera peut-être inaperçue si les jumeaux sont de caractère docile et s'ils dépendent l'un de l'autre sur le plan affectif. Ils resteront alors comme ils ont toujours été : unis, envers et contre tous. Dans certains cas extrêmes, les jumeaux sont incapables de mener une vie d'adulte indépendante et restent célibataires de peur d'abandonner l'autre. Comme ils forment déjà un couple, il n'y a pas de place dans leur vie pour quelqu'un d'autre.

Voir l'autre créer des liens

Les jumeaux, filles ou garçons, se sentent presque tous un peu bousculés quand leur cojumeau se fait une compagne ou un compagnon. Celui ou celle qui reste célibataire se sent rejeté et en souffre. L'accueil du nouveau venu par le jumeau risque d'être plutôt froid, pour ne pas dire glacial. Il peut très bien arriver que la nouvelle personne soit vraiment considérée comme une intruse et que le jumeau « abandonné » soit jaloux. Il peut tenter de séparer le couple en se montrant désagréable avec le nouveau venu ou en dénigrant celui-ci aux yeux de son jumeau. L'adolescent veut du changement et il joue à l'adulte, mais, au fond de lui, il n'a pas envie que tout change.

Tous les jumeaux sont influencés par l'opinion du cojumeau. Les premières relations, pendant l'adolescence, sont particulièrement difficiles à accepter. Pour passer le test, il faut que la nouvelle amie soit gentille avec les *deux* jumeaux. Si le nouveau copain n'est pas accepté par la jumelle, la relation ne fait généralement pas long feu. Avec le temps, toutefois, les jumeaux comprennent que le lien qui les unit n'est pas menacé par l'arrivée d'une nouvelle personne dans leur vie. Ils peuvent alors créer des liens plus librement.

Il est assez rare que les jumeaux ou jumelles soient attirés par une même personne. Il serait pourtant logique qu'ils aient tendance à rechercher les mêmes qualités chez un ami éventuel. Cette situation délicate risquerait évidemment de créer de forts sentiments de jalousie et de déception chez les jumeaux. Ces problèmes sont généralement réglés dans l'intimité de la relation gémellaire, mais ils peuvent compromettre l'harmonie du foyer pendant un certain temps.

Concurrents ou complices ?

Quelques exemples classiques permettent d'illustrer la concurrence que se livrent parfois les jumeaux. Cependant, nous nous défendons bien d'affirmer que tous les garçons, toutes les filles et tous les jumeaux sont pareils.

Il se peut très bien que vous ne reconnaissiez pas vos jumeaux dans ces exemples.

À l'adolescence, on voit souvent se développer une concurrence entre les jumeaux. Chacun veut être le plus rapide ou le plus fort, ou sauter plus haut que l'autre en planche à neige. Les deux jeunes aiment sans doute monopoliser l'attention et susciter l'admiration de leurs compagnons. Cette concurrence n'est pas nécessairement malsaine si les jumeaux sont bien dans leur relation et si cette compétition n'a pas de conséquences sur les autres sphères de leur vie. Ils se définissent individuellement en se mesurant à l'autre, tout simplement.

Chez les filles, la concurrence se situe souvent ailleurs, notamment dans la popularité au sein du groupe, les résultats scolaires ou le succès auprès des garçons. Les filles ont leurs propres critères pour déterminer ce qu'est une réussite. On ne détecte pas toujours aussi facilement cette concurrence entre les filles parce que ses effets sont plus subtils. Elles peuvent, par exemple, tenter de gagner des points en se liant d'amitié avec une fille ou un garçon particulièrement intéressant. La « victoire » n'est pas criée sur la place publique, mais la défaite fait mal malgré tout. Les jumelles peuvent être en concurrence même si vous n'en voyez rien. Comme chez les garçons, toutefois, la déception sera passagère si leur lien est solide, et elles se réjouiront bientôt des succès de l'autre.

Chez les couples de jumeaux fille/garçon, la concurrence est souvent difficile à déceler. Les règles de base sont en effet différentes pour chacun des jumeaux. *Elle* se vantera de ses réussites scolaires (vous voyez encore le stéréotype...). *Il* montrera qu'il s'en fiche éperdument. *Il* décidera de séduire la meilleure amie de sa sœur pour la lui « voler ». *Elle* n'aura pas envie de partager son amie avec lui, bien entendu, et parlera contre son frère, racontant peut-être des choses qu'il n'aurait pas aimé voir dévoilées. Ils auront tous deux l'impression d'avoir le dessus sur l'autre, alors qu'ils ne jouent pas le même jeu.

Sans se mêler des affaires intimes des jumeaux ou des jumelles, les parents doivent rester à l'affût des effets d'une telle concurrence. Si l'estime de soi d'un des deux enfants semble en souffrir, il faut intervenir. Chez les filles, il se peut qu'une des jumelles malmène l'autre ou la dénigre. Chez les garçons, la concurrence passe souvent par les prouesses physiques ou sportives. Votre fils semble aussi malheureux que votre fille ? Une petite discussion s'impose pour rétablir le respect entre les deux ados. Ne permettez pas à l'un de se valoriser en dénigrant l'autre. Il se peut qu'ils ne soient pas très heureux d'être jumeaux à l'adolescence, mais ils doivent tout de même composer avec cette réalité.

Parents de jumeaux adolescents

L'adolescence peut être une période assez difficile pour toute la famille. Pour se prouver qu'ils sont indépendants (ce qui n'est évidemment pas encore le cas), vos adolescents risquent de vous affronter aussi. Il est recommandé de faire une liste très courte de règlements à prioriser et à faire respecter. Il est préférable de se montrer flexible pour certaines choses si on ne souhaite pas passer ses journées à gérer des conflits. En revanche, certains principes ne sont pas négociables. Il faut établir clairement ses opinions sur l'alcool, la drogue, les heures de rentrée, l'importance des études, etc. Il faut aussi rappeler les règlements de la maison et les valeurs qui y sont associées : « Tu peux donner ton opinion, mais tu dois respecter l'opinion des autres. Aucune forme de violence n'est tolérée », etc.

Les parents doivent accepter que leurs jumeaux aient besoin de s'affronter. Ne perdez pas votre temps à leur rappeler combien ils s'aiment ; ils le savent bien. Cela fait justement partie du problème. Le jumeau qui a toujours permis à l'autre d'entrer dans son jardin secret est d'autant plus déboussolé de vivre les émotions contradictoires qui le tenaillent. Tout comme vous les avez laissés s'organiser quand ils étaient petits et qu'ils se disputaient, laissez-les vivre leur adolescence. Tâchez, encore une fois, de respecter ce qu'ils vivent entre eux. Si l'un des jumeaux se teint les cheveux en mauve, par exemple, prenez une grande inspiration avant de réagir. Ce n'est pas dangereux pour sa santé. C'est peut-être simplement une façon de se démarquer.

Tous les adolescents sont de fins et tenaces négociateurs. Les parents de jumeaux doivent être doublement convaincus des décisions qu'ils prennent et des permissions qu'ils accordent. Ils ne doivent pas oublier que leurs jumeaux, même s'ils semblent en conflit perpétuel, s'uniront volontiers contre l'autorité parentale, comme ils le faisaient quand ils étaient enfants. Ils joueront la corde du favoritisme. Ils feront front commun pour négocier certaines permissions, ils vous harcèleront en espérant que vous plierez à l'usure. Consolez-vous en vous disant qu'ils forment toujours le même petit clan uni malgré les conflits qu'ils vivent.

Parfois, ce soutien peut aider vos ados à affronter les pressions d'un groupe. L'adolescent qui se retrouve seul dans un groupe peut se sentir obligé de faire des choses qu'il ne veut pas faire, puisqu'il n'ose pas toujours imposer ses valeurs au groupe. Les jumeaux refusent à deux et peuvent ainsi résister plus facilement à des influences que vous n'appréciez peut-être pas.

L'équité est très importante pour les jumeaux adolescents. Espérons que vous leur avez déjà fait comprendre qu'« égal » n'est pas synonyme de « pareil » et qu'ils doivent assumer les conséquences de leurs actions. Si Ariane a choisi de participer au club des sciences, par exemple, elle n'a pas le droit d'en vouloir à Valérie lorsque celle-ci part une fin de semaine pour une compétition de meneuses de claque. Lorsque l'exposition scientifique aura lieu, ce sera au tour de Valérie de rester à la maison.

Les adolescents ont rarement tendance à partager leurs états d'âme avec leurs parents. Pour eux, c'est un signe d'immaturité. Ils pensent souvent qu'être adulte signifie qu'on règle soi-même ses problèmes. Soyez quand même à l'écoute de vos jumeaux. Tendez-leur une perche à l'occasion. Peut-être seront-ils contents de savoir qu'il y a quelqu'un qui est prêt à les écouter, surtout quand ils ne veulent plus tout partager avec leur cojumeau. Rassurez-les, montrez-leur que vous vous doutez qu'il est parfois difficile d'être un jumeau et qu'il est normal d'avoir envie d'être différent de l'autre. Encouragez-les à amener de nouveaux amis à la maison sans imposer la présence du cojumeau. Chaque jumeau a besoin de développer des liens avec des gens qui lui ressemblent. Malgré tout, les amitiés que les frères ou sœurs développent sont habituellement moins intimes, le meilleur ami restant souvent l'autre jumeau. Si vos jumeaux s'affrontent, c'est qu'ils développent leur autonomie. Ne vous inquiétez pas : les liens solides résistent à l'adolescence. Dans leur for intérieur, ils se savent privilégiés. Lorsqu'ils atteindront vraiment une maturité d'adulte, ils se retrouveront avec bonheur. Vos jumeaux sont vraiment différents et les liens entre eux sont plutôt faibles ? Deux frères ou deux sœurs d'âges différents ne s'entendent pas nécessairement bien non plus. Souvent, les liens entre les membres de la fratrie se rebâtissent à l'âge adulte. Il est en effet plus facile d'apprécier les bons côtés des gens lorsque l'on n'a pas à partager les petits désagréments du quotidien.

La transition à l'âge adulte

Vers la fin de l'école secondaire, les adolescents doivent déterminer quel genre de carrière les intéresse. Ils ont peut-être accès aux services d'un conseiller d'orientation à l'école. Celui-ci offre aux jeunes quelques options qui semblent correspondre à leurs goûts et leur indique les établissements offrant ces cours. L'adolescent peut évaluer ces options et en discuter avec ses parents. « Qu'est-ce que j'ai envie de faire de ma vie? Enseignant ? Pour devenir enseignant, je dois aller étudier à 150 km de la maison. » Voilà une étape importante ! Le choix de carrière est une grande décision à prendre à 17 ans. Les jeunes de cet âge sont parfois contents de quitter le nid familial. L'adulte en devenir est fier de ce symbole de maturité, même si l'ado en lui souhaite peut-être que maman et papa continuent de faire sa lessive...

Cette transition se fait plus ou moins bien, selon les cas. Pendant les études secondaires, les règles régissant la relation entre les jumeaux changent. Lorsque la « crise » est passée, ils recommencent souvent à apprécier la présence de l'autre ou, du moins, à la tolérer. Ils ne se sentent plus menacés par l'autre. Ils ont suffisamment développé leur confiance en soi pour vivre de façon autonome aux côtés de l'autre. Ils retrouvent souvent le plaisir d'être ensemble et, vers l'âge de 17 ou 18 ans (parfois un peu plus tard), la relation s'améliore. Les parents respirent mieux. Les années passées à l'école secondaire ont peut-être permis aux jumeaux de se différencier suffisamment pour bien vivre séparément. À tout le moins, les conflits sont terminés.

Difficile pour les parents et les ados...

Vers l'âge de 17 ans, les jumeaux ados doivent faire leurs premiers pas dans le vrai monde des adultes. Entreront-ils tous les deux directement sur le marché du travail après la fin du secondaire ? L'un des deux continuera-t-il à étudier ? Envisagent-ils tous deux de poursuivre leurs études ?

Les jumeaux ont des goûts, des capacités et des rêves différents. Parfois, les parents doivent accepter que l'un des jumeaux choisisse de continuer ses études alors que l'autre décide d'arrêter. Les parents peuvent discuter avec le jeune pour comprendre ses raisons et le guider le mieux possible dans sa prise de décision. Plus tard, un jumeau sera peut-être ingénieur et l'autre pâtissier. En faisant son choix de carrière, le jumeau doit prendre en considération les mêmes données que tous les autres adolescents, mais la possibilité d'une séparation « officielle » d'avec l'autre jumeau rend cette étape encore plus complexe. Si les jumeaux ont encore de la difficulté à cohabiter, voilà l'occasion rêvée de régler le problème. Pour un jumeau tout à fait heureux et uni à son frère ou sa sœur, toutefois, le fait de quitter le domicile familial et son jumeau pour étudier dans le programme de son choix peut susciter une inquiétude paralysante. Malgré ses peurs, il doit entreprendre les démarches qui feront de lui un adulte heureux et accompli.

Parfois, les programmes postsecondaires ne sont offerts qu'à l'extérieur de la ville où réside la famille. Que ce soit par choix ou par obligation, les jeunes quittent souvent la maison pour aller étudier. Les parents sont alors rassurés si les jumeaux partent ensemble. Ils songent parfois à des scénarios qui faciliteraient les choses : « Les jeunes pourraient partager un appartement, ce qui diminuerait le coût des études, ou ils pourraient avoir une auto en commun, ce qui faciliterait le transport. Pourquoi les filles ne suivraient-elles pas le même cours ? Elles aiment les enfants : elles pourraient aller toutes les deux en enseignement ! Elles s'aideraient dans leurs études et pourraient faire ensemble les travaux d'équipe. Elles se connaissent tellement bien, l'équipe est déjà rodée ! »

Certains parents voient au contraire leurs enfants dans des programmes complémentaires : Linda en marketing et Denise en comptabilité. « Elles s'entendent si bien ! Elles pourraient ensuite lancer une entreprise ensemble ! » Les parents tentent de se convaincre qu'il s'agit là de la solution rêvée et que le fait de leur proposer des cours complémentaires prouve qu'ils les individualisent bien. Les parents inquiets trouvent toujours mille et une raisons pour éviter à leurs jumeaux d'avoir à faire un vrai choix de carrière. Les jumeaux, même identiques, peuvent démontrer des aptitudes très différentes. Les parents doivent être capables de reconnaître cela et d'encourager chaque jumeau à suivre sa propre voie et à choisir une carrière en fonction de ses goûts et de ses aptitudes, sans considérer le choix de l'autre.

Faut-il accepter que l'un des jumeaux quitte la famille même si on a l'impression qu'il le fait uniquement pour s'éloigner de son jumeau ? Cela mérite réflexion. Sera-t-il vraiment plus heureux ? Qu'espère-t-il réussir en s'inscrivant à une formation qui se donne à 70 km de la maison ? Si l'adolescent sent qu'il doit se défaire de l'emprise de la gémellité en s'éloignant, peut-être est-ce la meilleure chose à faire.

Il se peut que vous pensiez que l'un des jumeaux devrait quitter la maison pour aller étudier en tourisme. Dans votre tête de parent, cette carrière semble toute désignée pour lui et vous ne comprenez pas pourquoi il hésite à s'inscrire. Encore une fois, il est important de discuter avec lui de ses craintes, de le rassurer et de l'encourager à affronter ses peurs.

Les jeunes d'aujourd'hui changent souvent de domaine d'études quand ils se rendent compte qu'ils ont fait un mauvais choix. Les parents doivent permettre à leurs jumeaux de faire de même sans leur adresser de reproches. Ils doivent les encourager et les appuyer dans leurs démarches, les rassurer et leur montrer qu'ils sont là pour eux, quoi qu'il advienne. Ils doivent accepter qu'ils fassent des erreurs et leur permettre de reconsidérer leurs choix. Peut-être que votre ado a décidé d'aller étudier à Chicoutimi parce que son jumeau avait choisi Montréal et que, d'ici un an ou deux, il saura mieux ce qu'il a envie de faire dans la vie. Même si vous doutez de la validité de certaines décisions, il est important que vous laissiez les jumeaux vivre cette étape du mieux qu'ils peuvent.

> Séparation difficile

Les jumeaux adultes que j'ai questionnés m'ont tous dit que la décision de partir étudier à l'extérieur avait été l'une des plus difficiles qu'ils aient eues à prendre. Certains jumeaux n'ont pas été capables de partir à la fin de leur cours secondaire. « On pourrait bien étudier tous les deux au collège local, non ? On y offre une belle variété d'options. Il y a sûrement quelque chose pour chacun de nous ! » Certains m'ont dit avoir attendu un an ou deux avant de s'inscrire aux cours qui les intéressaient et de se séparer de leur famille. Ils ont parfois trouvé cela très difficile, comme en font foi leurs factures de téléphone cellulaire, mais ils sont fiers d'avoir pris la bonne décision. D'autres ont toujours regretté de n'avoir pas osé partir étudier à l'extérieur : ils doivent parfois aujourd'hui se contenter d'un travail qui ne les satisfait pas vraiment. C'est un prix plutôt élevé à payer. Ceux qui n'ont pas eu à quitter la maison pour s'épanouir dans leur choix de carrière se considèrent chanceux d'avoir pu continuer à côtoyer celui ou celle qu'ils considèrent comme leur meilleur ami.

Voilà, vos jumeaux sont presque des adultes. Malgré les doutes et les difficultés, vous avez réussi à les amener à bon port. Vous pouvez être fiers de vous, tout comme vous êtes fiers d'eux. Le lien qu'entretiennent les jumeaux adultes peut surprendre. Nous nous pencherons sur ce sujet dans la conclusion de cet ouvrage.

Notes

1. R. Zazzo. *Paradoxe des jumeaux*. Paris : Stock — Laurence Pernoud, 1984, p. 179.

Conclusion

Les jumeaux adultes

Vos jumeaux sont maintenant grands et matures. Ils vivent leur vie séparément. Vous avez tout fait pour qu'ils soient le plus heureux possible dans leurs relations et qu'ils mènent des vies équilibrées. En effet, à l'âge adulte, certains jumeaux souffrent de n'avoir pu se forger une personnalité qui leur est propre. Des jumeaux ont dit qu'à force d'être traités comme une seule personne et habillés de la même façon — comme il était courant de le faire autrefois —, chacun finissait par croire qu'il ne valait que la moitié d'un tout. Pour les gens de l'entourage, les deux personnes habillées pareillement restent toujours « les jumeaux », c'est-à-dire une entité. Une jumelle a dit qu'elle se sentait invisible aux yeux de sa famille élargie lorsque sa sœur n'était pas à ses côtés. Dans une réunion de famille, l'une de ses tantes lui a même dit qu'elle était déçue de constater que « les jumelles n'étaient pas là » alors qu'elle était là, juste devant elle. Les parents de jumeaux ont aujourd'hui moins tendance à habiller leurs enfants de la même façon. On peut supposer que ces enfants, une fois adultes, se réjouiront d'avoir un jumeau sans en ressentir les limites sociales.

Comment vivent les jumeaux adultes ? Même s'ils sont autonomes, confiants et solides, vos jumeaux sont toujours heureux de partager les hauts et les bas de leur vie. Ils ne sont pas moins jumeaux que lorsqu'ils étaient enfants. Si chacun s'est forgé une identité propre, les liens qu'ils entretiennent entre eux n'en sont que plus agréables.

Encore jumeaux ?

Chaque couple de jumeaux a sa propre dynamique. Si les vôtres se livraient une certaine concurrence, il se peut qu'ils ne sentent plus maintenant le besoin de se mesurer l'un à l'autre ou qu'ils soient moins portés à le faire. Il est possible que des jumeaux ayant vécu leur jeunesse de façon indépendante se rapprochent plus tard. Si vos jumeaux étaient très proches lorsqu'ils étaient enfants, ils le seront tout autant une fois adultes. Si vos jumeaux identiques ont bien vécu leurs différences pendant l'adolescence et le début de la vie adulte, il est fort probable qu'ils recommencent à se ressembler encore plus en vieillissant, c'est-à-dire qu'ils se permettent d'être eux-mêmes, donc d'être presque comme l'autre. Je suis toujours un peu jalouse quand je constate la chance qu'ont mes garçons de partager un lien d'une telle intensité et d'une telle solidité. Depuis leur naissance, je ne peux que constater à quel point ce lien est magique. Voyons comment a évolué leur relation au fil des années.

À quelques mois de vie

Je souris encore quand je revois la scène dans ma tête : les garçons sont couchés côte à côte, chacun suçant le pouce de l'autre. L'un des deux arrête de téter, mais il ressent toujours la sensation sur son pouce. L'autre, qui continue de téter, ne ressent pourtant plus rien. Où commence l'un et où finit l'autre ? On voyait très bien dans leurs yeux qu'ils ne saisissaient pas encore le phénomène...

À 3 ans

Mes fils ont participé à un reportage télévisé sur les jumeaux. Je les vois encore expliquer : « Nous, on est presque pareils... On a les mêmes yeux, les mêmes cheveux... mais on bouge pas pareil ! On est deux petits garçons différents ! » Vous comprendrez qu'ils avaient l'âge où on joue devant le miroir !

À 6 ans

Richard a dû être hospitalisé et opéré au CHU Sainte-Justine, loin de la maison. Il a subi sans broncher les examens préopératoires, enduré les piqûres, subi l'opération et tout ce qui s'ensuivait... Pendant tout le processus, il n'a jamais pleuré. Lorsqu'il a enfin pu se relever, trois jours après l'intervention, nous lui avons offert d'appeler à la maison. Après avoir discuté quelques instants avec Mamie, qui gardait son frère et sa sœur, il a demandé à parler à son frère. Sylvain n'a eu qu'à dire « allô » et j'ai vu deux grosses larmes couler sur les joues de Richard. Mon cœur de mère se serre encore lorsque je me rappelle la scène. Toute la souffrance physique, ce n'était rien...

À 10 ans

Nous avions choisi un film sans connaître précisément le sujet. C'était l'histoire d'un petit garçon un peu bizarre qui semblait toujours chercher quelque chose. Nous avons appris, à la fin du film, que la vieille boîte qu'il traînait toujours avec lui contenait une photo de sa jumelle décédée. C'était un beau film, quoiqu'un peu triste. Les garçons semblaient malgré tout très sereins à la fin du film. Mais ce soir-là, au coucher, j'ai eu droit à la crise de larmes du siècle de la part de l'un des deux garçons. Pas moyen de le consoler : je ne pouvais qu'attendre que les pleurs cessent. Mon fils venait de prendre conscience qu'il pourrait un jour perdre son frère...

À l'école secondaire

Lorsque les garçons nous ont présenté leur amoureuse respective, j'ai eu dès que possible avec elles la discussion que je croyais devoir s'imposer. « Je pense que ça doit être assez complexe d'être une " blonde " de jumeaux. Tu sais que même s'il t'aime beaucoup, tu n'auras peut-être jamais droit à tout son cœur... »

Au collège

Les nouveaux amis se vantaient qu'ils n'avaient aucune difficulté à différencier les deux frères. Sylvain étudiait en sciences humaines et Richard, en sciences de la nature ; ils ne suivaient donc pas du tout le même programme en mathématiques. Ils ont un jour décidé de changer de vêtements à la pause et de continuer les cours dans la classe de l'autre afin de vérifier si leurs amis disaient vrai. Les amis n'y ont vu que du feu ! Les garçons étaient très fiers de leur tour, jusqu'à ce que le prof de mathématiques de Richard distribue un test éclair. « Richard » a eu un résultat de 32 % à cet examen, mais il semble que le tour en valait le coup !

À l'université

Sylvain étudiait dans une autre ville. Cette année-là, le thème de la fête d'Halloween organisée à la faculté était « les deux font la paire ». Quel beau hasard ! Les garçons ont décidé de jouer un tour aux nouveaux amis de Sylvain, dont certains ne connaissaient pas l'existence de Richard. Richard est arrivé au bar, déguisé, répondant aux salutations des amis de Sylvain. Dix minutes plus tard, Sylvain a fait son entrée, déguisé pareillement, et s'est frayé à son tour un chemin jusqu'au fond de la salle en saluant tout ce même monde. Après quelques minutes, ils se sont retrouvés sur la piste de danse tel que convenu. Les gens qui se trouvaient autour d'eux ont tout à coup eu l'impression d'avoir trop bu et de voir double. C'était le clou de la soirée et les garçons ont bien ri en voyant les réactions des gens. Seule celle qui est aujourd'hui l'épouse de Sylvain n'a pas eu de moment d'hésitation.

Toujours à l'université

Un jour, Sylvain m'a appelée pour me demander conseil. « *Mom*, je ne sais pas trop ce qui m'arrive ; j'ai vraiment mal aux dents depuis quelques heures. J'ai pris des analgésiques et ça ne passe pas du tout. As-tu autre chose à me suggérer ? » Je n'ai eu aucune hésitation. « Ne t'inquiète pas, lui ai-je répondu, ça devrait passer bientôt. Le rendez-vous de Richard chez le dentiste a été devancé et il vient de se faire enlever les dents de sagesse. » Cela n'arrive pas que dans les films... Quelques années plus tard, Richard a eu un problème de dents. Sylvain m'a convaincue que ce ne devait sûrement pas être très grave, puisqu'il n'avait rien senti.

L'année suivante, lors d'une fin de semaine de camping en famille, Richard s'est réveillé au beau milieu de la nuit et a ressenti le besoin impératif de sortir de sa tente. Au même moment, son frère, qui ne se sentait pas très bien, sortait respirer un peu d'air frais. Ils ont marché ensemble et se sont assoupis sur la plage en attendant le lever du soleil. Il semble qu'être malade peut presque être agréable quand on a un jumeau avec qui partager ces moments… Qui n'a pas rêvé d'entretenir une telle amitié avec quelqu'un ?

À l'âge adulte

Sylvain m'a dit avoir occasionnellement un petit frisson dans le dos : il a parfois la curieuse impression de voir son frère dans le miroir lorsqu'il se rase le matin. Assez déstabilisant… Le jour du mariage de Richard, ils ont dû se consulter pour déterminer « si et comment on se rase ». Il est important de ne pas être pareils, après tout ! Enfants, les jumeaux ne portaient pas les mêmes vêtements. Or, il arrive souvent, aujourd'hui, qu'ils arrivent habillés de la même façon aux réunions de famille.

Le 15 novembre 2006, je suis devenue grand-maman. Sylvain et Élizabeth ont eu la plus belle fille du monde, Frédérique. Quelques mois plus tard, Mylène était enceinte. Il était inutile de tenter de deviner la date de l'accouchement. Vous l'aurez deviné : le 15 novembre 2007, Richard et Mylène nous présentaient leur fils Édouard. Quand nous avons appris qu'il souffrait de graves problèmes de santé, Sylvain a été presque aussi bouleversé que son frère. Les jumeaux se parlaient trois à quatre fois par jour, depuis la maison, l'hôpital, le bureau. Mon cœur de mère a pleuré pour les deux garçons qui souffraient avec Édouard. Puisque nous avions confirmé qu'ils étaient identiques, toutefois, nous savions que les deux garçons pourraient donner du sang à Édouard, qui en aurait régulièrement besoin.

Il est toujours intéressant de voir les réactions des petits-enfants vis-à-vis des jumeaux. Déjà, à quelques mois, on décelait le questionnement dans leurs yeux quand ils voyaient les jumeaux côte à côte. Deux papas ? Ils sont de plus en plus capables, maintenant, de différencier « papa » de « oncle papa », mais jusqu'à l'âge de 4 ans environ, il arrivait régulièrement qu'on sente une certaine confusion.

Les jumeaux bien équilibrés peuvent, à l'âge adulte, être heureux dans leur couple. On dit souvent qu'à force de vivre ensemble, les conjoints en viennent à se ressembler. Le lien finit-il par être presque aussi solide que celui qui unit les jumeaux ? Peut-être. Les conjoints prennent de plus en plus d'importance à mesure que le temps passe et que la confiance et l'amour grandissent. Le jumeau comprend éventuellement que sa conjointe est aussi une alliée fiable qui sera toujours présente. Cela n'enlève rien au lien gémellaire qui, lui, ne change pas. Aujourd'hui, mes deux magnifiques belles-filles le comprennent très bien et elles sont très à l'aise avec cette réalité. Leurs conjoints se parlent au téléphone chaque jour ou presque. Mes belles-filles acceptent que leurs maris aient parfois besoin d'être ensemble. Elles acceptent gentiment que les jumeaux s'organisent des « journées de gars » et même des « fins de semaine de gars ». Reste à voir si les « fins de semaine de gars » incluront un jour les tout-petits !

Certaines choses ne changent jamais

Je trouve encore que mes garçons ont la même voix au téléphone. Un jour, je les ai confondus... J'en ai eu pour plusieurs mois à entendre : « Allô, maman, c'est ton fils, Richard (ou Sylvain...) qui te parle. » Quand l'un des deux sonne à ma porte, je dois porter un regard plus attentif pour bien l'identifier. Mais cela a fait partie de mon quotidien pendant toutes les années qu'ils ont passées à la maison. Rien ne change entre eux non plus. L'accueil de l'autre est indéfectible. Quelles que soient les erreurs qu'un jumeau peut faire, il est très peu probable que l'autre le rejette. Avant de prendre une décision importante, il y a habituellement deux discussions ; l'une avec le conjoint ou la conjointe et l'autre avec le jumeau. Les jumeaux n'ont pas peur de se dire toute la vérité, car il est clair que leur lien est inviolable. Il est par ailleurs facile pour eux de se confier à l'autre. « Je peux tout lui dire. Je n'ai rien à cacher. Il me connaît mieux que quiconque, parfois mieux que moi-même. » L'une des jumelles à qui j'ai parlé m'a cependant fait voir l'autre côté de la médaille : « Quand je raconte mes peines à ma sœur, ça me fait du bien. Je sais qu'elle me comprend. En même temps, quand je lui dis que j'ai de la peine, je sais qu'elle souffre autant que moi... et je trouve ça difficile. Parfois, je préfère ne rien dire pour la protéger, mais elle sent ma peine quand même. »

Le soutien entre les jumeaux dans les moments difficiles est indéfectible. Qu'il s'agisse d'une malchance, d'une maladie ou d'un problème quelconque, grave ou non, le jumeau vole à la rescousse de l'autre. Quel plaisir pour les parents de jumeaux de savoir que leurs enfants se soutiennent mutuellement !

Tous les conjoints de jumeaux identiques vous le diront : lorsqu'ils se retrouvent après une longue absence, il faut accepter l'espèce de bulle qui se crée autour d'eux. Même adultes, ils se comprennent à demi-mot, partagent des fous rires, des discussions et des jeux qui leur sont propres. Ils ont besoin d'un peu de temps seuls, loin du reste de la famille. Chez nous, on les laisse faire la vaisselle ensemble après le repas. Ils finissent, encore à 32 ans, par la traditionnelle bataille de linges à vaisselle.

Une amie me disait que lorsque ses sœurs jumelles (non identiques) se retrouvaient, l'entourage disparaissait. Après quelques minutes, elles se promenaient bras dessus, bras dessous, pendant que les conjoints traînaient en arrière avec elle. Elle a eu l'occasion de passer beaucoup de temps avec ses beaux-frères…

Mission accomplie !

Que de chemin parcouru depuis le jour où vous avez appris que vous attendiez des jumeaux ! Vous en avez vu de toutes les couleurs ! Vous avez survécu tant bien que mal aux hauts et aux bas de la vie de parents de jumeaux. Vous avez probablement aussi — consciemment ou non — oublié certains jours, voire certaines périodes de la vie de vos jumeaux. Votre rôle d'éducateur tire à sa fin. Vous avez amené ces petits êtres sans défense jusqu'à l'âge adulte avec succès. Ils sont grands, ils sont parents et vivent dans deux maisons, mais… ils sont encore jumeaux ! Aujourd'hui, il ne vous reste qu'à les regarder vivre, à les admirer. Félicitez-vous pour vos belles réussites et pardonnez-vous pour vos manquements. Vous pouvez vous dire : mission accomplie !

Richard et Sylvain : plaisir de se retrouver

Ressources

Organismes

Canada

APJTM – Association de parents de jumeaux et de triplés de la région de Montréal
Téléphone : 514 990-6165
Courriel : apjtm.com/contact
www.apjtm.com

Association des obstétriciens et gynécologues du Québec
Téléphone : 514 849-4969
Courriel : info@gynecoquebec.com
www.gynecoquebec.com

APJQ – Association des parents de jumeaux et plus de la région de Québec
Téléphone : 418 210-3698
Courriel : info@apjq.net
www.apjq.net

Ligue La Leche
Téléphone : 514 990-8917
Courriel : bureaulll@allaitement.ca
www.allaitement.ca

Ligne Parents
Téléphone : 1-800-361-5085
http://ligneparents.com/mission

Meilleur départ : Le centre de ressources sur la maternité, les nouveau-nés et le développement des jeunes enfants de l'Ontario
Téléphone : 416 408-2249
Sans frais pour l'Ontario : 1 800 397-9567
Courriel : meilleurdepart@nexussante.ca
www.fr.meilleurdepart.org

Multiple Births • Naissance multiple Canada
Sans frais au Canada : 1 866 228-8824
Courriel : office@multiplebirthscanada.org
www.multiplebirthscanada.org

Préma-Québec
Téléphone : 450 651-4909 • Sans frais : 1 888 651-4909
Courriel : info@premaquebec.ca
www.premaquebec.ca

Société des obstétriciens gynécologues du Canada
Téléphone : 1 800 561-2416 ou 613 730-4192
Courriel : info@sogc.com
www.sogc.org/fr

Belgique

La Leche League Belgique
Information et soutien à l'allaitement
Téléphone : 02/268 85 80
www.lllbelgique.org

Jumeaux & Co.
www.jumeauxandco/g-amis-jumeaux/parents-jumeaux-belgique/

France

Fédération Jumeaux et Plus
Téléphone : 01 44 53 06 03
Courriel : secretariat@jumeaux-et-plus.fr
www.jumeaux-et-plus.fr

La Leche Ligue France
Un association pour le soutien à l'allaitement maternel
www.lllfrance.org

Suisse

Association Jumeaux
www.jumeaux.com

La Leche League Schweiz
www.lalecheleague.ch/fr

Sites Web

Maman pour la vie : portail au service des parents
www.mamanpourlavie.com

Naître et grandir
http://naitreetgrandir.com/fr/etape/0_12_mois/viefamille/fiche.aspx?doc=avoir-jumeaux-nouveau-nes

Sites sur les jumeaux, les triplés et plus...

www.pediatres.online.fr/jumeaux.htm

Twin to Twin Transfusion Syndrome Foundation
www.TTTSfoundation.org

http://itunesapple.com/ca/podcast/twings-talks/id823657611?mt=2

Livres pour les parents et la famille

Decamps, M. *Des jumeaux, quelle aventure ! Le quotidien avec plusieurs enfants du même âge*, Paris : Éditions Josette Lyon, 2008.

Decamps, M. *Quand les jumeaux grandissent : l'aventure continue*, Paris : Josette Lyon, 2009.

Dufour, D. *J'attends et j'élève des jumeaux : le guide des jeunes parents*, Saint-Victor-D'épine : Idéo, 2012.

Billot, R. *Le guide des jumeaux : de la conception à l'adolescence*, Paris : Balland, 2002.

Pons, J.C., C. Charlemaine et E. Papiernik. *Le guide des jumeaux : la conception, la grossesse, l'enfance*, Paris : Odile Jacob, 2006.

Collectif. *Les jumeaux : 1 fois 2 ou 2 fois 1 ?*, Ramouville Saint-Agne : Érès, 2008.

Wright, L. *Les jumeaux et leur jumeau : les mystères de l'identité humaine*, Paris : Odile Jacob, 1998.

Himbert, M.N., *Le mystère des jumeaux*, Paris : Perrin, 2009.

Livres pour les enfants

Dolto, C. et C. Faure-Poirée. *Les jumeaux*, Paris : Gallimard, 2003. 2 ans +

Minne, B. *Petits bobos*, Toulouse : Milan, 2007. 2 ans +

Yum, H. *Bonne nuit, les jumelles !*, Paris : Albin Michel Jeunesse, 2012. 3 ans +

Faudais, S. *Tom & Lou : les jumeaux à la maternité*, Paris : Anabet, 2008. 2 ans +

Voake, C. *Coucou les jumeaux*, Paris : Gallimard Jeunesse, 2006. 3 ans +

Texier, O. *Max et Jo sont jumeaux*, Paris : École des Loisirs, 2005. 3 ans +

Cathala, A. *Éliot et Zoé, les jumeaux rigolos*, Toulouse : Milan, 2002. 4 ans +

Gauthier, B. *Les jumeaux Bulle*, Montréal : Éditions de la courte échelle, 2010. 7 ans +

Bergeron A. *Les merveilleuses jumelles W.*, Montréal : Québec Amérique, 2012. 9 ans +

Thibault, S. *Les soucis de Zachary*, Saint-Laurent : Pierre Tisseyre, 2007. 9 ans +

Le Gendre, N. *Vivre*, Paris : Syros, 2011. 9 ans +

Lanchon, A. *Jumeaux, mais pas clones*, Paris : De la Martinière Jeunesse, 2007. 11 ans +